整形外科卒後研修Q&A

改訂第8版

［問題編］

編集

日本整形外科学会Q&A委員会

南江堂

改訂第8版 Q&A 委員会

委員長　赤澤　努

委　員　石島　旨章
（五十音順）稲葉　裕
内山　勝文
内山　善康
江幡　重人
岡崎　賢
落合　信靖
門野　夕峰
川崎　恵吉
河野　博隆
吉川　一郎
窪田　綾子
齋藤　琢
斎藤　充
清水　如代
下村　哲史
瀬川　裕子
筑田　博隆
栃木　祐樹
中村　順一
中村　俊康
中山　ロバート
芳賀　信彦
細金　直文
洞口　敬
堀内　圭輔
眞島　任史
村上　賢一
山口　智志
山本　謙吾
吉井　俊貴
担当理事　大鳥　精司
アドバイザー　仁木　久照

改訂第８版の序

『整形外科卒後研修Ｑ ＆ Ａ』が５年ぶりに改訂され，第８版として刊行されることになりました．本書は整形外科専門医を目指す若手医師にとっては必読の書であるとともに，専門医取得後も常に知識の整理，確認を行うための座右の書としてもご活用いただけます．

本書の初版は故津山直一東京大学名誉教授が発案され，1976年に全国の整形外科医に問題・解答の執筆が依頼されたことに始まり，1980年に山内裕雄委員長(順天堂大学名誉教授)を中心とする初代Ｑ ＆ Ａ委員会の東京と九州の委員の方々により新規問題作成，検証，整理が行われたのちとりまとめられ，実に９年の歳月を経て1985年４月に刊行されました．初版完成と同時に，５年に一度の改訂の方針が示され，その後もこの方針に従って地区単位で選出された委員の先生方により５年ごとの改訂が継続されてきました．このように先人の先生方の先見の明によって本書は常に時代に即した内容になるように編集されてきました．

初版の序には“先進諸国に伍して国際的，対外的に恥ずかしくないような卒後教育研修プログラムを一日も早く作り上げて，医療水準の質を高め，より広く人類福祉に貢献しよう”というＱ ＆ Ａ刊行の背景が述べられており，この高邁な目標は日本整形外科学会，そして最近では日本専門医機構による専門医制度の発展として結実しようとしております．Ｑ ＆ Ａで学び，専門医試験に合格した日整会および機構認定の整形外科専門医は2020年９月現在，合計19,658名に上っており，良質な整形外科医療を国民の方々に提供しています．

今回の改訂作業はＱ ＆ Ａ委員会において大鳥精司担当理事，赤澤　努委員長を中心に，関東地区の委員の先生方が担当され，直近の専門医筆答試験の動向に合わせて，問題分野の再編，問題の作成と厳選(前版より42問減)，症例問題の掲載中止・日整会ホームページへの移行などが精力的に行われました．2020年１月以降，本邦でも新型コロナウイルス感染症が拡大し，対面での会議も制限される中，委員の先生方には大変献身的に改訂版の作成に取り組んでいただきました．2020年度は専門医試験そのものも新型コロナの影響により筆答試験は各都道府県に設けられた会場でcomputer based testing(CBT)の方式により時間を短縮して行われました．今後も感染が終息するまではCBT方式での試験が行われることになると思いますが，試験形態が変わりましても本書の意義は不変のものであると思います．

最後になりますが，改訂に多大なるご尽力を頂きましたＱ ＆ Ａ委員会，ご協力を頂いた日整会各委員会，事務局の皆様，その他関係各位に心からの敬意と感謝を申し上げます．

令和３(2021)年４月

日本整形外科学会

理事長　松本守雄

改訂第8版の刊行にあたって

『整形外科卒後研修Q & A』は昭和60年に初版が刊行され，その後，5年に1度の改訂を行っており，このたび改訂第8版を刊行することになりました．日本整形外科学会Q & A委員会での改訂作業は，関東地区より選出された34名の委員で担当いたしました．第1回の委員会は令和元年9月に東京で開催し，2ヵ月に1回のペースで委員会を開催し討議を重ねておりました．令和2年にはいり，新型コロナウイルス感染症の流行に伴い委員会の開催を中断せざるを得なくなりましが，メールでの討議を続け，5月にはオンラインミーティングという形で委員会を再開しました．令和2年7月には改訂作業を終えて入稿，校正へと進みました．このたび，全委員による校正を終え，無事に第8版を刊行することができ安堵しております．

さて，今回の改訂の主眼は「整形外科専門医試験にあわせた再編」といたしました．章分けの変更と専門医試験で出題された筆答試験問題の追加を行っており，大幅な改訂を行っております．まず，初版より第7版まで続いていた章分けを見直し，現在の専門医試験の出題分野に合わせた8つの章に再分配いたしました．前版より引き継いだ一般問題1,267題をすべて見直し，さらに第29回から第31回専門医試験に出題された筆答試験問題358題を追加いたしました．さらに，日本整形外科学会広報・渉外委員会にて作問していただいたロコモティブシンドロームや関係法規に関する新作問題9題を追加しました．専門医試験に出題された問題は正答率や識別指数を参考に採用し，その分野の専門医による解説文を作成しております．また，国家試験や専門医試験の出題基準に沿った用語の統一を可能な限り図りました．総計で1,634題について修正や削除を検討し，最終的には1,188題を掲載しております．症例問題につきましては，新たな制度下での専門医試験では面接試験を行わないことから，紙面掲載せず日本整形外科学会のURLから参照していただくことにいたしました．診療レベルの向上にお役立ていただければ幸いです．

最後に，今回の改訂にあたりコロナ禍のなか多大なるご協力をいただいたQ & A委員会の先生方，担当理事の大鳥精司先生，アドバイザーの仁木久照先生，作問に携わっていただいた広報・渉外委員会の先生方，事務担当の柳澤ゆき江さん，及川千晶さん，そして出版業務を担当していただいた南江堂の担当者の皆様に，この場をお借りしまして厚く御礼申し上げます．本書が，専門医試験の準備をしている専攻医にとって，そして，専門医にとってもお役に立てることを願っております．

令和3(2021)年4月

日本整形外科学会Q&A委員会
委員長　赤澤　努

改訂第7版の序

『整形外科卒後研修Q＆A(改訂第7版)』が5年ぶりに改訂され，刊行されることになりました．本書は，整形外科専門医の取得を目指す若手医師が効率的に勉強できる必読書でありますが，専門医取得後の整形外科医が自らの知識を再確認し，更新するための生涯教育書としても第一級の教材です．今回の改訂では，最新の知見を踏まえて一般問題，症例問題，文献表記を見直し，一層充実した内容になっています．

編集を担当していただいた日本整形外科学会Q＆A委員会は，1972年に整形外科の卒後教育の向上と標準化のために設立された卒後教育等検討準備委員会(津山 直一委員長)，それに続く1974年からの卒後教育等検討委員会(津山委員長)を前身として，1980年9月20日に第1回委員会(山内 裕雄委員長)を開催したことをもって嚆矢としています．これに先立って，1976年には全国の整形外科医に問題・解答・解説の執筆を依頼し，本書刊行への具体的作業がスタートしています．寄せられた原稿を，東京と九州のメンバーが9年の歳月をかけて検証，校正，整理し，1985年4月に初版が発刊されています．それから30年が経過し，本書は，現在までに5回の改訂作業が地区単位で行われてきました．

改訂第2版(1994年)とその出題形式の見直しを行った改訂第3版(1997年)は近畿地区(平澤 泰介委員長)，改訂第4版(2001年)は中部地区(内田 淳正委員長)，改訂第5版(2006年)は九州地区(岩本 幸英委員長)，改訂第6版(2011年)は北海道・東北地区(井樋 栄二委員長)がそれぞれ担当され，5年毎の改訂が定着しています．

今後も，初版の序で述べられておりますように，「国際的，対外的に恥しくないような卒後教育研修プログラムを一日も早く作り上げて，医療水準の質を高め，より広く人類福祉に貢献しよう」との高邁な理念を継承し，自主的，自律的に取り組んできた歴史を大切にして改訂を行っていきたいと思います．

最後に，本改訂に従事され，莫大な時間とエネルギーを注がれたQ＆A委員会の長谷川 徹担当理事，越智 光夫委員長，それぞれの後任としてご尽力いただいた三浦 裕正担当理事，長谷川 徹委員長をはじめとする委員各位に深甚なる敬意と感謝の意を表します．また，問題作成や改訂作業の過程で多大なご協力を賜った日本整形外科学会会員，各種委員会委員，事務局の皆様にも，心からの御礼を申し上げます．

平成28(2016)年4月

日本整形外科学会

理事長　丸毛啓史

改訂第7版の刊行にあたって

『整形外科卒後研修 Q&A』は昭和 60(1985)年 4 月に初版が山内裕雄委員長のもとに上梓されましたが，これはわが国の整形外科教育を国際的医療水準にまで高めるという使命感の基に作成されていいます．この具体的作業は昭和 51(1976)年に津山 直一委員長のご指導のもとに開始されており，じつに 9 年の歳月を要し初版が上梓されました．その後，近畿地区，中部地区，九州地区，北海道・東北地区が改訂を担当し，この間の先輩諸先生ならびに関係諸氏の並々ならぬご努力に改めて敬意を表する次第であります．

今回の Q&A 委員会は中国・四国地区が担当することとなり，『整形外科卒後研修 Q&A(改訂第 7 版)』の平成 28 年 4 月発刊を目指し，平成 26 年 7 月に活動を開始しました．当初は，担当理事・長谷川 徹，委員長・越智 光夫ならびに 25 名の委員が 7 つのサブグループに分かれ作業開始となりました．まず一般問題の改訂作業として約 1,200 題中 360 題(30%)の問題入れ替えを目標とし，毎月毎のサブグループ会議で問題提出を行い，2 カ月毎の全体会議にてブラッシュアップを行ってきました．そして予定通り平成 26 年度中に一般問題改訂作業を終えています．

平成 27 年度からは担当理事・三浦 裕正，委員長・長谷川 徹ならびに 31 名の委員体制となり，5 領域のサブグループに分かれ症例問題の改訂作業を開始し，症例問題約 90 題中 45 題(50%)の問題入れ替えを目標として改訂してきました．

30 年の長きにわたる本書の改訂の歴史において，疾患概念の変更・修正や診断基準の見直し，ならびに治療内容の進歩などは日進月歩の様相を呈してきています．そうした状況の中で最新の情報を盛り込み，当初の制作理念に沿う内容となるようメンバー全員で取り組んでまいりました．

一般問題ならびに症例問題を含めて 8 回の全体会議と，その間のサブグループ会議，ならびに初校校正作業，その後の委員全員による再校クロスチェック作業を経て発刊に至っています．しかし，医学・医療の進歩に伴い今後の訂正・追加を必要とするかもしれません．読者の皆様には忌憚のないご意見をいただき次回の改訂に生かし，本書がさらに充実した内容になっていくことを願っています．

刊行にあたりまして診療・教育・研究といった日常業務で大変ご多忙の中，多大な時間を費やして改訂作業を行っていただきました Q&A 委員会委員の皆様，検討資料の作成や委員会の調整作業に当たっていただいた日本整形外科学会事務局の柳澤 ゆき江さん，毎回の全体会議にご出席いただき編集・制作作業に当たっていただいた南江堂の熊澤 光氏，杉山 孝男氏に深謝いたします．また，関係法規の問題に関して日本整形外科学会安全医療推進委員会委員の皆様にご協力をいただき，紙面をお借りしてお礼申し上げます．

最後に，本書が専門医試験ならびに専門医教育に役立ち，日本の整形外科医のレベル向上に貢献できれば幸甚です．

平成28(2016)年4月

日本整形外科学会 Q&A 委員会
委員長　長谷川 徹

改訂第7版 Q&A 委員会

委員長　越智　光夫(平成26年度)
長谷川　徹(平成27年度)

委　員　(五十音順)
安達　伸生
阿部　信寛
池内　昌彦
伊原公一郎
岩田　憲
内尾　祐司
尾形　直則
尾﨑　敏文
木村　浩彰
西良　浩一
酒井　紀典
下瀬　省二
髙橋　敏明
高橋　光彦
田口　敏彦
武政　龍一
田中　雅人
永島　英樹
中塚　洋一
西田圭一郎
野田　知之
萩野　浩
藤原　一夫
真柴　賛
間島　直彦
松浦　哲也
馬庭　壯吉
三浦　裕正(平成26年度)
三谷　茂
村松　慶一
森澤　豊
山本　哲司

担当理事　長谷川　徹(平成26年度)
三浦　裕正(平成27年度)

改訂第6版の序

日本整形外科学会専門医試験受験者のための『整形外科卒後研修Q & A』が5年ぶりに改訂され，第6版が刊行されることになりました．今回の改訂作業のために莫大な時間とエネルギーを注がれたQ & A委員会の野原裕担当理事，井樋栄二委員長をはじめとする委員各位に深い敬意と感謝の意を表します．また問題作成や改訂作業の過程で多大なご協力を賜った会員各位，各種委員会委員に御礼を申し上げ，数々のご助言を賜った内科医，麻酔科医，救急医，リハビリテーション医の方々に心から御礼申し上げます．

本書の初版は，昭和63(1988)年度に開始された日本整形外科学会認定医試験の教材として，山内裕雄委員長(順天堂大学名誉教授)を中心とする初代Q & A委員会でまとめられ，昭和60(1985)年に上梓されました．初版作成にあたっては，在京の委員会メンバーが日整会誌に連載されたQ & A問題の改訂整理，九州のメンバーが症例問題の新規作成を担当し，ほぼ毎月集まって問題作成に専念されましたが，それでも企画から初版完成まで9年もの歳月を要するほどの大作業でした．初版完成の時点で，時代の進歩に遅れることがないよう，5年毎の改訂の方針を示したことは，初代Q & A委員会の英断でした．その後，当初の計画どおりに改訂が行われ，第2版，第3版は平澤泰介先生(京都府立医科大学名誉教授)を中心とした近畿地区チーム，第4版は内田淳正先生(三重大学学長)を中心とした中部地区チーム，第5版は私を中心とする九州地区チームが改訂作業を担当しました．わが国全体の整形外科のために，各地区のチームが持ち回りでQ & Aの改訂に取り組み，次の地区へとバトンを渡すという作業は，日本整形外科学会の結束を示す素晴らしい伝統だと思います．今回，改訂作業のバトンは九州地区から北海道・東北地区へ渡され，井樋栄二先生(東北大学教授)を中心とするチームが結成されました．改訂作業は順調に進みましたが，完成間近の2011年3月11日に東日本大震災が発生し，委員ご自身が被災，あるいは地元の医療・救援活動に忙殺されたばかりでなく，メール，電話などの連絡網が完全に遮断されました．そのため本書刊行の大幅な遅れが予想されましたが，各委員が最大限の努力を払ってくださったおかげで，さほどの遅れもなく刊行にこぎつけることができました．専門医試験受験者が待望しているという思いやりから，被災地にありながら全力を尽くしてくださった北海道・東北地区の委員の皆様に心から感謝申し上げます．

本書は，整形外科専門医となるためのガイドラインであり，専門医試験受験者にとって必読の書です．例年，試験問題の一部が本書から出題されますので，受験者は必ず精読して試験に臨んでいただきたいと思います．また，Q & A方式で設問に答え，解説文で自分の知識を確認するという作業は，すでに専門医資格を有しておられる方々にとっても効率的な勉強法です．多くの方々の努力と情熱によって完成し引き継がれてきた本書が，わが国の整形外科医のレベルアップに貢献し，ひいては運動器疾患に悩む方々の治療成績向上につながることを心から願っています．

平成 23(2011)年 6 月

日本整形外科学会
理事長　岩本幸英

改訂第 6 版 Q&A 委員会

委員長　井樋　栄二

委　員　青田　恵郎
(五十音順)　石川　肇
石橋　恭之
一戸　貞文
伊藤　浩
遠藤　直人
大森　豪
岡田　恭司
荻野　利彦
生越　章
小澤　浩司
北　純
紺野　愼一
佐野　博高
島田　洋一
嶋村　正
高木　理彰
髙原　政利
藤　哲
信田　進吾
羽鳥　正仁
堀田　哲夫
宮腰　尚久
矢吹　省司
山崎　健
山下　敏彦
担当理事　野原　裕
担当副理事長　三浪　明男
アドバイザー　国分　正一

改訂第6版の刊行にあたって

『整形外科卒後研修 Q&A』は昭和 60 (1985) 年に初版が刊行されました. その後5年に1度の改訂を行ってきて, このたび改訂第6版を刊行することになりました. 改訂作業は日本整形外科学会 Q&A 委員会が行いましたが, 本委員会は各地区のチームによる持ち回り制で, 前回の改訂作業にあたった九州地区より引き継ぎ, 今回は北海道・東北地区が担当することになりました. 北は旭川市から南は新潟市まで, 1道7県にわたる委員の先生方総勢 27 名にお集まりいただき, 第1回の委員会を 2009 年8月に仙台で開催しました. その後, ほぼ2ヵ月に1回のペースで委員会を開催し, 討議を重ねてきました. 2010 年 10 月の委員会で改訂作業がおおむね完了し, このたび無事に改訂第6版を刊行することができ, 委員長としてたいへん安堵いたしております. 委員会の先生方, 担当理事の野原裕先生, アドバイザーの国分正一先生, 事務担当の柳澤ゆき江様, 一部の作問にたずさわってくださった日本整形外科学会安全医療推進委員会の先生方, そして出版業務を担当してくださった南江堂の担当者にはこの場をお借りして厚く御礼申し上げます.

さて, 本改訂にあたりまして, 第5版と同様, 一般問題は 1,200 題, 症例問題は 90 題に設定しました. そのうち, 30%の問題を改訂あるいは新作問題と入れ替えるという方針のもとに作業を進めました. 改訂にあたっては, すでに専門医試験に使われた問題は, 正答率や識別指数も参考にしました. また, 用語の統一をできるだけ図り, 国家試験出題基準に準じた用語を使うように心がけました. 症例問題につきましては, 委員会全体での検討を重ね, 最終的に 2010 年 11 月までに南江堂へ問題をすべて送ることができました.

2011 年5月の日本整形外科学会学術総会に合わせての出版を予定しておりましたが, 3月 11 日に発生した東日本大震災のため, 出版作業が一時中断し, 結果として予定より3ヵ月遅れの出版となりました. 大震災の前に委員会としての改訂作業が完了しており, クロスチェックを残すのみであったことは不幸中の幸いと感じております. なお, 注意して校正したつもりですが, 誤植などがあるかもしれません. 皆様からのご指摘, ご意見をいただければ有難く存じます.

本書が, 専攻医教育や専門医試験の準備はもちろんのこと, 専門医教育にも役立ち, 日本の整形外科医全体の診療レベルの向上につながれば, これに勝る喜びはありません.

平成 23 (2011) 年7月

井樋栄二
(日本整形外科学会 Q&A 委員会委員長)

改訂第5版の序

日本整形外科学会専門医試験受験者のための『整形外科卒後研修 Q&A』改訂第5版がQ&A 委員会編集により刊行されることになりました．この改訂のために莫大な時間とエネルギーを注がれた内田淳正理事，Q&A 委員会の岩本幸英委員長ならびに委員各位に深い敬意と感謝の意を呈します．また問題作成をはじめ改訂の過程でご協力頂きました社会保険等委員会委員，身障福祉・義肢装具等委員会委員ならびにその他の関連委員会委員各位に御礼を申し上げます．さらに，関連領域に関しては内科医，麻酔科医，救急医，リハビリテーション医など他科の方々に多大なご理解とご協力を頂きましたことを改めて深く感謝申し上げます．

Q&A 編集作業の今までの流れを振り返るとき，日本整形外科学会のまとまりと大きな力の結集に感嘆します．この企画は東京大学名誉教授，故津山直一先生の発案で始められ，山内裕雄先生（順天堂大学名誉教授）を中心にまとめられた初版は昭和60年3月に完成しました．時代の進歩に遅れることのない充実した内容を保つために，この時点で5年ごとに全面改訂の方針が示されたとのことです．第2版，第3版は平澤泰介先生（京都府立医科大学名誉教授）を中心とする近畿地区チームが担当され，第4版は内田淳正先生（三重大学教授）を中心にした中部地区チームが担当されました．第5版改訂は山本博司理事長時代に内田淳正理事のご提案により，岩本幸英委員長（九州大学教授）はじめ九州地区の会員が中心になって始められ，この度の刊行に至りました．このような推移のなかで，本学会には時宜を得て各地の会員が労を惜しまず整形外科全体のために協力するという良き伝統が定着しました．時代を超えた，学閥とも無縁の日本整形外科学会の総力が結集されてのQ&A 改訂版刊行であることに改めて深い感銘を覚えております．

整形外科学と関連領域の急速な進歩のなかで，整形外科医が求められる知識は年々増しています．近年の厳しい医療背景のなかで，「エビデンスに基づく標準的医療」が求められるようになり，日本整形外科学会専門医が医療内容に関しての共通認識をもつことは必須となりました．その基盤の一つとなるQ&Aが，最新知識に基づき改訂され，かつ広く用い続けられていることは，わが国の整形外科にとって大きな意義があります．当初は専門医試験をうける必要知識のまとめとして発刊されたQ&Aは，広い関連領域で高いレベルになりつつある昨今，指導的な整形外科医にも必携の書となりました．診療現場に必携であり，整形外科医療現場の思考と検討を深める書であると確信しております．

平成18(2006)年4月

日本整形外科学会

理事長　越智隆弘

改訂第5版Q&A委員会

委員長　岩本　幸英

委　員　浅見　昭彦
（五十音順）池邉　修二
井手　淳二
井上　敏生
片岡　晶志
金谷　文則
久保紳一郎
小宮　節郎
酒井　昭典
芝　啓一郎
志波　直人
神宮司誠也
進藤　裕幸
高下　光弘
田仲　和宏
帖佐　悦男
津村　弘
内藤　正俊
永田　見生
中村　利孝
福岡　真二
佛淵　孝夫
前田　健
松本　智子
三浦　裕正
水田　博志
米　和徳
担当理事　内田　淳正
アドバイザー　鳥巣　岳彦

改訂第５版の刊行にあたって

『整形外科卒後研修 Q&A』は，日整会専門医試験の受験者にとって必読の書です．本書は昭和 60 年に初版が発刊され，以来５年ごとに改訂が行われてきました．このたび第５版の改訂作業が完了し，平成 18 年５月の第 79 回日整会学術総会にあわせて出版の運びとなりました．

今回は，九州地区の 28 名の Q&A 委員会委員が改訂作業を担当しました．まず，平成 16 年８月３日に福岡市で第１回 Q&A 委員会が開催され，内田淳正担当理事から本書改訂の目的，九州地区が担当することになった経緯が説明された後，改訂作業の方法について取り決めを行いました．決定した方針は，問題量が膨大なため全体を５つの小グループに分け分担して作業を進めること，各グループでの検討ののちにグループ間のチェックを行うこと，症例問題の検討においては委員会会場でスクリーンに投影し全員で検討すること，情報交換の最強の武器である電子メールを最大限に活用することなどでした．また，学術用語委員会担当理事の鳥巣岳彦先生にアドバイザーとして加わっていただき，同時期に出版される予定の『整形外科学用語集』第６版との用語の整合性を図ることにしました．完成するまでには，16 回にも及ぶ委員会を開催し，毎回３時間以上の熱心な討議を行い，また委員会の間にも頻繁なメールの交換を行って作業の効率化を図りました．メールの普及により，予想通り改訂作業は迅速化されましたが，各委員にとっては，作業が途切れることがないため完成まで息つく暇もないほどでした．各委員の努力により改訂作業は順調に進行し，最初に決めたスケジュール通り，平成 17 年末までに出版社に全原稿を渡すことができました．

今回の改訂第５版の特長は次のようになっています．

1) 一般問題については，最新の知見が盛り込まれるよう，ほぼ全問について改訂を行いました．問題数は 1,202 問（旧版より 34 問増）で，最新の文献に基づく客観性と高い精度の設問を目指しました．
2) 症例問題は 90 問（旧版より８問増）となり，旧版の文章を改訂したうえで 53 問については写真を差し替えました．新規問題は 12 問．症例の解説では設問を複数設けること，診断だけでなく治療の設問も設けることを方針とし，ほぼすべての文章を一新しました．また，より多角的な見地から症例全体を捉えることができるようにしました．
3) 文献表記の見直しを行いました．旧版では一部略記とされていた参考文献を，個々の問題ごとにすべて表記しました．また，頻出の参考文献である『標準整形外科学』『神中整形外科学』『整形外科クルズス』についてはすべて最新版の該当頁を掲載しました．
4) 新規に追加した項目は「臨床疫学」です．また，「関節炎，関節症」「人工関節」「関係法規」などの問題では項目内に新たな細項目を設け，問題内容をより容易に把握できるようにしました.

本書が，整形外科の専門医教育，ひいてはわが国における運動器疾患の診療レベル向上につながることを願ってやみません．そのために，委員一同，完璧な改訂作業を心がけたつもりです．しかし，整形外科学は日進月歩であり，5年後に予定されている次回の改訂では，数多くの訂正や新事実の追加を迫られるかもしれません．本書に対する読者の忌憚のないご意見をお寄せいただき，今後このQ&A問題集がさらに良質なものになるよう，育てていただきたいと思っております.

最後になりましたが，臨床，教育，研究で大変ご多忙のなか，多大な時間を費やし改訂作業にご協力下さったQ&A委員会委員の皆様，検討資料の作成や委員間の連絡を快く引き受けてくださった日整会事務局の柳澤ゆき江さん，精力的に編集，制作作業に携われた南江堂の篠原 満氏，矢吹省吾氏に深謝いたします．また，関係法規の問題を日整会安全医療促進委員会，義肢・装具の問題を日整会身障福祉・義肢装具等委員会の皆様に作成していただきました．紙面を借りて心から御礼申し上げます.

平成18(2006)年4月

岩本幸英
(日本整形外科学会Q&A委員会委員長)

改訂第4版の序

日本整形外科学会専門医試験受験者のためのＱ＆Ａが4年ぶりに全面改訂され，第4版が刊行されることとなりました．この改訂のために膨大な時間とエネルギーを傾注された井上明生理事，Ｑ＆Ａ委員会内田淳正委員長ならびに委員各位に敬意と感謝を表します．また，問題作成をはじめ改訂の過程で協力された会員各位，社会保険等委員会委員，身障福祉・義肢装具等委員会委員各位に御礼を申し上げ，格別なご厚意をいただいた本学会会員でない内科医，麻酔科医，救急医，リハビリテーション医の方々に深く感謝いたします．

この改訂は，井上理事のご発案により，内田委員長はじめ中部地区の会員が中心となって進められました．多くの会員から待たれていた全面改訂にあたり，1年半という短期間に1,250題の問題すべてが新たに作成され，それぞれに的確な解説と文献が付されたのは，関係された皆様の献身的なご努力の賜物であります．第4版には，過去三版と同様に，現時点においてわが国の整形外科専門医がそなえるべき知識と考え方が示されています．このような全国共通の標準を持つことは，本学会の専門医制度ひいてはわが国の整形外科にとってきわめて有意義であります．本版にも転載されている初版の序文によれば，初版刊行には10年を要しており，飲水思源の感深いものがあります．本学会は，各地の会員が協力して内容を刷新すること三度，次世代専門医の資質向上のためには労を惜しまないという良き伝統が定着しました．

Ｑ＆Ａは，整形外科専門医となるための学習ガイドラインであり，専門医試験受験者にはかならず精読していただきたく思います．例年，試験問題の一部がここから出題されます．1,250題といえば膨大な問題数ですが，これを分野ごとに細分するとかぎられた数になり，広い整形外科全体を隅々まで網羅することはできません．問題の取捨選択には時代の意識が反映されており，Ｑ＆Ａはわが国の整形外科を映す鏡とも言えます．

新しいＱ＆Ａは，専門医有資格者の手元にも置いていただきたいと思います．自分の日常から遠い部分の常識を教科書や雑誌から拾い上げる手間が省け，簡潔で要を得た解説を読むと知識の幅がひろがります．Ｑ＆Ａを引用すれば，受験をめざす若い世代との会話もはずむでしょう．本学会の専門医の約半数は，制度発足当時の特例として無試験で資格を取得された方です．新しいＱ＆Ａを通読してくださり，試験を受けた世代との間隙をすくなくしていただければ幸いです．さらに，経験豊かな専門医から意見をよせていただくことができれば，次の版はさらに良くなります．

多くの方々のご努力とご厚意により完成したこのＱ＆Ａが，わが国の整形外科全体のさらなる発展と整形外科疾患に悩む方々のために大いに役立つことを期待いたします．

2001年3月

日本整形外科学会

理事長　黒川髙秀

改訂第 4 版 Q&A 委員会

委員長　　内田　淳正

委　員　　安藤　謙一
(五十音順)　岩田　　久*
　　　　　太田　弘敏
　　　　　大橋　俊郎
　　　　　加藤　　公
　　　　　木村　友厚
　　　　　串田　一博
　　　　　佐藤　啓二
　　　　　清水　克時
　　　　　高岡　邦夫*
　　　　　種田　陽一
　　　　　土屋　弘行
　　　　　中土　幸男
　　　　　長野　　昭*
　　　　　長谷川幸治
　　　　　馬場　久敏
　　　　　堀井恵美子
　　　　　松本　忠美
　　　　　吉沢　英造*
担当理事　井上　明生

*顧　問

改訂第４版の刊行にあたって

本書の発刊，改訂には多くの諸先輩の知恵がちりばめられている．問題作成にあたって「evidence-based medicine」に基づく診断治療に関するものに限定したいと願うが，果たしてそんなものは現在の整形外科学の中に如何ほどに存在するのか．それでは，どのような基準で問題を作成していくのか．困惑の中での作業の連続であったことが容易に想像される．初版の山内裕雄委員長の序文に，この難事業を成し遂げた満足感と苦しみが滲み出ている．

今回の全面改訂にあたって，平成11年6月に第1回委員会を開催した．その際には，第2・3版の平澤泰介委員長に特別に出席をお願いし，改訂のノウハウや注意すべき点など貴重な助言をいただいた．先生のご苦労談は委員全員に緊張感と本委員会の重責を再確認させてくれた．この会議で「全問改訂する」と「本書は整形外科専門医に必要な知恵を身に付ける教材である．したがって専門医として単に知識の集積だけでなく，それを日常の診療で如何に活かすかを問いかける問題を多く作成する」ことを基本的合意とした．このことは現段階で整形外科医が確信的に受け入れている事実以外に，必ずしも一定の見解が得られていないが，論理的には矛盾しない現象や方法についての問題も含んでいることを意味している．特に外傷学や整形外科治療に関しては相対的な適応によるものが多く，試験問題としてはやや妥当性を欠くかもしれないと考えられるものについても敢えて選択した．骨折や多発外傷の治療，人工関節に関する症例問題を多く取り入れたのは，21世紀初頭においても整形外科の中心的話題と考えたからである．また，これらの問題の多くは「正しい」や「誤り」などと絶対的に表現されるものではなく，「適切である」とか「ふさわしくない」と相対的に評価されるものであり，症例を通して decision making を学んで欲しいと願ったからである．

広い範囲にわたって適正で良質の問題を作成するために，委員だけではなく日本整形外科学会各種委員会や多くの専門家に協力をお願いすることも最初の委員会で決定した．そのため全国の整形外科医，内科医，麻酔科医，救急医，リハビリテーション医など約280名に問題作成を依頼した．また関連法規に関する問題は社会保険等委員会，リハビリテーション問題は身障福祉・義肢装具等委員会に問題作成だけでなく，問題の適否の最終チェックまで多大な協力をいただいた．日常の業務に多忙の中，ほとんどの先生方に期限内に問題を作成していただけたことは嬉しい限りであった．試験問題を作成し，その解説を付け加えなければならないという心理的抑圧を受け，なんとも気の重い作業を優先的に行っていただいたことに委員会として深甚なる謝意を表する．協力いただいた先生方のお名前を記載することで御礼に代えさせていただきたい．

今回の改訂が中部地区担当であったため，地区全域より委員の選任がなされた．そのため月に一度，富山，金沢，福井，長野，浜松などの遠方より長時間かけ名古屋に集まり，5〜6

時間にわたって検討を重ねた．当日宿泊し翌早朝に始発で帰院，あるいは最終列車で深夜に帰宅とハードな日程をこなしていただいた．委員は小グループでさらに頻回に連絡を取り合い，問題作成を急いだ．作業を予定通り進めることができたのは委員の先生方の労を厭わぬ献身的な努力によるところであり，委員長として相当の負担を強いたことを詫びるとともに，心より御礼申し上げる．顧問の先生方の的確な助言は，ときには沈滞を打破し，ときには沸騰した議論を調停してくれた．顧問と委員の一体感が問題作成の進捗を一層推進したものと確信している．井上明生担当理事は九州より毎回駆けつけ，専門医制度の権威として言葉少なではあるが，この制度の現状分析，将来展望を明確に示してくれた．先生の存在感は会議を進めるうえにおいて，われわれに緊張感と安心感を与えてくれた．日整会事務局の柳澤ゆき江さん，南江堂の藤井 博氏，大山朋茂氏には書類の作成，配布から委員間の連絡まで裏方の仕事を着実にこなし，作業の円滑化に大いに貢献してくれたことに心より感謝する．

完璧を期したつもりであるが，完成してみると「はやまったかな」と思うところが気になり，反省しきりである．整形外科学の急速な進歩は，改訂作業中にも新しい事実を次々と蓄積し，1年前に作成した問題がすでに色あせていたり，書き換えを迫られたりしている．先生方の忌憚のないご意見を参考に定期的な改訂がなされ，一層優れたものになることを委員会は望んでいる．

最後に，医学的知識を日常の診療の中で活かす知恵と想像力を兼ね備え，的確な判断を瞬時に行う専門医にとって本書が役立つことを願っている．

平成13（2001）年2月

内田淳正
（日本整形外科学会 Q&A 委員会委員長）

改訂第 4 版の問題作成に協力いただいた先生方

(275 名，敬称略)

(※は日整会会員外)

青木光広　青柳孝一　浅井富明　渥美　敬　鐙　邦芳　阿部哲士　飯田寛和　井形高明　池田和夫
石川　敦　石倉直敬※　石黒　隆　石黒直樹　石突正文　井手隆俊　井樋栄二　伊藤茂彦　伊藤達雄
伊藤晴夫　伊藤惠康　糸数万正　井上和彦　井上喜久男　井上五郎　井上　一　井口　傑　伊原公一郎
今泉　司　今枝敏彦　今原敏博　岩破康博　岩沢幹直※　岩田清二　岩谷　力　植田尊善　植山和正
宇佐美平雄　内田　毅　内山茂晴　内山政二　江口壽榮夫　大澤　傑　大澤良充　大園健二　大田秀樹
大塚博巳　大野和子※　大橋正洋※　大森　豪　岡島行一　岡田正人　岡　正典　岡本連三　荻野利彦
奥住成晴　奥村秀雄　小倉　丘　小田裕胤　織田弘美　越智光夫　加倉井周一　梶　彰吾※　香月一朗
勝見泰和　加藤貞利　加藤博之　加藤文彦　加藤義治　金森昌彦　金田清志　河合伸也　河井秀夫
川上紀明　川上　守　川口　浩　川嶌眞人　川端秀彦　川原範夫　川村次郎　木野義武　菊地臣一
北岡克彦　木下　勇　君塚　葵　金　郁喆　久野木順一　熊沢やすし　黒川正夫　黒坂昌弘　黒堅賢仁※
光嶋　勲※　国分正一　児島忠雄※　後藤澄雄　小林　茂　小松　徹※　近藤精司　蔡　詩岳　斉藤明義
斎藤英彦　栄枝裕文　坂口康道　坂山憲史　櫻吉啓介　佐藤公治　佐藤哲朗　里見和彦　澤井一彦
澤口　毅　四宮謙一　芝啓一郎　柴田恵三※　柴田　実　柴田義守　島田洋一　嶋村　正　清水卓也
清水信幸　下地昭昌　下出真法　庄野泰弘　白井康正　神宮司誠也　末綱　太　菅野伸彦　杉田　孝
杉村育生　杉本勝正　杉本良洋　鈴木正行※　鈴木一太　鈴木恒彦　鈴木正孝　須藤啓広　鷺見正敏
関口順輔　高井信朗　高岸憲二　高倉義典　高杉　潔※　高橋和久　高橋啓介　高橋成夫　高橋睦治
高山眞一郎　滝　淳一※　田島直也　田嶋　光　立石昭夫　谷　俊一　種市　洋　田渕昭彦※　玉置哲也
津田喬子※　土金　彰　土屋正光　筒井廣明　都築暢之　坪内俊二　津村　弘　出沢　明　豊島良太
藤　哲　徳橋泰明　冨田良弘　戸山芳昭　鳥居修平　鳥畠康充　鳥山正人　中井定明　仲尾保志
永田見生　中根邦雄　中村耕三　中村　茂　中村琢哉　中村利孝　二井英二　西野　暢　西林保朗
西本博文　西山正紀　野口耕司　野口康男　信原克哉　野村忠雄　橋詰博行　長谷　斉　花井謙次
羽生忠正　浜田良機　林　雅弘　原田　敦　飯田鴎二　日比野仁子　平瀬雄一　平田　仁　平田正純
平林　冽　廣島和夫　広藤栄一　福田寛二　福田眞輔　福田宏明　藤井克之　藤井玄二　藤澤幸三
冨士武史　藤田拓也　藤巻悦夫　古川　宏※　別府諸兄　星川吉光　星野雄一　細井　哲　細江英夫
堀井健志　政田和洋　松井寿夫　松崎浩巳　松下　隆　松下　睦　松田秀一　松永俊二　松野丈夫
松原　司　松本美冨士※　松本誠一　松本　衛　松山幸弘　真鍋　淳　圓尾宗司　三浦裕正　三笠元彦
水関隆也　水谷弘和※　緑川孝二　南川義隆　南崎　剛　南　昌平　三浪三千男　見松健太郎　宮内義純
名井　陽　三輪昌彦　村澤　章　村田英之　持田譲治　望月一男　門司順一　安井夏生　安田和則
安田金蔵　安竹秀俊　安元定幸　矢田定明　山縣正庸　山門浩太郎　山崎征治　山本博司　油谷安孝
楊　鴻生　吉川秀樹　吉田　徹　吉田宗人　米　和徳　米田　稔　米延策雄　龍順之助　和田郁雄
和田英路　和田栄二　渡部　健　渡邉健太郎　渡辺敏成※

改訂第3版の刊行にあたって

高齢化社会の到来，疾病構造の変化などにより，医療を取り巻く環境が大きく変貌したことに対処して，医師国家試験改善検討委員会は平成6（1994）年から試験の内容，合格基準，出題形式の見直しを推し進めてきた．その結果，翌平成7（1995）年4月，出題形式の改善を提案した．

すなわち，「回答コードを用いた出題形式の二真偽形式（K2形式），三真偽形式（K3形式），そして不定数真偽形式（K′形式）は部分的な知識でも正解することが可能なことから，受験者の知識量を正確に得点に反映しないなどの欠点が指摘されている．このような欠点を改善するため，K2，K3形式の比率を徐々に縮小してゆくかわりに五肢複択形式（X2，X3形式）を導入すべきである．また，受験者を惑わせやすいなどの欠点も多く指摘されているK′形式については全面的に廃止する」という案である．

そして平成9（1997）年度の試験からこの案を採用し，出題形式を変更した．

これを受けて日整会認定医試験委員長の玉井進教授から「日整会の第10回認定医試験も出題形式を変更することになった．ついては卒後研修Q＆Aを来年（1997）の日整会までに改訂版として出版していただきたい」との依頼があった．出版社は「印刷に要する期間を考えると3ヵ月で改訂作業を終了してほしい」という．前改訂委員会はすでに解散した形ではあったが，改めて委員委嘱を行いなんとか委員全員の協力を得て作業を開始することができた．平成8（1996）年11月のことである．平成9（1997）年3月はじめ，改訂案の初校ができあがった．以下が改訂作業の内容である．

(1)不定数真偽形式（K′）形式を廃止，二真偽形式（K2）と三真偽形式（K3）を減らして，従来からの単純択一形式（A）を増やすと同時に五肢複択形式（X2，X3）を新たに導入，それに伴う解説の改訂も行った．

(2)前回の増補版で載せた救急におけるトリアージの問題や圧挫症候群の診断のポイント，自己血輸血の問題に加え，手根管症候群に対する鏡視下手根管開放術の問題も追加した．

(3)産業医の問題を日整会産業医委員会から11題出題していただいた．

(4)認定医試験時の受験生からの提案や質問を各委員に送付し，設問や解説の参考にした．

このように，ごく短期間の改訂だったので根本的な見直しができなかったのは心残りである．しかし各委員の先生方には再び大変な作業を押しつける結果になってしまった．ここにお詫びをかねて先生方のご協力に心から感謝の意を表したい．読者の皆様もこの点を考慮に入れて不備な点をお許しいただきたい．今回も多大な協力をしていただいた南江堂の坂本眞理子さん，首藤ふくさんにも心から感謝する．

最後になったが，前回から治療の問題が組み入れられているので，ぜひ近いうちに新しい委員会のもとで，設問と解説の根本的な見直しを計画していただきたい．

平成 9(1997)年 5 月

平 澤 泰 介
(日本整形外科学会 Q&A 委員会委員代表)

日本整形外科学会 Q&A 改訂第 3 版委員

代 表　平 澤 泰 介

委 員　浅 田 莞 爾
(五十音順)　阿 部 宗 昭
岩 破 康 博
琴 浦 良 彦
高 岡 邦 夫
玉 井 　 進
玉 置 哲 也
濱 　 田 　 彰
浜 西 千 秋
福 田 眞 輔
圓 尾 宗 司
水 野 耕 作

改訂第2版の序

本書初版の刊行は昭和60（1985）年であった．それまでのいきさつはこの改訂版にも再録されている「初版の刊行にあたって」に書かれているように昭和51（1976）年に遡る．それから9年間という年月を経て上梓され，その後昭和63（1988）年度から行われることになった日本整形外科学会認定医試験の参考書として広く読まれるものとなった．しかし医学の進歩はめざましく，本書の内容は年を経るごとに老化の一途を辿り，当時の責任者としての私は内心忸怩たるものがあった．改訂の必要性をことあるごとに述べてきたが，ようやく平成3（1991）年度の日本整形外科学会理事会において当時の小野村敏信理事長のご英断により改訂のための委員会設置となった．前回の問題集は主として在京の整形外科医によって原問題の修正・解説などが行われ，症例問題は九州グループにより新たに作成されたので（「初版の刊行にあたって」参照），今回の改訂版は関西グループにお願いすることを進言し，平澤泰介教授にまとめ役をお願いすることとなった．

それからの経緯は平澤委員長による「改訂第2版の刊行にあたって」に詳しく述べられているが，初版までののんびりした経過と異なって，極めて短時日の内に刊行の運びとなったことは驚くばかりであり，平澤委員長はじめ委員諸氏，ならびに本委員会担当理事の労をとられた渡辺 良教授のご努力に心からの敬意と謝意を表したい．

最終稿を通覧して，ただただ驚くばかりである．初版にあった問題も数多く生かされてはいるが，よくみるとそこにも適切な修正が加えられているし，CT・MRI・関節鏡検査など，初版の大きな欠陥が最新の情報で補填されている．またMRSAやAIDSまで追加されているし，スポーツ外傷・障害も大幅に取り入れられ，さらに治療法ではリハビリテーションが独立した項目となっている．そして最後の症例問題はすべて新しいものとなった．

初版編集の際に問題となったひとつは治療に関するものであった．それを当時「治療問題での絶対的真理の欠如」という言葉で表現したが，問題のあるところは避けようという傾向があったことは否めない．その結果，整形外科という治療学の本であるのに治療についての設問が少ないきらいがあった．これも改訂委員会諸氏の賢察されるところとなり，その穴を埋められたのも見事なものと思う．

初版が刊行されて間もなくAAOS（American Academy of Orthopaedic Surgeons）から，日本訳にもなった『整形外科シラバス』が刊行された．その内容にまさしく一本取られたと思うことしきりであったが，今回の改訂版をみるとその線にいくらかでも近付いたかとも思う．そのシラバスがそうであるように，今後も本書が定期的に改訂され常にup-to-dateなものとなって，認定医受験参考書としてのみではなく，日本の整形外科医のよりどころとして生き続けることを心から願って改訂版への序としたい.

平成6(1994)年3月

日本整形外科学会
理事長　山内裕雄

日本整形外科学会Q＆A改訂第2版委員

委員長　平澤泰介

委　員　浅田莞爾
(五十音順)　阿部宗昭
岩破康博
琴浦良彦
高岡邦夫
玉井　進*
玉置哲也
濱田　彰
浜西千秋
福田眞輔*
圓尾宗司
水野耕作
担当理事　渡辺　良

*顧　問

改訂第2版の刊行にあたって

「整形外科卒後研修Q＆A」を改訂することになり，はじめての打ち合わせ会が開かれたのは平成4（1992）年4月24日のことである．夜8時から順天堂医院院長室にて，小野村敏信理事長（当時），山内裕雄日整会Q＆A委員会前委員長，二ノ宮節夫前委員，渡辺 良理事，南江堂担当者および小生を含めて開催され，深夜まで続いた．話し合いの内容は，「現在のQ＆A問題集は，前委員会の作業から10年以上も経過し，その内容を見直す時期が来たため，新しくQ＆A委員会を設置し，短期間で改訂する」ということであった．前委員会が9年がかりで作り上げたQ＆A問題1,035題を，1年半で改訂し，2年目の日整会総会で改訂版として出版しなければならない．山内前委員長，二ノ宮前委員の9年間におよぶ苦労話をお聞きして，それを1年あまりで改訂するという大役を引き受けてしまったことに大きな不安を抱き，帰りの新幹線の中で考え込んでしまった次第である．

さっそく小野村理事長（当時）のご意向により，近畿地区の各大学主要メンバー12名を選び，委員として参加していただくことになった．

第1回Q＆A委員会は大阪医科大学総合研究棟の会議室で，小野村先生，担当理事の渡辺先生，および各委員が出席して，同年5月8日夜に開催された．本委員会での打ち合わせ内容の主なものは，現在のQ＆A問題集のすべてを新たに作成するのは不可能であり新しいトピックスを含めて改訂版とすること，過去に行われた5回の日整会認定医試験問題を参考によい問題を改訂して載せること，すべて日本医師国家試験に準じた設問形式に統一し出題様式を吟味すること，などであった．各委員90～100の問題を担当し，各問ごとに解説と文献を付けるという膨大な作業である．改訂の目処がつくまで，委員会は毎月1回開催するということを了承していただいた．

さて，こまかい方針についてまとめてみると以下の如くである．

(1)新規項目として，診断学および検査法の項に“CT”“MRI”“関節鏡”を入れる．疾患各論に“骨粗鬆症”“MRSA”“AIDS”“CP”を追加する．ポリオなどの最近少なくなってきた疾患の問題数を削減する．外傷の項に“スポーツ外傷・障害”を追加する．“リハビリテーション”の項を設けて“運動療法”“歩行”“義足”などの問題を加える．

(2)問題作成にあたって各委員は問題，解答，解説，文献を1セットとして，約90題ずつ作成する．旧問題の部分改訂であっても，新規問題であってもかまわない．今回は治療に関する問題も加えたい．年々治療方針が変遷している現在ではあるが，現時点における妥当な治療法を中心に問題を作成する．

(3)既出の整形外科認定医試験問題はそのまま用いずに，部分改訂を行って，解説および文献を追加して作成する．

(4)日整会のスポーツ委員会，身体障害委員会，社会保険等委員会，医事紛争調査委員会，義肢装具委員会などの各種委員会からの出題を参考にして追加問題を作成する．

(5)症例問題に関しては，各委員約5題ずつ新しい画像，解説，文献を含めて作成する．

(6)文献は，古いものでも必要なら残し，改訂版の出ているものはそれを引用し，全体として新しい文献を増やす．

以上のような厳しい方針の下に，月1回の委員会を行って，各委員の歩調を合わすことができた．10年近くもの長年月をかけて作成された前委員のご苦労とご努力を推察することはしきりであった．

委員会開始後6ヵ月の平成4（1992）年12月に一般問題の改訂案を作成し，平成5（1993）年3月には臨床症例問題案をまとめることができた．これを全委員に配布し，検討を行い，委員会開始後1年目の平成5(1993)年6月に出題内容全体のバランスを調整した．同年8月から印刷を開始し，9月末に初校，11月に再校，そして平成6（1994）年1月には三校を終えることができた．各委員の熱心な協力により，多角的な検討が加えられ，なんとか順調に改訂作業を終了した．当初から委員として問題作成に参加され，途中で理事になられた玉井，福田両教授には顧問として作業を継続していただいた．渡辺担当知事にはほとんど毎回出席していただき，熱気のある討議にも参加していただいた．心から感謝の意を表したい．

日整会事務局の栗田幹夫氏には委員間の連絡などに終始ご協力いただいた．また索引の作成にもコンピューターを用いての多大な労力を提供していただいた．また南江堂の藤井 博氏，坂本眞理子さんには委員会に毎回出席していただいて，出版にこぎつけるまで莫大なボリュームの書類を各委員に配布して意見の調整に力を尽くしていただいた．これらの皆様に心から感謝する．

委員長の立場からは，各委員の先生方に，短期間の大変な作業であったため，多大な無理難題を押しつける結果になってしまい，ここにお詫びをかねて，先生方のご協力に深甚なる謝意を表したい．しかし，これを機会に大学の垣根を越え，学問の場を介してお互いの親交を深めることができた点は大いに意義のあることであった．

最後になったが，アメリカのMayo ClinicのDr. Peter C. Amadioにはアメリカの専門医制度と試験の情報について資料を提供していただいた．ここに謝意を表したい．

なお，最近の目覚ましい診断・治療の進歩に遅れないよう，今後は少なくとも4〜5年ごとに問題，解説，文献などの改訂を行うことが必要と考える．読者の皆様の建設的なアドバイスをお寄せいただき，よりよいQ＆A問題集に育ててくださることを委員一同心からお願いする．

平成6（1994）年3月

日本整形外科学会Q＆A委員会委員一同

（委員長　平 澤 泰 介）

初版の序

このたび，日本整形外科学会Q & A委員会の編集により本書が上梓されるに至ったことは，まことに時宜を得ており，学会側から会員に対する積極的な働きかけの一つとして発刊されることも大変慶ばしいことである．

本書は，日整会誌に連載されたQ & A問題をさらに改訂・整理したもので，その目的と経緯については「本書の刊行にあたって」に詳しく述べられているが，その背景には“先進諸国に伍して国際的，対外的に恥しくないような卒後教育研修プログラムを一日も早く作り上げて，医療水準の質を高め，より広く人類福祉に貢献しよう”という日本整形外科学会としての使命感と強い念願があった．

すなわち，昭和43年の学園紛争に端を発した専門医制度に対する厳しい批判を受けて日整学会でもその是非論が烈しく闘わされ，遂に専門医制度はその翌年凍結されたが，その後も真剣な討議，話し合いが続けられたすえ，昭和47年卒後教育研修等委員会（津山直一委員長）が発足した．この委員会は昭和55年認定医制度委員会とQ & A委員会に分かれて発展的解消を遂げたが，本書の刊行は既に昭和51年から具体的作業が進められており，実に9年という長い産みの苦しみを経て，漸く会員の皆様方に提供出来る顔かたちを整えて誕生したものである．

従来の大学中心の卒後教育研修では，ややもすれば狭い専門領域内での研修と研究が重視される傾向があった．これらを是正するため本書では，とくに整形外科の領域，範囲scopeを明確に示して，全国レベルでの卒後教育研修の標準化standardizationに苦心されたあとが窺える．

本書を通覧してみると整形外科基礎医学，診断学および検査法，疾患別各論，外傷，部位別各論，治療法・関係法規と実際診療上必須の項目に大別されているが，これらはすべて整形外科専門医としては一応マスターすべき範囲のものである．それぞれの項目もバランスよく集約されており，解説も短文ではあるが，要点をよく掴んだ説明がなされているように思われる．最近の文献もつけ加えられているので，解答に納得がゆかない場合の参考になるであろう．さらに症例提示問題も新しく付け加えられて本書をより親しみ易いものにしている．

Multiple choice方式のQ & A試問は，記述式Q & Aや教科書に比べてどうしても説明不足のそしりを免れ得ないようであるが，他方日常診療やconferenceで診断や治療法の選択に迷う場合，思考上のkey pointを的確に掴む訓練には極めて効果的である．このような利点，欠点をよく弁えた上で，単なる机上の勉強としてだけでなく，実際の日常診療や研修の場でも利用されることが望ましいと考える．

なお本書の内容と説明形式は米国のIn-Training Examinationに倣ったものが多く，質的にもほぼ同水準にあると思われるので認定医試験の教材の一つとして活用されることをお奨めしたい．

終りに，原問題を提供して戴いた多くの先生方，および長年に亙り熱心に改訂・整理の作業を続けて下さったQ＆A委員会の委員各位に心から感謝すると共に，本書を企画し，改訂作業を推進して戴いた津山直一名誉教授，山内裕雄教授に厚く御礼を申し上げる．

昭和60年3月

第58回　日本整形外科学会
会長　赤星義彦

日本整形外科学会Q＆A初版委員

委員長	山内裕雄
委　員	石名田洋一
(五十音順)	磯部　饒
	貝原信紘
	腰野富久
	小林　晶
	鳥巣岳彦
	二ノ宮節夫
	花岡英彌
	林　浩一郎
	福田宏明
	松井宣夫
	松崎昭夫
	光安元夫
	室田景久
	矢部　裕
協力者	片山國昭

初版の刊行にあたって

日本整形外科学会の認定医制度が紆余曲折の末に発足し，昭和 63 年度よりいよいよ認定試験が実施されようとしている．それに対する教材のひとつとして本書がここに上梓の運びとなったことは，委員一同の喜びであり，かつ肩の荷をやっとおろしたという実感でもある．

学会の専門医制度が昭和 44 年度に凍結され，のち 47 年に卒後教育等検討準備委員会が津山直一委員長のもとに設立され，種々討議が行われたが，専門医にしろ，認定医にせよ，卒後研修の成果による資格づけを行う前に，卒後教育そのものの質的向上，標準化が先ず行われるべきであるとの認識のもとに，研修の目標としてのガイドラインが決められ，サウンドスライド集製作が開始され，各地で積極的に研修会が企画実施されるようになった．その上でいずれ認定試験が行われるようになれば，このような問題が出るであろうとの予測をもととして，昭和 51 年津山委員長により，全国の先生がたに，問題・解答・解説の執筆が依頼され，寄せられたものの整理・修正が昭和 54 年度より上記委員会内での小委員会で開始された．この小委員会は翌年度より Q ＆ A 委員会として独立した特別委員会となり，この作業に専念することとなった．

一項目について 3 名のかたがたに出題を依頼し，寄せられた原案を東京地区 2 班，九州地区 1 班の 3 班で，ほぼ毎月会合して，問題のレベル，解答の形式，解説・参考文献の適切さなどの点で，原案を勝手ながら大幅に整理・修正させていただき，3 名よりの出題が得られなかった項目については，新たに委員会で作成もした．その上で，日整会誌編集委員会での最終チェックを経て，昭和 54 年 1 月（53 巻 1 号）より昭和 57 年 12 月（56 巻 12 号）まで日本整形外科学会雑誌に連載された．

原問題出題者のかたがたのお名前を拝見すると，故人になられたかたもかなりおられ，時の移ろいに一入の感懐をおぼえる．これらの先生がたのご冥福をお祈りするとともに，出題者の諸先生への深甚なる謝意と，原案に勝手な手を加えたお詫びを申し上げたい．

津山先生の最初のお考えでは，2,000 題内外をストックし，その中から認定医試験の出題をすれば，とのことであったが，実際に作業を行ってみると 2,000 題というのは大変な数字であり，連載終了時には結局その半数にしかならなかったし，検討を重ねたとはいえ，項目によって濃淡さまざまであり，基礎医学問題の難しさと，治療問題での絶対的真理の欠如が目についた．これらは解説でいくらかカバーしたつもりではあるが，いずれにせよ，未だ不完全なものであり，これから実際試験問題を出すのは尚早かもしれない．しかし何らかの基準・参考になるものと考えたい．

さて，日整会誌連載終了後，折角であるからこれを一冊の本としてまとめたいという希望が委員会にあり，時の学会長のお許しを得て，その実現をその後の本委員会の目標とした．

時日の制約もあり，掲載問題・解説には大幅な修正は加えないが，一応全部を再検討し，不適切なものは省き，解説・文献の up-to-date 化をはかるという方針で作業を進めたが，新たに医師国家試験のＣ問題のような実際症例の問題を加えることとし，これを九州班が分担した．比較的短時日のうちに多くの症例が提供され，他委員を感服させたものである．

日本整形外科学会の正式事業であるため，編集・出版も学会で行うのが筋ではあろうが，一冊の本を作るというためには，さまざまな専門的技術と経験が必要とされる．そのため永年整形外科関係の出版に実績のある出版社の一つである南江堂に本書の編集・出版を依頼することにし，流石といえる本造りをしていただいた．ここに同社関係諸兄姉のご努力を多としたい．

本書刊行にいたるまでのＱ＆Ａ委員会の活動には，歴代の学会長をはじめ理事各位の深いご理解をいただき，特例として委員長，委員の交代なしに仕事を続行させていただいたことに深く感謝する．担当理事として常にご配慮をいただいた田島達也，若松英吉，廣畑和志の三教授には特に負う所が大であったし，日整会誌掲載のための最終チェックの労をとられた編集委員会の諸先生，ならびに日整会事務局の皆様のご支援にも深甚なる謝意を表したい．

さて，出来上がってみると，いろいろあらが目につくものである．これは今後改訂の折があればよりよい姿にしていただきたいし，そのためにも読者の皆様がたの忌憚のないご意見，ご叱正をお寄せいただきたい．確かに時間のかかった仲々の仕事ではあったが，その過程で委員一同は，学閥を越えたおつき合いが出来，勉強させていただけたことを懐しくも思う．本書が整形外科研修中のかたがたのみならず，広く利用され，患者さんへのより良き治療として還元されることを委員一同心から希望して上梓のことばとしたい．

昭和60年3月

日本整形外科学会Ｑ＆Ａ委員会委員一同
（委員長　山内裕雄）

本書の利用のしかた

【問題編】

●本書は整形外科知識の自己評価を第一の目的としています．どこからはじめられても結構です．一番得意とされる項目から手をつけられるのも一法でしょう．

●文頭にきた英単語は，はじめのアルファベットを，人名由来用語や固有名詞を除き，すべて小文字にしました．

●問題番号は「問○-△-□」または「問○-□」（○：章番号，△：節項目の番号，□：節または章項目内の順番）となっています．

●図表番号は「問○-△-□/図（表）◇」と表記し，各問ごとに通し番号になっています．

【解説編】

●解説は，節項目（1，2…）ごとに該当ページが記されています．答を出してから解答・解説をお読みください．

例）「A ▶p. 3-6」……『解説編』3-6 ページ

●同様の方法で，解説からも問の該当ページがわかるようになっています．

例）「Q ▶p. 3-5」……『問題編』3-5 ページ

●また各解説には，冒頭に，正解とともにその問題のキーワードを掲げていますので，ご活用ください．

例）問 1-2-5

正解　e　　骨齢，骨化核

【文　献】

●参考文献は，なるべく入手しやすく，かつ新しいものを掲載するように努めました．文献表記の方式は以下のとおりです．

〈単行本・シリーズ物〉（発行元所在地は省略）

●代表著者（または編者，監修者）．書名．版数．巻数．発行元，発行年：引用ページ．

〈雑誌〉

●代表著者．誌名　発行年；巻数：引用ページ．

●頻出の文献『標準整形外科学』『神中整形外科学』『整形外科クルズス』は下記のとおり略記しました．

●井樋栄二ほか編集．標準整形外科学．第14版．医学書院，2020：6-10.

→●標準整形外科学．第14版．6-10.

●岩本幸英編．神中整形外科学．改訂23版，上巻．南山堂，2013：333-334.

→●神中整形外科学．改訂23版，上巻．333-334.

●中村耕三監．整形外科クルズス．第4版．南江堂，2003：185，270.

→●整形外科クルズス．第4版．185，270.

【用　語】

●用語は，原則として日本整形外科学会編集『整形外科学用語集』（第8版，2016）に準拠し，日本語の表記が未だ統一されていない言葉は欧文用語を用いました．

【索　引】

●索引は，和文は五十音順，欧文はアルファベット順に配列し，『問題編』『解説編』の各巻末に掲載しています．

以上のような本書の機能を活用して，学習に役立ててください．ご意見，ご感想，ご訂正などがありましたら，日本整形外科学会事務局あるいは南江堂ホームページまでお寄せください．

目　次

★本書前版に掲載しておりました「症例問題」は，日本整形外科学会ホームページ会員専用ページに掲載されております．

問題編

基礎科学

1 基礎科学

1 骨の生理，構造，化学

□□□ A ▶ p. 4-6

問 1-1-1

骨の微細構造について正しいのはどれか．3つ選べ．

a 皮質骨と海綿骨の区別は年齢によって変化する．
b ハバース管を取り囲む微小区域をオステオンという．
c パケットは皮質骨を構成する基本的な骨単位である．
d 骨幹の皮質骨は外層，内層，中間層の3つの層からなる．
e ハバース管と平行して走る血管孔をVolkmann管という．

問 1-1-2

骨膜について誤っているのはどれか．

a 外側の線維層と内側の細胞層からなる．
b 細胞層は骨の成長に関与する．
c 線維層には細胞は存在しない．
d 頭蓋骨や鎖骨の一部は膜性骨化により作られる．
e 骨膜の細胞は骨折の修復に関係する．

問 1-1-3

骨基質について正しいのはどれか．3つ選べ．

a 骨組織にはミネラル以外の基質蛋白も存在する．
b 骨の材料特性のほとんどはミネラルの量で規定される．
c 骨の基質蛋白の中でもっとも多いのはオステオカルシンである．
d Ⅰ型コラーゲンは3本鎖からなるtriple helix構造をもつ．
e Ⅰ型コラーゲン遺伝子の変異によって生じる疾患の1つに骨形成不全症がある．

問 1-1-4

骨リモデリングについて誤っているのはどれか．

a 古い骨を新しい骨に置換することによって骨組織の劣化を防ぐ役割を担う．
b 破骨細胞と骨芽細胞の連係により行われる．
c 骨形成相，骨吸収相を経て静止相に至る．
d 皮質骨の微小骨折(マイクロクラック)の修復に関わる．
e 骨形成相では，類骨組織の形成の後に石灰化骨が形成される．

問 1-1-5

骨モデリングについて<u>誤っている</u>のはどれか．

a　骨モデリングとは，成長期の外形拡大などの骨の造形機能の総称である．
b　骨モデリングにおいて，骨吸収と骨形成のバランスは部位ごとに異なる．
c　小児期の骨折後変形が自然に矯正される過程も骨モデリングの一種である．
d　力学的負荷が骨モデリングに与える影響は小さい．
e　成長期の骨モデリングにおいては，形成される骨組織量は吸収される組織量より多い．

問 1-1-6

破骨細胞について<u>誤っている</u>のはどれか．

a　巨大な多核細胞である．
b　酒石酸抵抗性酸ホスファターゼ(TRAP)活性が強い．
c　波状縁を形成する．
d　発達した細胞突起をもつ．
e　Howship 窩に存在する．

問 1-1-7

骨細胞について<u>誤っている</u>のはどれか．

a　骨芽細胞由来の細胞である．
b　骨基質を豊富に合成する．
c　メカニカルストレスを感受する．
d　線維芽細胞増殖因子 23(FGF23)を産生する．
e　スクレロスチンを発現する．

問 1-1-8

ビタミンDについて正しいのはどれか．3つ選べ．

a　体内での生合成には紫外線照射が必要とされる．
b　水溶性ビタミンである．
c　腸管のカルシウム吸収を促進する．
d　血清 25-ヒドロキシビタミンD濃度が充足度の指標となる．
e　上皮小体(副甲状腺)ホルモン(PTH)の分泌を促進する．

問 1-1-9

カルシウム，リン代謝について正しいのはどれか．3つ選べ．

a　上皮小体(副甲状腺)ホルモン(PTH)は血清カルシウム濃度を低下させる．
b　活性型ビタミンDである $1\alpha, 25(OH)_2D$ は，血清カルシウム濃度を増加させる．
c　血清 25-ヒドロキシビタミンD濃度が 10 ng/mL 以上あれば充足と判断する．
d　活性型ビタミンDである $1\alpha, 25(OH)_2D$ は，血清リン濃度を増加させる．
e　線維芽細胞増殖因子 23(FGF23)は，血清リン濃度を低下させる．

問 1-1-10

骨代謝調節因子について正しいのはどれか．3つ選べ．

a　上皮小体(副甲状腺)ホルモン(PTH)の間欠的な投与は骨量を減少させる．
b　WNT シグナルは骨芽細胞分化を促進す

る.

c　RANKL(receptor activator of nuclear factor-κB ligand)は，破骨細胞の発生分化に必須のサイトカインである.

d　線維芽細胞増殖因子23(FGF23)の過剰産生は，低リン血症性骨軟化症の原因の1つである.

e　男性の骨にはエストロゲンは作用しない.

問 1-1-11

骨芽細胞について誤っているのはどれか.

a　骨組織の表面に存在する.

b　上皮小体(副甲状腺)ホルモンの受容体がある.

c　細胞膜には波状縁(ruffled border)がある.

d　RANKL(receptor activator of nuclear factor-κB ligand)を発現する.

e　間葉系細胞に由来する.

問 1-1-12

骨代謝マーカーについて正しいのはどれか. 2つ選べ.

a　血清骨型アルカリホスファターゼ(BAP)は骨吸収マーカーである.

b　尿中デオキシピリジノリン(DPD)は骨形成マーカーである.

c　尿中Ⅰ型コラーゲン架橋N末端テロペプチド(NTX)は骨吸収マーカーである.

d　原発性上皮小体(副甲状腺)機能亢進症では血清TRACP-5b値が上昇する.

e　原発性甲状腺機能亢進症では血清P1NPが低下する.

2 骨の発育，形成，再生

□□□　A ▶ p. 6-8

問 1-2-1

骨の発生と成長について正しいのはどれか. 3つ選べ.

a　成長軟骨板は骨の長径成長に関与する.

b　長管骨の骨端部に一次骨化中心ができる.

c　頭蓋骨は軟骨内骨化によって形成される.

d　膜性骨化は軟骨形成を介さずに直接骨が形成される.

e　軟骨内骨化は骨形成部位への間葉系細胞の集積から始まる.

問 1-2-2

成長軟骨板に認められないのはどれか. 2つ選べ.

a　lamina splendens

b　増殖軟骨細胞層

c　肥大軟骨細胞層

d　軟骨膜

e　tidemark

問 1-2-3

成長軟骨板について誤っているのはどれか.

a　長軸方向の成長に働く.

b　軟骨細胞は分化が進むと肥大化する.

c　主に膜性骨化を担っている.

d　副甲状腺ホルモン関連蛋白(PTHrP)は重要な制御因子の1つである.

e　ヒトでは性成熟の完了の頃に石灰化を経て骨化組織に置換され，閉鎖する.

問 1-2-4

成長軟骨板について正しいのはどれか．3つ選べ

a 軟骨内骨化の過程によって骨の横径成長を生じる．
b 増殖軟骨細胞層には血管が豊富に存在する．
c 増殖軟骨層では扁平な細胞が柱状に配列する．
d 肥大軟骨細胞層はX型コラーゲンを発現する．
e 軟骨膜には成長とともに骨芽細胞が現れ，骨膜になる．

問 1-2-5

骨年齢について正しいのはどれか．

a 指骨の二次骨化核は生下時に出現している．
b 生後2カ月で手根骨は4個出現している．
c 豆状骨は男性では18歳以後に出現する．
d 示指末節骨の骨端核の癒合は女性では18歳以後である．
e 示指末節骨の骨端核の癒合は男性では13〜14歳である．

問 1-2-6

膜性骨化によって形成される骨はどれか．2つ選べ．

a 下顎骨
b 鎖骨
c 月状骨
d 大腿骨
e 膝蓋骨

問 1-2-7

骨の再生・修復について誤っているのはどれか．2つ選べ

a 骨誘導とは骨組織を分化誘導する現象である．
b 骨伝導とは未分化間葉系細胞が骨芽細胞に分化して骨形成を生じる現象である．
c 骨形成蛋白(BMP)は筋肉内で異所性に骨を誘導できる．
d 骨欠損部へ移植された人工骨のβ-リン酸三カルシウム(β-TCP)は骨へ置換されない．
e 多孔体セラミックスには骨伝導能がある．

問 1-2-8

骨移植について正しいのはどれか．

a 自家骨は壊死しない．
b 同種骨は自家骨より骨形成促進作用が旺盛である．
c 新鮮自家骨移植は骨形成細胞の移植を伴う．
d 同種骨移植では免疫反応を起こさない．
e 移植された骨組織は吸収されない．

3 関節の構造と生化学

□□□　A ▶ p. 8-10

問 1-3-1

成熟関節軟骨について正しいのはどれか．3つ選べ．

a　表面には細胞を多く含んだ軟骨膜が存在する．
b　全層にわたって均一な構造をもつ．
c　神経終末枝は存在しない．
d　細胞密度は粗で基質に富む．
e　正常ではほとんど細胞分裂がない．

問 1-3-2

関節軟骨について誤っているのはどれか．2つ選べ．

a　関節表面側の非石灰化軟骨はすべて滑液により栄養されている．
b　非石灰化軟骨層と石灰化軟骨層の境界は tidemark と呼ばれる．
c　正常関節において軟骨同士の摩擦係数は 0.002～0.006 と極めて小さい．
d　乾燥重量比ではコラーゲンよりもプロテオグリカンが多い．
e　軟骨層の部分欠損は自然修復される．

問 1-3-3

関節軟骨について誤っているのはどれか．

a　関節軟骨は衝撃吸収作用を有する．
b　関節軟骨の最表層にはルブリシンが存在し，潤滑能の維持を担っている．
c　プロテオグリカンは，関節軟骨の粘弾性を維持している．
d　関節軟骨には侵害受容器が存在する．
e　関節痛の感知には，滑膜や関節包が関係する．

問 1-3-4

関節軟骨のコラーゲンについて正しいのはどれか．3つ選べ．

a　Ⅱ型が全コラーゲン量の 90～95％を占める．
b　3本のポリペプチド鎖からなる．
c　Ⅸ型はⅡ型コラーゲンの架橋に働く．
d　表層細胞はX型コラーゲンを産生する．
e　放射状層では水平方向に配列する．

問 1-3-5

関節軟骨のプロテオグリカンについて誤っているのはどれか．

a　コラーゲンに次ぐ関節軟骨の主要成分である．
b　細かなコア蛋白に多数のコンドロイチン硫酸などの側鎖が結合した形態をとる．
c　ヒアルロン酸を軸に，凝集体を形成する．
d　陽性荷電をもつ．
e　会合体は膨らむ性質をもつ．

問 1-3-6

ヒアルロン酸について正しいのはどれか．3つ選べ．

a　関節軟骨基質にも存在するが，関節液中にも分泌される．

b 滑膜A型(マクロファージ様)細胞から分泌される.

c 関節液中のヒアルロン酸の分子量は健常人では約350万である.

d 変形性関節症患者では，濃度は低下するが，分子量は変化しない.

e 濃度が減少すると関節液の粘稠度が低下する.

問 1-3-7

関節軟骨細胞について誤っているのはどれか.

a 変性が進んだ関節軟骨では，増殖能が著しく低下する.

b プロテオグリカンを産生する.

c アグリカン分解酵素を産生する.

d マトリックスメタロプロテアーゼを産生する.

e 過度の力学的ストレスを受けると炎症性サイトカインや蛋白分解酵素を発現する.

問 1-3-8

関節液について誤っているのはどれか.

a 血漿成分の滲出液にヒアルロン酸や糖蛋白質などが加わったものである.

b 関節の潤滑効果を担っている.

c 正常では赤血球を認めない.

d 粘稠性はヒアルロン酸濃度に比例する.

e 強い滑膜炎では粘稠度が増加する.

問 1-3-9

滑膜について誤っているのはどれか.

a 関節包の内層の結合組織であり，最表層の内膜と，深層の滑膜下層からなる.

b マクロファージ様のA細胞は，貪食能を有する.

c 線維芽細胞様のB細胞は，ヒアルロン酸などを産生する.

d 各種の刺激や環境の変化に応答するのはA細胞であり，B細胞は関与しない.

e 関節リウマチの滑膜には，様々な免疫細胞が存在する.

問 1-3-10

膝半月について正しいのはどれか．2つ選べ

a 血管がない.

b 神経終末がない.

c 水分含量は湿重量の半分以下である.

d コラーゲンは，外側ではI型が主体だが，内側ではII型の割合が増える.

e 荷重の分散，関節の安定化などを担う.

問 1-3-11

椎間板について誤っているのはどれか．2つ選べ.

a 線維輪の層板が，中心部の髄核を取り囲んでいる.

b 線維輪と髄核の上下は軟骨終板におおわれている.

c 血行によって栄養される.

d 髄核では水分が湿重量の70～90%を占める.

e 髄核はMRI T2強調像で低信号となる.

4 筋，神経の構造，生理，化学

□□□ A ▶ p. 10-15

問 1-4-1

骨格筋について誤っているのはどれか.

a 筋細胞は多核である.
b 筋線維鞘は筋細胞の細胞膜である.
c 筋原線維にはA帯とI帯が交互に存在する.
d 筋肉内ではアクチンとミオシンが規則正しく配列して横紋構造をなす.
e 筋収縮してもI帯の長さは変わらない.

問 1-4-2

骨格筋の微細構造と収縮機構について誤っているのはどれか.

a 筋原線維の長さは細胞の全長に及ぶ.
b 電気刺激は筋細胞膜とT細管によって伝えられる.
c 筋小胞体は内腔にCa^{2+}を蓄えている.
d ミオシン頭部のATPがADPと無機リン酸に分解されエネルギーを得る.
e ATPは主に細胞質内の無酸素解糖によって産生される.

問 1-4-3

筋線維タイプについて正しいのはどれか. 3つ選べ.

a 赤筋はI型線維を多く含む.
b I型線維は，ミトコンドリアが豊富である.
c 筋線維は組織学的に，I型，II型，III型の3型に分類される.
d 筋線維のタイプは力学的環境では変化しない.
e 異なるタイプの筋線維がモザイクパターンを示す.

問 1-4-4

遅筋について誤っているのはどれか. 2つ選べ.

a 白筋とも呼ばれる.
b 酸化系代謝が主である.
c ATPase反応速度が速い.
d 持久力に富む.
e 抗重力筋として働く.

問 1-4-5

筋収縮機構について正しいのはどれか. 2つ選べ.

a 筋細胞膜に活動電位が生じ，筋収縮が起こるまでの過程を興奮収縮連関という.
b 活動電位により運動神経終末内にMg^{2+}が流入する.
c 神経終末より分泌されたアセチルコリンによりNa^{+}が筋細胞内に流入する.
d アセチルコリンは分解されない.
e 筋収縮にはクレアチンが必要である.

問 1-4-6

体性感覚のうち痛覚と同じ経路をたどって大脳皮質に到達するのはどれか．2つ選べ．

a　触覚
b　圧覚
c　温覚
d　冷覚
e　深部感覚

問 1-4-7

運動機能調節について正しいのはどれか．2つ選べ．

a　筋紡錘は，筋線維とこれを支配する運動性の神経線維から構成される．
b　筋紡錘と腱器官は，ともに筋伸張により刺激される．
c　伸展反射は単シナプス性反射である．
d　伸張反射はγ線維の活動によって引き起こされる．
e　クローヌスは，筋の屈曲反射の興奮性が高まっているときに生じる．

問 1-4-8

運動器の痛みについて<u>誤っている</u>のはどれか．

a　炎症によって産生される内因性発痛物質は侵害受容器を刺激して疼痛を惹起させる．
b　侵害受容器には TRPV1(transient receptor potential vanilloid subfamily 1)が存在する．
c　ポリモーダル受容器は機械的刺激にのみ反応する．
d　一次痛の信号は脊髄後角から反対側の脊髄視床路を上行し，大脳皮質に送られる．
e　二次痛の信号はC線維を介して伝達される．

1
4
□

問 1-4-9

末梢神経について正しいのはどれか．2つ選べ．

a　Ca^{2+}が軸索末端へ流入することで，シナプスにおける興奮伝達が開始する．
b　神経筋接合部では，ノルアドレナリンが化学伝達物質として興奮伝達の仲立ちになっている．
c　シナプスにおける興奮の伝わり方は双方向性である．
d　細胞骨格蛋白質は遅い軸索輸送によって運ばれる．
e　Tinel 様徴候は神経障害部位に限局して現れる．

問 1-4-10

神経電気生理学的検査について正しいのはどれか．3つ選べ．

a　神経線維の興奮伝導速度は太い線維ほど速い．
b　末梢神経伝導速度は温度が上昇すると遅くなる．
c　末梢神経伝導速度検査では患者の苦痛を考慮して，筋の収縮がみられる最低限の刺激で測定するべきである．
d　線維自発電位，陽性鋭波，多相性電位は Waller 変性を生じた神経で支配されていた筋で観察される．

e 末梢神経の強さ時間曲線は，神経損傷時には右側に偏位する．

問 1-4-11

頚椎レベルにおける脊髄の伝導路について正しいのはどれか．

a 錐体路の最内側は仙髄路である．

b 後索は温痛覚の神経伝導路である．

c 脊髄視床路は運動神経線維の伝導路である．

d 脊髄視床路の最内側は頚髄路である．

e 立体感覚は交叉する求心性神経線維で伝導される．

問 1-4-12

痛み・末梢神経の生理について正しいのはどれか．2つ選べ．

a 痛みはB線維とC線維で伝えられる．

b 径の細い神経線維ほど局所麻酔薬で遮断されやすい．

c 径の太い神経線維ほど電気刺激で興奮しやすい．

d オピオイドレセプターは脊髄前角に多い．

e アセチルコリンは下行性痛覚抑制系の主な伝達物質である．

問 1-4-13

運動器慢性疼痛について正しいのはどれか．

a 1カ月以上続く痛みである．

b 神経障害性疼痛にオピオイドは第1選択薬である．

c 下行性抑制系を活性化させる抗うつ薬は無効である．

d 炎症が侵害受容器に対し感作作用を及ぼすことが，痛みの慢性化の原因となる．

e 侵害受容性疼痛，神経障害性疼痛および心理社会的要因の痛みは独立したものである．

5 骨，関節の病態生理

□□□ A ▶ p. 15–16

問 1-5-1

変形性関節症の病態について誤っているのはどれか．

a 関節液中のヒアルロン酸は分子量と濃度が低下する．

b クラスター形成部に軟骨細胞のアポトーシスが観察される．

c 軟骨細胞で過剰産生された一酸化窒素(NO)は潜在型MMPの活性化を抑制する．

d tidemarkはしばしば二重，三重となる．

e 骨形成が促進された結果，軟骨下骨が硬化する．

問 1-5-2

骨折の修復について誤っているのはどれか．2つ選べ

a 炎症期には血小板などから様々な成長因子が放出され，未分化間葉系細胞の誘導を促進する．

b 長管骨骨折の修復には，膜性骨化の過程は関与しない．

c　初期の仮骨は軟性仮骨と呼ばれる．
d　骨折部はその後のリモデリングによって元来の構造に復元していく．
e　力学的に安定した骨折では，仮骨量は多くなる．

問 1-5-3

骨折治癒について誤っているのはどれか．2つ選べ．

a　軟骨形成が起こる．
b　リモデリングには破骨細胞が関与しない．
c　硬性仮骨の形成に要する期間は6〜8週である．
d　小児では回旋変形も自然矯正される．
e　低出力超音波パルスには骨折治癒促進効果がある．

問 1-5-4

関節軟骨の修復について誤っているのはどれか．

a　成人での軟骨下骨に達しない部分損傷は，自然修復することは少ない．
b　軟骨下骨に達する全層損傷では，骨髄からの出血や間葉系細胞の遊走がみられる．
c　全層損傷は，線維軟骨として修復される．
d　線維軟骨として修復された後は，徐々にリモデリングされて硝子軟骨に置換される．
e　線維軟骨細胞は，硝子軟骨細胞と比べてⅠ型コラーゲンを多く産生する．

問 1-5-5

変形性関節症について誤っているのはどれか．2つ選べ．

a　軟骨細胞や滑膜細胞は軟骨基質を分解するマトリックスメタロプロテアーゼ(matrix metalloproteinase：MMP)を産生する．
b　初期の関節症性軟骨では軟骨細胞が増殖しクラスターを形成する．
c　関節液中のヒアルロン酸は分子量と濃度が増加する．
d　関節軟骨に存在する神経線維終末の異常刺激が痛みの原因である．
e　線維性軟骨細胞は，硝子軟骨細胞と比べてⅠ型コラーゲンを多く産生する．

問 1-5-6

椎間板の加齢現象について誤っているのはどれか．2つ選べ．

a　水分含有量は増加する．
b　プロテオグリカンは減少する．
c　後方線維輪に亀裂が生じると椎間板ヘルニアにつながる．
d　脊椎すべりとは無関係である．
e　変性した髄核はMRI T2強調像で低信号となる．

6 バイオメカニクス

□□□　A ▶ p. 16–22

問 1-6-1

力学の基礎的知識において誤っているのはどれか．

- a 負荷を除去すれば原形に戻る間の変形を弾性変形という．
- b 応力とは物体内の単位面積当たりの力である．
- c ひずみとは長さの変化率をいう．
- d 弾性変形領域の応力-ひずみ曲線の傾きをヤング率という．
- e 境界潤滑では摩擦面での荷重を流体膜の圧で支える．

問 1-6-2

骨組織の力学的特性において誤っているのはどれか．2つ選べ．

- a 皮質骨の多孔度は約40％である．
- b 皮質骨はひずみに対して海綿骨より強い．
- c 皮質骨は引っぱりよりも圧縮に対して，より強い応力に耐えられる．
- d 皮質骨も海綿骨も異方性をもつ．
- e 骨組織は周囲の力学的環境に応じて，構造を変化させる．

問 1-6-3

関節軟骨について正しいのはどれか．3つ選べ．

- a 関節軟骨は弾性的性質とともに，変形や応力が時間に依存する粘性的性質をもつ．
- b 基質の膨張圧は，プロテオグリカンの陰性荷電と対イオンの存在に起因する．
- c 組織間液の透過性は，圧縮ひずみと負荷した圧の大きさに依存して低下する．
- d 関節反力とは，体重によって関節に作用する力のことである．
- e 流体潤滑は，接触表面への潤滑剤の化学的吸着による潤滑である．

問 1-6-4

拮抗筋同士が同時に収縮する共収縮の利点として誤っているのはどれか．2つ選べ．

- a 関節の動的安定性の向上
- b 巧緻性の向上
- c 偏心性負荷増大に伴う関節軟骨損傷の防止
- d 関節反力の減少
- e エネルギー効率の向上

問 1-6-5

筋・腱について正しいのはどれか．3つ選べ．

- a 長期の関節固定により腱の剛性は低下する．
- b 膝屈曲位で静止している場合，大腿四頭筋と膝蓋腱の張力は同一である．
- c スクワットは閉鎖的運動連鎖の一種である．
- d 等尺性収縮では，筋収縮時の筋の張力は一定である．
- e 筋が伸展されながら張力を発生することを遠心性収縮と呼ぶ．

問 1-6-6

肩甲帯および肩関節について誤っているのはどれか．2つ選べ．

a 上肢挙上時に上腕骨と肩甲骨の動きの占める割合はほぼ4：1である．
b 肩関節最大外転において上腕骨は内旋する．
c 肩関節外転の主力筋は三角筋と棘上筋である．
d 肩関節外転時，腱板は上腕骨頭を関節窩に引きつける作用を有する．
e 僧帽筋は，肩甲骨を胸郭壁に固定する作用をもつ．

問 1-6-7

肘関節について誤っているのはどれか．2つ選べ．

a 上腕二頭筋は前腕回内位での主要な肘屈筋である．
b 上腕二頭筋は回内作用をもつ．
c 腕橈骨筋は前腕中間位でのもっとも強い肘屈曲力を発揮する．
d 回内筋は肘直角位でもっとも強く働く．
e 肘屈曲時，上腕二頭筋とともに拮抗筋である上腕三頭筋の筋活動を認める．

問 1-6-8

手のバイオメカニクスについて正しいのはどれか．2つ選べ．

a 手指屈筋は伸筋より関節運動を起こすのに強い力が必要である．
b 伸筋腱よりも屈筋腱の腱癒着のほうが大きな関節運動制限を生じる．
c 母指は掌側外転，対立位をとる際，回内する．
d 関節リウマチにおける手の尺側偏位は，中手骨骨頭の骨破壊による．
e MP 関節は，PIP 関節や DIP 関節と同様に蝶番関節である．

問 1-6-9

股関節について誤っているのはどれか．2つ選べ．

a 大腿骨近位部の骨梁構造は，有限要素法解析での主応力曲線の走行に一致する．
b 大腿四頭筋などの二関節筋のために，膝関節の肢位が股関節の可動域に影響する．
c 股関節屈曲拘縮があると，股関節伸展方向のトルクが生じる．
d 杖は患側につくことにより，骨頭合力を通常歩行の約60%に軽減できる．
e Trendelenburg 徴候陽性は外転筋機能不全が原因となる．

問 1-6-10

仰臥位にて下肢伸展挙上を行う場合，股関節にかかる力はおおよそどのくらいか．

a 一下肢の重量の 1/2
b 一下肢の重量
c 体重
d 体重の 1.5 倍
e 体重の 2 倍

1
6
□

問 1-6-11

歩行について正しいのはどれか．

a　膝屈曲角は遊脚相で最大となる．
b　歩行周期で立脚相は全体の 40％を占める．
c　膝押さえ歩行は腓骨神経麻痺で生じやすい．
d　立脚相とは踵接地から踵離地までの時間である．
e　Trendelenburg 歩行は大腿四頭筋機能不全で生じる．

問 1-6-12

姿勢により腰椎椎間板にかかる荷重について正しいのはどれか．

a　側臥位は仰臥位より少ない荷重である．
b　立位で腰椎を屈曲して物をもつ姿勢は，坐位より荷重が少ない．
c　立位姿勢は坐位姿勢より荷重が少ない．
d　中腰姿勢は立位と坐位で差がない．
e　立位の中腰姿勢では中間位姿勢の約 3 倍の荷重がかかる．

問 1-6-13

腰痛治療に関与するメカニズムについて正しいのはどれか．2 つ選べ．

a　腰椎牽引療法は椎間板内圧を低下させる．
b　腰部伸筋群の筋力訓練は腰部屈筋群の筋力訓練より有用である．
c　Williams 体操は腰椎の前弯を減らすことを目的としている．
d　股関節伸展筋力の強化は有用である．
e　脊椎の可動性は腰痛の軽減に関与しない．

問 1-6-14

脊柱のバイオメカニクスについて誤っているのはどれか．

a　隣接する脊椎とこれを連結する椎間板や靱帯を 1 つの機能単位と考える．
b　腰椎では前方要素が軸荷重の約 50％を担う．
c　椎間板は圧縮，剪断，ねじれのすべての荷重に抵抗力を示す．
d　後方安定要素が損傷されると 2 椎間の前後屈の瞬間回旋軸は前方へ移動する．
e　肋椎関節は胸椎の椎間安定性に寄与する．

問 1-6-15

頚椎のバイオメカニクスについて誤っているのはどれか．

a　前方要素が軸荷重の約 80％を担う．
b　回旋運動の 50％以上が環軸椎で行われている．
c　中・下位頚椎の可動域は，前後屈より回旋が小さい．
d　環椎横靱帯は環椎の前方転位を制御するもっとも重要な靱帯である．
e　脊柱管前後径が 12～13 mm 以下になると脊髄症を起こしやすくなる．

問 1-6-16

膝関節について誤っているのはどれか．2つ選べ．

a 半月は膝関節安定化に寄与する．
b 半月切除により関節接触圧の増大が起こる．
c 内側側副靱帯の外反に対する抑制力は軽度屈曲位より伸展位のほうが大きい．
d 前十字靱帯は脛骨前方移動に対する制動力の85%を占める．
e 後十字靱帯は脛骨後方移動に対する制動力の60%を占める．

問 1-6-17

膝関節について誤っているのはどれか．

a 屈伸時ころがりとすべりの混在した動きを示す．
b 矢状面における瞬間回転中心は常に移動しており，後方凸の円弧を描く．
c 完全伸展位では回旋はほとんどできない．
d 伸展の終末において，下腿の内旋を伴う．
e 伸展から屈曲するにつれ，大腿脛骨関節面の接触点は後方へ移動する．

問 1-6-18

脛骨皮質骨スクリュー抜去後の骨欠損孔について正しいのはどれか．3つ選べ．

a 欠損孔のある皮質骨の強さは一般に正常骨より1桁低下し，骨折しやすい．
b 欠損孔による骨の強さの低下は，孔の数によって左右されることはない．
c 脛骨近位部や中下1/3の部位など，欠損孔の位置により骨のねじり強さは変化する．
d 抜去後の荷重制限は，骨の長軸方向に沿った垂直圧縮荷重のみを注意すればよい．
e 骨孔による骨のねじり強さの低下が完全回復するには8～12週を要する．

問 1-6-19

足関節・足部のバイオメカニクスについて誤っているのはどれか．

a 中足趾節(MTP)関節の背屈時には足の縦アーチが増加する．
b 足関節の底屈時に腓骨は上方へ移動する．
c 足関節の背屈時には前距腓靱帯が弛緩する．
d 歩行時足関節の関節面には体重の約5倍の力が加わる．
e 距骨下関節は内外反方向に動く．

診断学

2 診断学

1 診断学と臨床検査

□□□ A ▶ p. 24-34

問 2-1-1

小児正常股関節の X 線所見として誤っているのはどれか.

- a Y 軟骨は 15〜18 歳頃までに消失する.
- b 大腿骨骨頭核は生後 10 カ月頃までに出現する.
- c 大腿骨頚部前捻角は成長とともに減少する.
- d 大腿骨頚体角は成長とともに増加する.
- e 乳幼児期の臼蓋角は 20〜25° である.

問 2-1-2

成人の正常股関節について誤っているのはどれか.

- a Sharp 角は 40° 以下である.
- b CE(center-edge)角は 25° 以上である.
- c 大腿骨頚体角は平均約 125° である.
- d 大腿骨頭の大半は大腿骨頭靱帯動脈により栄養される.
- e 関節内圧は股関節の肢位により変動する.

問 2-1-3

組み合わせで正しいのはどれか. 2 つ選べ.

- a Capener 徴候——化膿性股関節炎
- b Drehmann 徴候——大腿骨頭すべり症
- c Ortolani クリック徴候——発育性股関節形成不全
- d Trendelenburg 徴候——単純性股関節炎
- e Trethowan 徴候——Perthes 病

問 2-1-4

学校における脊柱側弯症検診のチェックポイントはどれか. 2 つ選べ.

- a 漏斗胸
- b Laségue 徴候
- c 肩甲骨の位置
- d 仙椎部の腫瘤
- e 肋骨隆起

問 2-1-5

異常歩行(跛行)の種類と疾患の組み合わせで誤っているのはどれか. 2 つ選べ.

- a 疼痛回避歩行——膝離断性骨軟骨炎
- b 痙性歩行——脊髄癆
- c Trendelenburg 歩行——変形性股関節症
- d 鶏歩——総腓骨神経麻痺
- e 失調性歩行——脳性麻痺

問 2-1-6

足関節の解剖で誤っているのはどれか.

a Lisfranc 関節とは足根骨と中足骨とのなす関節である.
b 前足部において母趾にかかる荷重は足全体の 40%を占めている.
c 中足部において底側距舟靱帯(ばね靱帯)は足の横アーチの形成に重要である.
d 後足部において腱の停止がまったくないのは距骨である.
e 足の内在筋は足趾の MTP 関節を屈曲し, PIP 関節と DIP 関節を伸展させる.

問 2-1-7

下垂足をきたしやすい疾患はどれか. 3つ選べ.

a 腓骨神経麻痺
b 前脛骨区画症候群
c 馬尾症候群
d Charcot-Marie-Tooth 病
e 糖尿病性神経障害

問 2-1-8

関節可動域の測定方法について正しいのはどれか. 2つ選べ.

a 手の母指の外転では, 橈側外転および掌側外転の2項目を測定する.
b 手指の内転・外転の測定の基本軸は, 第2中手骨延長線である.
c 前腕の回内・回外の測定の基本軸は尺骨である.
d 肩関節の屈曲とは側方挙上のことである.
e 股関節の内旋・外旋は, 背臥位で股関節と膝関節を 90° 屈曲位にして測定する.

問 2-1-9

外傷後に発生することがある疾患はどれか. 2つ選べ.

a 骨化性筋炎
b 脊髄空洞症
c 脊髄係留症候群
d Tietze 症候群
e 腫瘍状石灰化症

問 2-1-10

上肢の神経障害について正しいのはどれか. 2つ選べ.

a 後骨間神経麻痺では感覚障害を伴わない.
b 後骨間神経麻痺では回内筋入口部における絞扼性神経障害がある.
c 尺骨神経高位麻痺は別名 Saturday night palsy と呼ばれる.
d Allen テストは正中神経感覚障害の誘発テストである.
e 前骨間神経麻痺では感覚障害を伴わない.

問 2-1-11

健常者ではみられにくい反射はどれか. 2つ選べ.

a 回内筋反射
b 指屈曲反射
c 挙睾筋反射
d 足底反射
e 肛門反射

問 2-1-12

四肢の測定法について正しいのはどれか．2つ選べ．

a 上肢長は肩峰から中指指尖までの距離を測定する．
b 上腕周径は上腕骨外側上顆から 5 cm 近位で測定する．
c 下肢長は下前腸骨棘から内果までの距離を測定する．
d 大腿周径は膝蓋骨上縁から 10 cm 近位で測定する．
e 下腿周径は腓腹筋部での最大周径を測定する．

問 2-1-13

身体所見と疾患の組み合わせで<u>誤っている</u>のはどれか．

a 皮膚のカフェオレ斑――神経線維腫症
b 腰殿部の異常発毛――Albright 症候群
c 皮膚萎縮と皮膚乾燥――末梢神経麻痺
d 関節弛緩――Marfan 症候群
e 創部の握雪感――ガス壊疽

問 2-1-14

テストと疾患の組み合わせで<u>誤っている</u>のはどれか．2つ選べ．

a Bragard テスト――腰椎椎間板ヘルニア
b Eichhoff テスト――指屈筋腱腱鞘炎
c Patrick テスト――股関節炎
d Phalen テスト――足根管症候群
e Thompson-Simmonds スクイーズテスト――アキレス腱断裂

問 2-1-15

テスト，徴候と疾患の組み合わせで正しいのはどれか．2つ選べ．

a Allis 徴候――発育性股関節形成不全
b Patrick テスト――腰椎椎間板ヘルニア
c Froment 徴候――手根管症候群
d Homans 徴候――アキレス腱断裂
e Kanavel 徴候――化膿性屈筋腱腱鞘炎

問 2-1-16

リウマトイド因子が陽性となりやすい疾患はどれか．3つ選べ．

a Felty 症候群
b Sjögren 症候群
c リウマチ熱
d リウマチ性多発筋痛症
e 関節リウマチ

問 2-1-17

疾患と検体検査の組み合わせで<u>誤っている</u>のはどれか．

a 関節リウマチ――抗環状シトルリン化ペプチド抗体
b ウイルス感染――プロカルシトニン
c 強直性脊椎炎――HLA-B27
d 深部静脈血栓症――D ダイマー
e 癌骨転移――Ⅰ型プロコラーゲン C 末端

問 2-1-18

疾患と関節液所見の組み合わせで誤っているのはどれか.

a 関節内骨折――脂肪滴
b 化膿性関節炎――多形核白血球主体
c 色素性絨毛結節性滑膜炎――褐色調
d 変形性関節症――ヒアルロン酸減少
e 関節リウマチ――白血球の減少

問 2-1-19

組み合わせで正しいのはどれか. 2つ選べ.

a 血清ピロリン酸高値――偽痛風
b 血清グロブリン高値――多発性骨髄腫
c 血清リン酸高値――原発性上皮小体(副甲状腺)機能亢進症
d 血清クレアチンキナーゼ高値――多発筋炎
e 血清 D ダイマー低値――深部静脈血栓症

問 2-1-20

クレアチンキナーゼ高値を特徴とする疾患はどれか. 3つ選べ.

a 皮膚筋炎
b 多発性筋炎
c 好酸球性筋膜炎
d リウマチ性多発筋痛症
e 進行性筋ジストロフィー

問 2-1-21

アルカリホスファターゼ(ALP)について誤っているのはどれか.

a リン酸エステルを加水分解する酵素である.
b アイソザイムのうち ALP3 が骨由来である.
c 骨芽細胞で産生される.
d 甲状腺機能低下症で血清 ALP 値が高値となる.
e 軟骨肉腫で血清 ALP 値は正常である.

問 2-1-22

血清尿酸値について正しいのはどれか. 3つ選べ.

a 利尿薬の投与により上昇する.
b 腎機能障害で上昇する.
c ピラジナミドの投与により低下する.
d コルヒチンの投与により低下する.
e ベンズブロマロンの投与により低下する.

問 2-1-23

腫瘍マーカーとして誤っているのはどれか. 2つ選べ.

a 乳癌――NCC-ST-439
b 肺の腺癌――CEA
c 肝細胞癌――PIVKA-II
d 消化器癌――PSA
e 前立腺癌――CA15-3

問 2-1-24

骨吸収マーカーはどれか．3つ選べ．

a　血清骨型アルカリホスファターゼ
b　血清酒石酸抵抗性酸ホスファターゼ
c　血清Ⅰ型プロコラーゲンC末端プロペプチド
d　尿中Ⅰ型コラーゲンN末端架橋テロペプチド
e　尿中デオキシピリジノリン

問 2-1-25

徒手筋力テストについて誤っているのはどれか．2つ選べ

a　筋力3では重力を除けば完全に運動できる．
b　上腕三頭筋は背臥位で肩関節90°屈曲位で測定する．
c　上腕二頭筋は坐位で測定する．
d　手関節伸展筋の筋力は，指を伸展させて測定する．
e　橈骨神経麻痺では手関節背屈位させてMP関節の伸展を行う．

問 2-1-26

筋力テストについて誤っているのはどれか．

a　徒手筋力テストで筋力2は，重力を除けば正常な関節可動域いっぱいに関節を動かす筋力を意味する．
b　徒手筋力テストで足関節の底屈は片脚立位で踵を10回以上床から持ち上げることができれば5と判定する．
c　徒手筋力テストで3と判断される筋力は，筋張力測定器により測定された最大筋力の5％に相当する．
d　徒手筋力テストの結果を個人間で比較することはできない．
e　関節リウマチなどで筋力が著しく低下している場合は，握力計でなく20 mmHgに加圧した水銀血圧計のカフを握ることで測定する．

問 2-1-27

手根管症候群において障害される筋はどれか．3つ選べ．

a　母指対立筋
b　短母指外転筋
c　母指内転筋
d　虫様筋(示指，中指)
e　骨間筋

問 2-1-28

正常な関節において，関節鏡でみえる腱はどれか．2つ選べ．

a　上腕二頭筋長頭腱
b　上腕筋腱
c　半膜様腱
d　膝窩筋腱
e　腓骨筋腱

問 2-1-29

膝関節半月について誤っているのはどれか．

a　膝関節の屈伸に伴う半月の前後可動性は，外側半月板が内側半月板より大きい．

b　外側円板状半月は完全型，不完全型，Wrisberg 型の 3 型に分類される．
c　外側半月では膝窩筋腱溝が存在する．
d　半月の前後角部は血行が不良である．
e　長さ 7 mm 以下で安定した半月辺縁縦断裂はラスピングの適応である．

問 2-1-30

肩関節鏡について正しいのはどれか．2 つ選べ．

a　反復性肩関節前方脱臼での関節唇の前方部の損傷は Bankart 損傷と呼ばれている．
b　上腕骨頭前内側に圧挫痕がある場合は，肩関節前方脱臼の既往を示唆する．
c　反復性肩関節前方亜脱臼に対する鏡視下修復術の適応はない．
d　投球動作や転倒時に手をつくことにより，上腕骨が腱板を上方へ牽引させて剥離したものは SLAP 損傷と呼ばれる．
e　中関節上腕靱帯は解剖学的変異が多い．

問 2-1-31

肩関節鏡について正しいのはどれか．2 つ選べ．

a　肩関節の牽引による腕神経叢の障害の危険性がある．
b　通常，烏口上腕靱帯の観察は可能である．
c　肩峰下滑液包鏡視では通常，上腕二頭筋長頭腱が視野の下方に観察される．
d　関節上腕靱帯は通常，関節内からは観察できない．
e　上方関節唇には解剖学的変異が多い．

問 2-1-32

視診について誤っているのはどれか．

a　大腿骨頭すべり症には肥満の男児が多い．
b　思春期の円背では Scheuermann 病を疑う．
c　Albright 症候群ではカフェオレ斑が認められる．
d　殿部に異常発毛(hairy patch)があれば二分脊椎を疑う．
e　Maffucci 症候群では，多発性の外骨腫による皮膚の隆起が認められる．

問 2-1-33

組み合わせで正しいのはどれか．2 つ選べ．

a　Allis 徴候――発育性股関節形成不全
b　Capener 徴候――化膿性股関節炎
c　Drehmann 徴候――大腿骨頭すべり症
d　Trendelenburg 徴候――単純性股関節炎
e　Trethowan 徴候――Perthes 病

問 2-1-34

二関節筋はどれか．3 つ選べ．

a　上腕筋
b　上腕二頭筋長頭
c　薄筋
d　半膜様筋
e　ヒラメ筋

問 2-1-35

動脈拍動の減弱を陽性とする検査法はどれか．3 つ選べ．

a　Adson test
b　Eden test
c　Morley test
d　Roos test
e　Wright test

問 2-1-36

健常者では見られにくい反射はどれか．2 つ選べ．

a　指屈曲反射
b　腹壁反射
c　挙睾筋反射
d　肛門反射
e　足底反射

問 2-1-37

血清アルカリホスファターゼ(ALP)活性が上昇しない骨疾患はどれか．

a　骨肉腫
b　骨軟化症
c　内軟骨腫
d　骨 Paget 病
e　前立腺癌骨転移

問 2-1-38

二関節筋でないのはどれか．

a　大腿直筋
b　大腿二頭筋
c　半膜様筋
d　腓腹筋
e　ヒラメ筋

2 神経・電気生理学的診断

□□□ A ▶ p. 34–37

問 2-2-1

末梢神経伝導速度について誤っているのはどれか．

a　運動神経の測定では最大上刺激を用いる．
b　運動神経では神経線維の断面積に比例する．
c　無髄神経が有髄神経よりも速い．
d　H 波は下肢でよく出現する．
e　F 波は運動神経の逆行性伝導による誘発波である．

問 2-2-2

術中の脊髄モニタリングについて正しいのはどれか．2 つ選べ．

a　脊髄電気刺激・脊髄硬膜外記録法では運動機能モニターが可能である．
b　経頭蓋電気刺激・脊髄硬膜外記録電位により脊髄運動路をモニターできる．
c　経頭蓋磁気刺激法は麻酔薬の影響を受けない．
d　経頭蓋電気刺激による下肢筋電図記録には多重電気刺激が必要である．
e　wake-up test の信頼性は低い．

問 2-2-3

末梢神経伝導速度について正しいのはどれか．2つ選べ．

a 細い径のほうが圧迫により障害されやすい．
b 局所麻酔薬により遅延する．
c 太い径のほうが温度に影響されやすい．
d 1℃の温度低下により 0.1〜0.5 m/秒遅くなる．
e 生後 1 歳でほぼ成人に等しくなる．

問 2-2-4

針筋電図検査が有用でないのはどれか．

a 筋力低下が筋原性か神経原性かの鑑別
b 損傷された神経の同定
c 脱神経を生じた筋の推定
d 最大筋力の測定
e 筋緊張性ジストロフィーの診断

問 2-2-5

長母指屈筋，方形回内筋の筋電図検査で脱神経所見がみられたが，橈側手根屈筋には異常所見はみられなかった．誤っているのはどれか．

a 深指屈筋(示指，中指)の筋電図検査で異常がある．
b 浅指屈筋の筋電図検査で異常はない．
c 円回内筋の筋電図検査で異常はない．
d 正中神経の逆行性感覚神経伝導検査は正常である．
e 正中神経の運動神経伝導検査で短母指外転筋の M 波の振幅は低下する．

問 2-2-6

頚髄損傷の損傷高位について正しいのはどれか．

a 肘関節屈曲筋力が MMT 5，手関節背屈筋力が MMT 2 である場合，C6 レベルである．
b 肘関節伸展筋力が MMT 5，手指屈曲が MMT 2 である場合，C8 レベルである．
c 肩関節屈・外転筋力が MMT 5，肘関節伸展筋力が MMT 2 である場合，C7 レベルである．
d 手関節背屈筋力が MMT 5，手関節掌屈筋力が MMT 3 である場合，C5 である．
e 上肢筋力は MMT 1〜2 であるが，横隔膜運動や肩甲骨の運動が温存されている場合，C4 レベルである．

問 2-2-7

頚髄完全損傷の組み合わせで誤っているのはどれか．

a C5 機能が残存——肘関節の屈曲可能
b C6 機能が残存——手関節の屈曲可能
c C7 機能が残存——手関節の背屈可能
d C8 機能が残存——手指関節の伸展可能
e T1 機能が残存——手指関節の内転可能

問 2-2-8

誘発電位による脊髄運動機能の術中モニタリングで適切なのはどれか．2つ選べ．

a 頚部硬膜外で脊髄を電気刺激し下肢筋から導出する．
b 麻酔の影響を受けやすい．

c　プロポフォール・フェンタニル静脈麻酔を選択する．

d　セボフルラン・亜酸化窒素吸入麻酔を選択する．

e　筋弛緩薬の影響は少ない．

問 2-2-9

術後の末梢神経麻痺について誤っているのはどれか．

a　術中に障害を受ける神経の中で，もっとも頻度が高いのは橈骨神経である．

b　腕神経叢麻痺は頚部と上肢の間が過度に伸展されることによって生じることが多い．

c　肘の過伸展は正中神経麻痺の成因になる．

d　外側大腿皮神経は鼡径靱帯と筋膜で固定されているので圧迫，牽引が加わりやすい．

e　腓骨神経麻痺は砕石位の足台による圧迫で生じることが多い．

問 2-2-10

脊髄円錐部神経障害について誤っているのはどれか．

a　排尿障害

b　錐体路障害

c　肛門反射消失

d　下肢深部腱反射正常

e　会陰部を含むサドル型感覚障害

問 2-2-11

神経麻痺による手の異常肢位について正しいのはどれか．２つ選べ．

a　後骨間神経麻痺――下垂指

b　尺骨神経麻痺――猿手

c　正中神経麻痺――鉤爪指変形

d　前骨間神経麻痺――ボタン穴変形

e　橈骨神経麻痺――下垂手

問 2-2-12

脊椎・脊髄手術中の感覚機能をモニターするための脊髄モニタリング法はどれか．３つ選べ．

a　体性感覚誘発電位

b　脊髄電気刺激・脊髄硬膜外記録法

c　経頭蓋電気刺激・下肢筋電図記録法

d　経頭蓋電気刺激・脊髄硬膜外記録法

e　末梢神経電気刺激・脊髄硬膜外記録法

3 X線など画像診断

□□□ A ▶ p. 38-45

問 2-3-1

股関節のX線所見について誤っているのはどれか.

a Shenton線は閉鎖孔の内縁をなす曲線と大腿骨頚部の内縁を結ぶ線である.
b Calvé線は腸骨外縁をなす曲線と大腿骨頚部の外縁を結ぶ線である.
c 正常では大腿骨頭はWollenberg線の下方に位置する.
d Capener徴候は大腿骨頭すべり症の骨頭骨端核が側面像で寛骨臼内にあることをいう.
e crescent signは大腿骨頭壊死における軟骨下骨の骨折線である.

問 2-3-2

画像所見と疾患の組み合わせで正しいのはどれか. 2つ選べ.

a 距踵角の減少――踵骨骨折
b 肘外偏角(carrying angle)の増大――正中神経麻痺
c 第1・第2中足骨角の増大――外反母趾
d 大腿脛骨角の増大――外側円板状半月
e Q角の増大――膝蓋大腿関節不安定症

問 2-3-3

CT値について正しいのはどれか. 2つ選べ.

a 空気――－500
b 水――0
c 脂肪組織――50～100
d 凝血血液――200～300
e 骨――約1,000

問 2-3-4

CTについて誤っているのはどれか.

a 脂肪のCT値は水より高い.
b 多断層再構築(multi-planar reconstruction)像は骨折の診断に有用である.
c 軟部腫瘍の組織診断は造影CTではできない.
d 先天性側弯症の治療方針の決定には三次元CTが有用である.
e ウインドウ幅の中央値をウインドウレベルという.

問 2-3-5

MRIについて誤っているのはどれか.

a 磁性体の体内人工物に発熱が起こる.
b 磁性体の体内人工物の周囲に像のゆがみや欠損を生じる.
c 微細な変化をとらえるためには薄いスライス厚で撮像する.
d 脊髄中心に線状の縦走するアーティファクトが起こる.
e Gd-DTPAはT2緩和時間を短縮させる.

問 2-3-6

MRIについて誤っているのはどれか.

a メトヘモグロビンはT1強調像で低信号を示す.

b 炎症があるとT2強調像で高信号を示す.

c ヘモジデリン沈着はT2強調像で低信号を示す.

d 石灰化はT2強調像で低信号を示す.

e 線維化はT2強調像で低信号を示す.

問 2-3-7

MRI信号強度に関する記載で誤っているのはどれか. 2つ選べ.

a 腱はT1強調像およびT2強調像とも低信号を示す.

b 脳脊髄液はT1低信号, T2高信号を示す.

c 骨硬化ではT1低信号, T2高信号を示す.

d 硝子軟骨はT1等信号, T2高信号を示す.

e 流注膿瘍はT1強調像およびT2強調像とも高信号を示す.

問 2-3-8

MRI T1強調像で高信号を示すのはどれか. 2つ選べ.

a 靱帯

b 皮下脂肪

c 筋

d 骨皮質

e 骨髄

問 2-3-9

MRI T2強調像で高信号を示すのはどれか. 2つ選べ.

a 骨皮質

b 椎間板髄核

c 関節軟骨

d 半月

e 脊髄

問 2-3-10

Gd-DTPAにより造影されるのはどれか.

a 壊死組織

b ガングリオン

c 関節腔

d 正常関節軟骨

e 骨皮質

問 2-3-11

膝関節外傷のMRIについて誤っているのはどれか.

a 骨内のT1強調像高信号, T2強調像等～高信号領域は骨挫傷が疑われる.

b 関節包内にT1強調像高信号領域がみられた場合は亜急性期出血が疑われる.

c 半月・靱帯の損傷はT2強調像で高信号領域として描出される.

d 前十字靱帯の断裂は信号強度変化のみでは診断困難な場合がある.

e 小さな骨片や骨欠損の診断にはMRIよりもCTが有用である.

問 2-3-12

化膿性骨・関節炎のMRIについて誤っているのはどれか.

a Brodie骨膿瘍は病変全体に造影による信号変化が認められる.

b　急性骨髄炎では T1 強調像で低信号，T2 強調像で高信号を示す．

c　慢性骨髄炎の骨硬化部は T1 強調像，T2 強調像ともに低信号を示す．

d　関節液貯留の描出に敏感である．

e　慢性の感染性関節炎と非感染性関節炎の鑑別は困難である．

問 2-3-13

脊椎・脊髄腫瘍の MRI について誤っているのはどれか．

a　上衣腫は造影されにくい．

b　血管芽腫は造影されやすい．

c　神経鞘腫は T2 強調像で高信号を示す．

d　髄膜腫は造影 T1 強調像では均一な増強を示す．

e　悪性腫瘍転移は T1 強調像で低信号を示す．

問 2-3-14

骨・軟部腫瘍の MRI について誤っているのはどれか．

a　腫瘍基質の石灰化が明らかとなる．

b　骨髄内病変の描出に優れている．

c　病変の進展範囲を過大評価する傾向がある．

d　一般的に画像の特異性は乏しい．

e　骨外性病変を把握するのに有用である．

問 2-3-15

骨・軟部腫瘍の診断における CT と MRI について誤っているのはどれか．

a　CT により骨破壊や腫瘍内石灰化巣を評価できる．

b　CT により骨髄内への腫瘍の進展範囲を評価できる．

c　MRI では腫瘍の骨内外での進展範囲を評価できる．

d　MRI では筋肉・腱・靱帯などと腫瘍との関係を評価できる．

e　CT，MRI とも腫瘍内の脂肪成分を描出できる．

問 2-3-16

Gd-DTPA を用いた MRI で増強を認めない疾患はどれか．

a　神経鞘腫

b　単発性骨嚢腫

c　血管芽細胞腫

d　炎症性疾患

e　多発性硬化症

問 2-3-17

発育性股関節形成不全で整復障害因子の診断のために有用な検査法はどれか．3つ選べ．

a　単純 CT

b　単純 MRI

c　股関節造影

d　骨シンチグラム

e　超音波検査

2
3

問 2-3-18

脊髄造影法，椎間板造影法，神経根造影法について正しいのはどれか．2つ選べ．

a　脊髄造影には尿路血管造影剤を使用してもよい．
b　椎間板造影にはイソビスト® 注 240 を用いる．
c　神経根造影にウログラフィン® 注 60％を用いる．
d　脊髄造影にイソビスト®注300を用いる．
e　脊髄造影にオムニパーク® 240 注を用いる．

問 2-3-19

骨シンチグラフィーについて誤っているのはどれか．2つ選べ．

a　骨ミネラルの代謝回転を反映する．
b　不顕性の大腿骨頚部骨折の診断に有用である．
c　多発性骨髄腫の骨病変の診断に有用である．
d　椎体中央部に限局した集積があれば化膿性脊椎炎と診断できる．
e　脊椎圧迫骨折における骨粗鬆性と転移性(腫瘍)の鑑別は困難である．

問 2-3-20

^{18}F-fluorodeoxyglucose(FDG)を用いたポジトロンエミッション断層撮影法(PET/CT)について正しいのはどれか，3つ選べ．

a　脳，心筋，骨格筋に集積する．
b　正常骨組織に集積する．
c　検査前に運動負荷をする．
d　悪性腫瘍の治療効果判定に有用である．
e　転移性腫瘍の診断に有用である．

問 2-3-21

^{67}Ga クエン酸塩投与 3 日目，正常では取り込みがみられないのはどれか．

a　涙腺
b　肺門
c　腸管
d　肝臓
e　腎臓

問 2-3-22

核医学検査について誤っているのはどれか．

a　^{201}Tl は静注投与後 5～30 分で撮影する．
b　^{201}Tl 静注投与後 3 時間での撮影は悪性腫瘍と良性腫瘍の鑑別の助けとなる．
c　^{131}I は甲状腺癌の骨転移巣に集積する．
d　^{67}Ga-citrate は骨折部に集積しない．
e　^{18}F-FDG を用いたポジトロンエミッション断層撮影法(PET)は悪性腫瘍の治療効果判定に有用である．

問 2-3-23

乳幼児の股関節造影について誤っているのはどれか．

a　正常股では，骨頭は楕円形をして寛骨臼底に造影剤の貯留がみられる．
b　脱臼股の整復状態や安定度を動的に把握できる．

c 脱臼股では臼蓋と骨頭間に関節唇の内反や肥厚がみられる．

d 脱臼股では大腿骨頭靱帯（円靱帯）の肥厚・延長が確認される．

e 脱臼股では関節包の狭窄形成がみられる．

問 2-3-24

肩関節造影で診断可能な疾患はどれか．2つ選べ．

a 腱板完全断裂

b 腱板不全断裂（滑液包側断裂）

c 腱板不全断裂（腱内断裂）

d 腱板不全断裂（関節包側断裂）

e 石灰沈着性腱炎

問 2-3-25

X線所見についての組み合わせで誤っているのはどれか．

a 大理石骨病――ラガージャージ（rugger-jersey）像

b 骨肉腫――Codman三角

c クレチン病――骨化核の早期出現

d 大腿骨頭壊死症――三日月透過陰影（crescent sign）

e 副甲状腺機能亢進症――異所性石灰化（heterotopic calcification）

問 2-3-26

股関節造影について誤っているのはどれか．2つ選べ．

a 乳幼児では股関節伸展位で，大腿動脈外側から大腿骨頚部内側をめざして穿刺する前方法がよく用いられる．

b 正常股関節では関節唇，横靱帯，臼窩，頚部窩などが描出される．

c 先天性股関節脱臼では関節唇の内反や円靱帯の肥厚，狭部の形成が観察される．

d Perthes病では骨頭と臼蓋の適合性の評価に用いられる．

e 成人の場合は開排位で，内転筋起始部から穿刺する方法がよく用いられる．

問 2-3-27

手関節造影について誤っているのはどれか．2つ選べ．

a 通常，掌側より刺入する．

b 三角線維軟骨複合体損傷では，手関節腔と遠位橈尺関節腔との交通がみられる．

c 舟状・三角骨間靱帯または舟状・月状骨間靱帯損傷では，手根中央関節への交通がみられる．

d 高齢者と比べ若年者無症候例においては，各関節腔相互の交通がみられることが多い．

e 関節リウマチにおいては，伸筋腱腱鞘が描出される．

問 2-3-28

単純X線像にてもっとも早く二次骨化核が出現する部位はどれか．

a 上腕骨近位骨頭

b 上腕骨小頭

c 橈骨遠位骨端

d 大腿骨大転子

e　膝蓋骨

問 2-3-29

超音波検査について正しいのはどれか．3つ選べ．

a　肉ばなれの診断に有用である．
b　骨内病変の評価に有用である．
c　術中に脊髄の変形を観察できる．
d　前十字靱帯を鮮明に描出できる．
e　深部静脈血栓症のスクリーニングに有用である．

問 2-3-30

脊髄造影について正しいのはどれか．

a　てんかん患者には禁忌である．
b　あらかじめ血管確保を必要としない．
c　穿刺，薬剤注入高位はどこからでもかまわない．
d　造影剤はイソビスト® 注 300，子宮卵管・関節造影剤（一般名：イオトロラン）を使用できる．
e　造影剤はマグネビスト® 静注，MRI 用造影剤（一般名：ガドペンテト酸ジメグルミン）を使用できる．

問 2-3-31

単純 X 線像において傍関節骨萎縮を示すのはどれか．2つ選べ．

a　関節リウマチ
b　結核性関節炎
c　痛風性関節炎
d　変形性関節症
e　上皮小体機能亢進症

問 2-3-32

正常組織の MRI 信号強度を図 1 に示す．正しいのはどれか．2つ選べ．

a　筋肉
b　脂肪
c　関節液
d　骨皮質
e　硝子軟骨

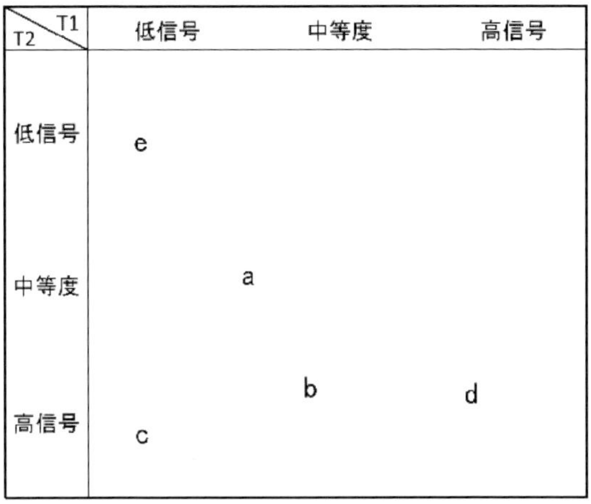

T2＼T1	低信号	中等度	高信号
低信号	e		
中等度	a		
高信号	c	b	d

問 2-3-32／図 1

問 2-3-33

超音波検査について正しいのはどれか．3つ選べ．

a　骨折はわずかな転位も描出される．
b　半月板は低エコー像に描出される．
c　関節軟骨は高エコー像に描出される．
d　ガングリオンは低エコー像に描出される．
e　動脈と静脈はプローブ圧迫による変形の違いにより識別できる．

4 病理組織診断
□□□ A ▶ p. 46-47

問 2-4-1

骨・軟部腫瘍と免疫組織化学的マーカーの組み合わせで誤っているのはどれか．2つ選べ．

a 軟骨肉腫——S-100 蛋白質
b 滑膜肉腫——サイトケラチン
c 脂肪肉腫——デスミン
d 血管肉腫——CD34
e 平滑筋肉腫——EMA(epithelial membrane antigen)

問 2-4-2

免疫組織化学的に陽性となる組み合わせはどれか．3つ選べ．

a Ewing 肉腫——CD99(MIC2)
b 隆起性皮膚線維肉腫——CD34
c 骨巨細胞腫——S-100 蛋白質
d 胎児型横紋筋肉腫——ミオゲニン
e 血管肉腫——EMA

問 2-4-3

軟部腫瘍に対する開放生検について正しいのはどれか．3つ選べ．

a 進入経路は筋間に設定する．
b 重要な神経血管の近傍は避ける．
c 四肢の長軸に沿って皮膚を切開する．
d 確実に腫瘍組織を採取するために周囲を十分剥離する．
e 画像所見で壊死が予想される部位を避けて組織を採取する．

問 2-4-4

骨・軟部腫瘍と免疫染色のマーカーの組み合わせで誤っているのはどれか．

a 悪性末梢神経鞘腫——S-100
b 横紋筋肉腫——デスミン
c 滑膜肉腫——hyaluronidase
d 血管肉腫——第Ⅷ因子関連抗原
e Ewing 肉腫——CD99(MIC2)

問 2-4-5

Ewing 肉腫の病理組織について誤っているのはどれか．2つ選べ．

a 壊死像がみられる．
b 多核巨細胞がみられる．
c 紡錘形細胞が増殖する．
d EWS 融合遺伝子が検出される．
e 免疫染色で CD99(MIC2)が検出される．

問 2-4-6

骨・軟部腫瘍と免疫組織化学的マーカーの組み合わせで誤っているのはどれか．

a 横紋筋肉腫——CD31
b 滑膜肉腫——サイトケラチン
c 血管肉腫——第Ⅷ因子
d 軟骨肉腫——S100 蛋白質
e 平滑筋肉腫——デスミン

問 2-4-7

組織学的に嚢腫様変化を伴うのはどれか．3つ選べ．

a　神経鞘腫
b　骨巨細胞腫
c　骨膜性骨肉腫
d　胞巣状軟部肉腫
e　線維性骨異形成症

治療学

3 治療学

□□□

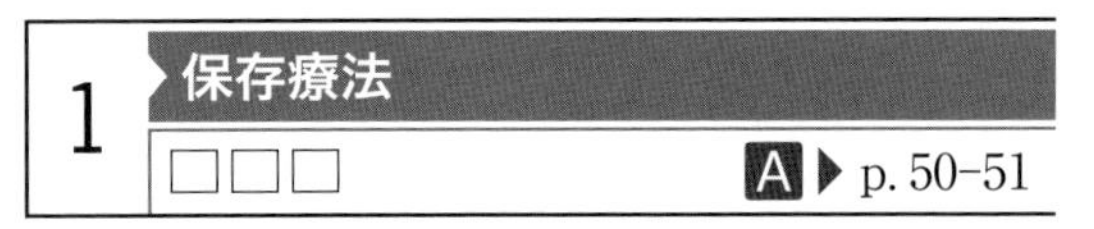

1）消炎鎮痛薬

問 3-1-1

鎮痛薬について正しいのはどれか．3つ選べ．

a　オピオイドは上行性抑制系を賦活する．
b　アセトアミノフェンは交感神経系に作用し効果を発現する．
c　抗うつ薬はうつ病の治療量よりも低用量で鎮痛効果が認められる．
d　非ステロイド性抗炎症薬（nonsteroidal anti-inflammatory drugs：NSAIDs）はプロスタグランジン類の産生を抑制する．
e　オピオイドはアヘンが結合する受容体に親和性を示す化合物の総称である．

問 3-1-2

非ステロイド性抗炎症薬（NSAIDs）と下記の薬剤との相互作用について正しいのはどれか．3つ選べ．

a　ワルファリンとの併用で抗凝固作用が増強する．
b　ジゴキシンとの併用で腎臓での排泄が促進する．
c　アスピリンとの併用で消化管障害のリスクが高まる．
d　メトトレキサートとの併用で腎臓での排泄が促進する．
e　ニューロキノン系抗菌薬との併用で痙攣発症のリスクが高まる．

問 3-1-3

鎮痛薬に関する記載で正しいのはどれか．

a　アセトアミノフェンはプロスタグランジン合成阻害によって消炎鎮痛作用を発揮する．
b　ほとんどの非ステロイド性抗炎症薬（NSAIDs）は塩基性薬剤である．
c　COX-2 選択阻害薬は COX-1 の働きを阻害しないため消化管障害はない．
d　トラマドールは弱オピオイドであり，悪心・嘔吐・傾眠の副作用はない．
e　ケトプロフェンの貼付薬では光線過敏症が生じることがある．

2）疼痛治療薬など

問 3-1-4

1%リドカインで星状神経節ブロックを実施した直後に全身性の痙攣を生じた．原因としてもっとも頻度の高いのはどれか．

a　内頚静脈内注入
b　脊髄くも膜下腔注入
c　胸腔内注入

d 椎骨動脈内注入
e 神経鞘内注入

問 3-1-5

トラマドール塩酸塩について正しいのはどれか．3つ選べ．

a 神経障害性疼痛の第1選択薬である．
b 下行性疼痛抑制系においてセロトニン・ノルアドレナリンの再取り込みを抑制する．
c チトクローム P450による代謝を受ける．
d 便秘の発生頻度は低い．
e 精神依存の発生頻度は低い．

2 手術療法

□□□ A ▶ p. 51-67

1）骨移植，生体材料

問 3-2-1

セメントレス人工関節のコンポーネントと骨組織との固着力を促進するのはどれか．3つ選べ．

a 微小な動き（micromotion）
b 骨侵入（bone ingrowth）
c 多孔性コーティング（porous coating）
d ハイドロキシアパタイトコーティング
e インドメタシンの服用

問 3-2-2

骨組織と直接結合するのはどれか．3つ選べ．

a ハイドロキシアパタイト（HA）
b リン酸三カルシウム（TCP）
c A-W ガラスセラミック
d ポリ-L-乳酸（PLLA）
e 骨セメント（PMMA）

問 3-2-3

人工骨頭置換術のよい適応となりうるのはどれか．

a 大腿骨頚部骨折（Garden 分類 stage Ⅲ）
b 強直性脊椎炎
c 急速破壊型股関節症
d 関節リウマチ
e 大腿骨頭壊死症（病期分類 stage 4）

問 3-2-4

大腿骨骨髄腔に人工骨頭のステムを骨セメントで固定するときに勧められるのはどれか．3つ選べ．

a 骨髄腔の近位部内側の海綿骨を除去する．
b ステムは内外反中間位に設置する．
c 骨髄腔の遠位部に栓をする．
d ステム遠位部の海綿骨はできるだけ残す．
e 骨セメントができるだけ軟らかいうちにステムを挿入固定する．

問 3-2-5

人工股関節全置換術について誤っているのはどれか．

a 無菌性の弛みの原因として，超高分子量ポリエチレンの摩耗粉が考えられている．
b 骨セメントを用いるときは血圧の変動に

注意する必要がある．

c 術後の後方脱臼は，過屈曲あるいは屈曲に内転・外旋が加わったときに起こりやすい．

d 60歳以上の末期股関節症はよい適応である．

e 骨性被覆が不良であれば臼蓋コンポーネントの弛みが生じやすい．

問 3-2-6

人工股関節全置換術における摺動面の摩耗を減少させるための工夫はどれか．3つ選べ．

a ポリエチレンの厚さを薄くする．

b ポリエチレンをγ線照射する．

c セラミックを摺動面に用いる．

d 金属対金属の摺動面を用いる．

e 骨頭の材質をチタン合金とする．

問 3-2-7

人工股関節における，骨頭–ステム間の腐食防止対策として正しいのはどれか．

a セラミック骨頭を使用する．

b CoCr合金製のモデュラー型ステムを使用する．

c 金属骨頭使用時は，36 mm以上の大径骨頭を使用する．

d ステムネックと骨頭テーパー部は，湿潤状態にしてから嵌合する．

e チタン合金(Ti-4Al-6V)製ステムは，嵌合時の変形が起こるため使用しない．

問 3-2-8

人工股関節用セラミック骨頭について正しいのはどれか．

a 金属骨頭より靱性が高い．

b 金属骨頭より耐蝕性が低い．

c 金属骨頭より耐摩耗性が低い．

d 金属骨頭より術後感染率を高める．

e 骨頭径が大径であるほど破損率が低い．

問 3-2-9

金属対金属人工股関節置換術の合併症として，関連性が少ないのはどれか．

a adverse reactions to metal debris (ARMD)

b aseptic lymphocyte-dominated vasculitis-associated lesion (ALVAL)

c 偽腫瘍

d 易脱臼性

e 金属アレルギー

問 3-2-10

セメント非使用型人工股関節のソケット金属シェルをスクリュー固定する際に，血管や神経損傷を起こす頻度が低いのは，Wasielewskiの寛骨臼4分画のうちどれか．

a 前・上分画

b 前・下分画

c 後・上分画

d 後・下分画

e いずれも同等

問 3-2-11

後方進入法で人工股関節全置換術を行う際に，坐骨神経を同定・確認したほうがよい場合はどれか．3つ選べ．

a　高度の肥満
b　超高齢者
c　寛骨臼嵌入例
d　高度の短頚股関節症
e　感染後の再置換術

問 3-2-12

人工関節全置換術後の感染症について正しいのはどれか．3つ選べ．

a　一般的には膝関節よりも股関節のほうが感染率は高い．
b　細菌のバイオフィルム(biofilm)が形成されれば，持続洗浄療法の効果が減弱する．
c　人工関節置換術の術後感染の原因の1つに，化膿性歯髄炎がある．
d　遅発性感染とは術後1年以上経過後に発症するものをいう．
e　遅発性感染の原因は，血行性感染が多い．

問 3-2-13

骨溶解について誤っているのはどれか．2つ選べ．

a　人工関節全置換術後に骨溶解がみられても無症状である．
b　人工関節の弛みの原因となる．
c　主たる原因は感染であると考えられている．
d　活性化されたマクロファージがサイトカインを放出し，骨吸収に関与している．
e　局所の骨吸収を抑制するためにビスフォスフォネートの投与も試みられている．

問 3-2-14

人工膝関節ポリエチレンインサートの摩耗を促進させるのはどれか．3つ選べ．

a　薄いポリエチレン厚
b　γ線照射による架橋形成
c　空気中でのγ線滅菌
d　ビタミンEの添加
e　摩擦面の温度上昇

問 3-2-15

モバイルベアリング人工膝関節のコンセプトについて誤っているのはどれか．

a　ポリエチレンインサートの回旋を許容する．
b　脛骨ベースプレートはチタン合金よりなる．
c　摺動面の接触面積が広い．
d　摩耗量が少ない．
e　脛骨ベースプレートと骨の間の応力が減少する．

問 3-2-16

人工関節摺動面の金属材料に求められる性質はどれか．3つ選べ．

a　生体親和性
b　耐摩耗性

c 衝撃吸収性
d 耐食性
e 延性

問 3-2-17

生体不活性セラミックの一般的な力学的性質について誤っているのはどれか. 2つ選べ.

a 引っぱりに強い.
b 硬い.
c 骨と化学的に結合する.
d 脆い.
e 耐摩耗性に優れる.

問 3-2-18

吸収性材料の特徴について正しいのはどれか. 3つ選べ.

a 分子量を変えることにより吸収速度を調整することができる.
b 金属材料よりも強度は強い.
c 異物反応は起こらない.
d ポリ乳酸は分解されて二酸化炭素と水になる.
e 抜釘の必要がない.

問 3-2-19

リン酸三カルシウム(β-TCP)について誤っているのはどれか.

a 生体親和性が高い.
b 気孔の連通性がよい.
c 吸収されて骨組織に置換される.
d 新生骨形成能が旺盛である.
e 緻密焼結体の圧縮強度はハイドロキシアパタイト(HA)より弱い.

問 3-2-20

PMMA(polymethyl methacrylate)骨セメントについて正しいのはどれか. 2つ選べ.

a 骨と化学的に結合する.
b 引っぱり強度より圧縮強度が高い.
c 気泡の混入は力学的強度を低下させる.
d 使用する粉末はPMMAのモノマーである.
e モノマーとポリマーの温度が高いほど硬化時間が長くなる.

問 3-2-21

チタン合金について誤っているのはどれか. 2つ選べ.

a コバルトクロム合金より弾性率が高い.
b 生体親和性に優れる.
c 耐摩耗性に優れる.
d 耐食性に優れる.
e 軽量である.

問 3-2-22

金属アレルギーについて正しいのはどれか.

a Ⅱ型アレルギー反応である.
b チタン合金はニッケルよりも金属アレルギーの頻度が高い.
c ステンレスに対する金属アレルギーの頻度は少ない.
d パッチテストの感度は30%以下である.

e　リンパ球刺激試験はリンパ球の幼若化反応をみる．

問 3-2-23

生体材料と生体組織で引っぱり強度が一番高いのはどれか．

a　海綿骨
b　皮質骨
c　骨セメント（polymethyl methacrylate）
d　コバルトクロム合金
e　チタン合金

問 3-2-24

非拘束型の人工肘関節全置換術の手術に際して生じやすい合併症はどれか．２つ選べ．

a　上腕動脈損傷
b　橈骨神経損傷
c　正中神経損傷
d　尺骨神経損傷
e　関節脱臼

問 3-2-25

血管柄付き骨移植について正しいのはどれか．２つ選べ．

a　血管柄付き腸骨移植は 10 cm 以上の長管骨欠損に適応がある．
b　血管柄付き腸骨移植では腹壁ヘルニアや大腿外側皮神経損傷などに注意する必要がある．
c　肩甲骨は同一血管柄を用いて大きな皮弁と広背筋などを移植できる．
d　肩甲骨は扁平骨であり，長管骨には応用できない．
e　肋骨は下顎骨再建には用いられない．

2）麻酔，輸血

問 3-2-26

局所麻酔薬の血中濃度を決定する因子として誤っているのはどれか．

a　注入部位
b　投与量
c　エピネフリン添加
d　局所麻酔薬の濃度
e　患者の体重

問 3-2-27

局所麻酔薬中毒について正しいのはどれか．３つ選べ．

a　初期症状では，口唇や舌のしびれ，頭重感，耳鳴りがみられる．
b　リドカインの極量は 200 mg である．
c　重度になると意識消失，昏睡，呼吸停止がみられる．
d　エピネフリンを添加すると血中濃度の上昇が増強される．
e　全身痙攣がみられたらジアゼパムやミダゾラムを静脈内投与する．

問 3-2-28

局所麻酔の副作用として誤っているのはどれか．

a　局所麻酔薬は，中枢神経や心筋の Na

チャネルをブロックし副作用を発現する．
b　局所麻酔薬中毒はまず中枢神経系の症状が出現する．
c　局所麻酔薬中毒で心・循環器系の症状が出現する．
d　局所麻酔薬中毒は濃度依存性である．
e　興奮性ニューロンの抑制により中枢神経系の症状が生じる．

問 3-2-29

脊髄くも膜下麻酔について正しいのはどれか．

a　高比重液を用いて血圧が下がったら頭低位とする．
b　小児では成人より頭側で穿刺できる．
c　低比重液を用いるときは患側を上にする．
d　患肢のみ片側麻酔は5分間側臥位を保つ．
e　下肢ターニケットペインは無痛域がT12デルマトームまで広がると防げる．

問 3-2-30

脊髄くも膜下穿刺後の合併症について正しいのはどれか．

a　頭痛は穿刺針の大きさと関係しない．
b　頭痛は坐位で軽減する．
c　頭痛は頭部くも膜下流入空泡と関連しない．
d　頭痛は高齢者に多く発生する．
e　複視は一過性の動眼神経麻痺による．

問 3-2-31

脊髄くも膜下麻酔について誤っているのはどれか．

a　成人ではL2より尾側で穿刺する．
b　一般に水平仰臥位のとき，L3がもっとも高い位置にある．
c　交感神経節前線維はT1からL2の側角から出る．
d　心臓交感神経(T1～T4)がブロックされると心収縮力は抑制される．
e　肋間神経(T1～T12)がブロックされると人工呼吸が必要になる．

問 3-2-32

硬膜外麻酔について正しいのはどれか．2つ選べ．

a　脊椎麻酔に比べ分節麻酔が容易である．
b　脊椎麻酔に比べ筋弛緩が十分に得られる．
c　脊椎麻酔に比べ局所麻酔薬中毒になりにくい．
d　必要な局所麻酔薬の量は体重とよく相関する．
e　上位胸髄領域の硬膜外麻酔は徐脈を起こしやすい．

問 3-2-33

脊椎麻酔との比較で硬膜外麻酔について正しいのはどれか．3つ選べ．

a　急激な血圧の低下は起きにくい．
b　呼吸抑制が弱い．
c　筋弛緩が十分に得られる．
d　局所麻酔中毒を起こしにくい．

e 持続時間が長い．

問 3-2-34

麻酔時低酸素血症の原因として考えにくいのはどれか．2つ選べ．

a 気管内チューブの一側気管支内への迷入
b 肺血栓塞栓症
c 大量出血に対する輸液による血液希釈
d 腹臥位による換気血流不均衡
e 手術操作による横隔膜圧迫

問 3-2-35

麻酔薬・鎮痛薬と副作用の組み合わせで，誤っているのはどれか．

a プロポフォール——心静止
b フェンタニル——呼吸抑制
c モルヒネ——便秘
d フルルビプロフェン(ロピオン)——呼吸抑制
e ペンタゾシン——悪心・嘔吐

問 3-2-36

脊椎手術の麻酔について誤っているのはどれか．

a 頭頚部後屈が十分にでき，しかも神経症状が出現しなければ通常急速導入が可能である．
b 頚椎不安定性のある患者にはファイバースコープのガイド下に気管挿管を行う．
c 麻痺のある患者ではサクシニルコリンの使用は避けるべきである．
d 腹臥位手術の場合，体位変換時の血圧低下，気管内チューブの事故抜去，換気不全などに十分注意する．
e 頚椎手術での抜管は移植骨の脱転の可能性があるため，バッキングを生じないように筋弛緩薬を投与した後に行う．

問 3-2-37

輸血について適切でないのはどれか．

a 赤血球補充の目的は，末梢循環系へ十分な酸素を供給することである．
b 循環血液量の10%の出血で，頻脈や脈圧の狭小化がみられ，患者は不安感を呈する．
c 赤血球濃厚液と新鮮凍結血漿を併用して，全血の代替とすべきではない．
d 通常 Hb 値が 7～8 g/dL あれば十分な酸素の供給が可能である．
e 循環血液量は 70 mL/kg で換算する．

問 3-2-38

自己血輸血について正しいのはどれか．2つ選べ．

a 輸血に伴うウイルス感染症を回避できる
b 術中回収洗浄式では血漿成分が温存される．
c 術野からの回収式自己血にはヘパリンは含まれない．
d 貯血式自己血の濃厚赤血球液の使用期限は2週間以内である
e 悪性腫瘍手術に術野からの回収式自己血を利用しても問題ない．

問 3-2-39

貯血式自己血輸血について正しいのはどれか．3つ選べ．

a　年齢に制限はない．
b　抗凝固薬内服患者に適応はない．
c　不安定狭心症患者には禁忌である．
d　体重 40 kg 以下の患者に適応はない．
e　採血前の Hb 値は 11 g/dL 以上が適応である．

3）感染予防

問 3-2-40

手術室感染対策について正しいのはどれか．3つ選べ．

a　針刺し事故では，B 型肝炎ウイルスのほうがヒト免疫不全ウイルス(HIV)より感染率が高い．
b　感染患者用手術室内は周囲に対して陽圧に保つ．
c　エチレンオキサイドガスで滅菌した医療材料はただちに使用できる．
d　バイオクリーンルームでは NASA 基準のクラス 100 が目標とされる．
e　B 型肝炎患者に使用した医療材料の消毒にはグルタールアルデヒドが有効である．

問 3-2-41

手術部位感染(surgical site infection：SSI)の発生率に影響を与える因子はどれか．3つ選べ

a　周術期の血糖値
b　水道水での手洗い
c　一足制(マイシューズでの入室)
d　喫煙
e　病棟での術前剃毛

問 3-2-42

骨・関節手術に関する手術部位感染(SSI)について正しいのはどれか．2つ選べ．

a　初回人工関節置換術における深部 SSI の発生率は 0.2〜3.8%程度である．
b　抗菌薬の 2 剤投与は単剤投与よりも術後 SSI を減少させる．
c　整形外科領域の SSI 予防には第三世代セフェム系が適している．
d　駆血帯は抗菌薬を投与してから 60〜90 分後に使用を開始する．
e　手術創部のドレーンは術後 48 時間以内に抜去する．

問 3-2-43

手術部位感染(SSI)の発生予防について正しいのはどれか．2つ選べ．

a　手術前日に術野を剃毛しておく．
b　喫煙は SSI の発生とは無関係である．
c　執刀者の手洗いには滅菌水を用いるべきである．
d　周術期は血糖値を 200 mg/dL 以下にコントロールする．
e　人工関節置換術後の抗菌薬投与は 48 時間以内とする．

問 3-2-44

手術部位感染(SSI)予防のための抗菌薬使用方法について誤っているのはどれか．2つ選べ．

a ペニシリン系薬剤を投与することが推奨されている．
b 抗菌薬の2剤投与は単剤投与よりSSIを減少させる．
c 抗菌薬を投与後10～20分程度あけて駆血帯を使用すべきである．
d 人工関節置換術後の予防的抗菌薬投与間隔は6～8時間である．
e 人工関節置換術では，予防的抗菌薬投与の1回投与量は標準投与量が推奨される．

問 3-2-45

骨・関節術後感染予防ガイドライン2015に記載されているのはどれか．2つ選べ．

a バイオクリーンルームの使用により手術部位感染が減少する．
b 手術直前の足趾のブラッシングにより爪郭領域の検出細菌数が減少する．
c 手術用ヘルメットや全身排気スーツの使用により手術部位感染が減少する．
d ポピドンヨードを含有しないドレープの使用により手術部位感染が減少する．
e 手術用手袋を二枚重ねで使用することにより内側の手袋の穿孔率が減少する．

問 3-2-46

人工膝関節全置換術後10日目において，39℃台の発熱，創の発赤，熱感，関節腫脹を認めた．まず行うべきなのはどれか．

a 抗菌薬の投与
b 関節液の穿刺培養
c X線撮影
d 骨シンチグラフィー
e 切開洗浄

問 3-2-47

脊椎手術の周術期管理と合併症について正しいのはどれか．3つ選べ．

a ドレーンは術後血腫を予防する目的で留置する．
b 腹臥位で長時間の眼球圧迫は失明の原因になる．
c 深部静脈血栓の発生は極めてまれである．
d 低アルブミン血症では褥瘡の発生が増す．
e インストゥルメンテーション手術では抗菌薬の予防投与を術後5日間行う．

問 3-2-48

細胞壁合成を阻害し抗菌作用を呈する薬剤はどれか．3つ選べ．

a アンピシリン
b オフロキサシン
c ゲンタマイシン
d バンコマイシン
e ホスホマイシン

4）深部静脈血栓症（DVT）

問 3-2-49

術後の静脈血栓塞栓症（VTE）のリスクの階層化と予防法として適切でないのはどれか．

a 脊椎手術は中リスクである．
b 股関節骨折手術は高リスクである．
c 低リスクに対しては弾性ストッキングが推奨される．
d 高リスクに対しては間欠的空気圧迫法が推奨される．
e 最高リスクに対しては抗凝固療法が推奨される．

問 3-2-50

深部静脈血栓症（DVT）のリスク因子として不適当なのはどれか．2つ選べ．

a 女性
b るいそう
c 下肢麻痺
d 長期臥床
e 下肢ギプス固定

問 3-2-51

整形外科手術後の深部静脈血栓症（DVT）について正しいのはどれか．2つ選べ．

a 高齢は危険因子である．
b 約半数に症状が認められる．
c 予防的抗凝固療法は術直後から開始する．
d 下肢人工関節手術後に予防をしない場合の発生率は30～50%である．
e 間欠的空気圧迫法（フットポンプ）は下腿DVTの治療に有効である．

問 3-2-52

深部静脈血栓症（DVT）の臨床像として誤っているのはどれか．2つ選べ．

a 下腿，あるいは大腿の疼痛または圧痛
b 軽度の熱発
c Homans徴候陽性
d 下肢末梢の蒼白化
e 手術創部よりの滲出液

問 3-2-53

脊椎手術における周術期深部静脈血栓症（DVT）の予防法として推奨されるのはどれか．2つ選べ．

a 用量調節ワルファリンの内服
b 低用量未分画ヘパリンの皮下注射
c フォンダパリヌクスの皮下注射
d 間欠的空気圧迫法
e 積極的な下肢自動運動，早期離床

問 3-2-54

人工股関節全置換術後の深部静脈血栓症（DVT）について正しいのはどれか．

a 抗凝固療法非使用では約10%に発生する．
b 硬膜外麻酔により発生頻度は減少する．
c 予防に間欠的空気圧迫法は推奨されない．
d 深部静脈血栓症の既往は高リスク群に含まれる．
e 抗凝固療法は最高リスク群の予防にのみ

推奨される.

問 3-2-55

人工股関節全置換術後に致死性肺血栓塞栓症が発症する頻度がもっとも高いのはどれか.

a 術後2〜3時間
b 術後2〜3日
c 術後2〜3週
d 術後2〜3カ月
e 術後2〜3年

疾患総論

4 疾患総論

1 骨・関節の感染症

□□□ A ▶ p. 70-78

1）一般化膿性疾患

問 4-1-1

化膿性股関節炎について正しいのはどれか．3つ選べ．

a 新生児に多い．
b 片側発症が多い．
c 血行性感染は少ない．
d 穿刺や関節包切開による排膿は初期には行わない．
e 単純X線像では大腿骨近位部の側方偏位が認めれれる．

問 4-1-2

急性化膿性骨髄炎について正しいのはどれか．2つ選べ．

a 腐骨を形成する．
b 主として成人に起こる．
c 乳幼児では仮性麻痺がみられる．
d 小児では長管骨の骨幹部に好発する．
e 起炎菌はグラム陰性桿菌によるものが多い．

問 4-1-3

慢性化膿性骨髄炎について正しいのはどれか．3つ選べ．

a 高熱を呈することが多い．
b 病的骨折を起こすことはない．
c 過労や体調不良により再燃する．
d 外科的には腐骨摘出・病巣掻爬を行う．
e 病変の範囲の把握にはCTやMRIが有用である．

問 4-1-4

化膿性脊椎炎について正しいのはどれか．2つ選べ．

a 発生数は近年，低下傾向である．
b 起炎菌は黄色ブドウ球菌が多い．
c 感染は椎体中央の海綿骨に始まる．
d 早期診断に単純X線の正面像が有用である．
e 頚椎部のほうが腰椎部より麻痺を起こしやすい．

問 4-1-5

硬膜外膿瘍について誤っているのはどれか．3つ選べ．

a 全身症状が乏しい．
b 麻痺で発症することが多い．

c 化膿性脊椎炎を伴うものが多い.
d 持続硬膜外ブロックにて発生する.
e 罹患部位からの髄液採取は診断に有用である.

問 4-1-6

腸腰筋膿瘍について正しいのはどれか. 3つ選べ.

a 起炎菌は黄色ブドウ球菌が多い.
b 股関節伸展拘縮が特徴的である.
c 単純X線像で腸腰筋陰影の膨隆または消失を認める.
d CTまたは超音波ガイド下で膿瘍に対する穿刺排膿を行う.
e 化膿性脊椎炎など隣接の炎症が波及して起こることはまれである.

問 4-1-7

ガス壊疽について正しいのはどれか. 2つ選べ.

a 全身症状は少ない.
b 連鎖球菌は起炎菌の1つである.
c 治療は化学療法のみで十分である.
d 初発症状は開口障害であることが多い.
e 単純X線像においてガス陰影が認められる.

問 4-1-8

A群連鎖球菌感染症について正しいのはどれか. 3つ選べ.

a 壊死性筋膜炎は予後良好である.
b グラム染色は早期診断に有用である.
c 蛋白質分解酵素によりびまん性に進展する.
d ペニシリン系抗菌薬に対する耐性株が多い.
e streptococcal toxic shock syndrome (STSS)を起こす.

問 4-1-9

ネコひっかき病について正しいのはどれか.

a 主な病原菌は黄色ブドウ球菌である.
b ネコのみが病原菌を媒介する.
c 感染してから3〜10日後に発症することが多い.
d 局所の強い炎症症状を伴う.
e 手術療法が必要である.

問 4-1-10

化膿性脊椎炎について誤っているのはどれか.

a 胸椎罹患が多い.
b 椎間板腔は狭小化する.
c 多くは血行性感染である.
d 1椎間2椎体がもっとも多い.
e 起炎菌がグラム陰性桿菌である場合, 大腸菌が多い.

問 4-1-11

化膿性脊椎炎について正しいのはどれか.

a 頚椎が好発部位である.
b 病変が1椎体に限局することが多い.

c　ほとんどが椎弓に初発し椎体へ波及する．
d　インストゥルメンテーション手術は禁忌である．
e　psoas position をとる場合，腸腰筋に及ぶ病巣を疑う．

問 4-1-12

急性化膿性関節炎について正しいのはどれか．3つ選べ．

a　糖尿病は発症の危険因子となる．
b　治療の第1選択は保存療法である
c　関節液の白血球算定数は 100,000/μL 以上である．
d　起炎菌でもっとも多いのは黄色ブドウ球菌である．
e　単純 X 線像では早期から関節裂隙狭小化を認める．

問 4-1-13

化膿性関節炎について正しいのはどれか．3つ選べ．

a　起因菌は黄色ブドウ球菌が多い．
b　関節腫脹により病的脱臼を生じる．
c　遠隔部からの血行性感染が多い
d　歩行開始以後の幼児期に多く発症する．
e　発症直後より，単純 X 線写真において大腿骨内骨病変がみられる．

問 4-1-14

64 歳の男性．
主訴：意識混濁，発熱，下肢痛
現病歴：4日前左足部を擦りむいた．3日前より左下腿より足趾に著しい腫脹，自発痛が出現した．前日症状が下腿まで広がり，皮膚が暗紫色に変色し，水疱，発熱もあった．近医より消炎鎮痛薬を処方されたが，症状はさらに増悪し意識混濁状態となったため緊急搬送された（図1）．
搬送時現症：意識 JCS 3，呼吸数 28/分，脈拍 108/分．最高血圧 78 mmHg（触診）体温 39.8℃．
本症例の治療として正しいのはどれか．2つ選べ．

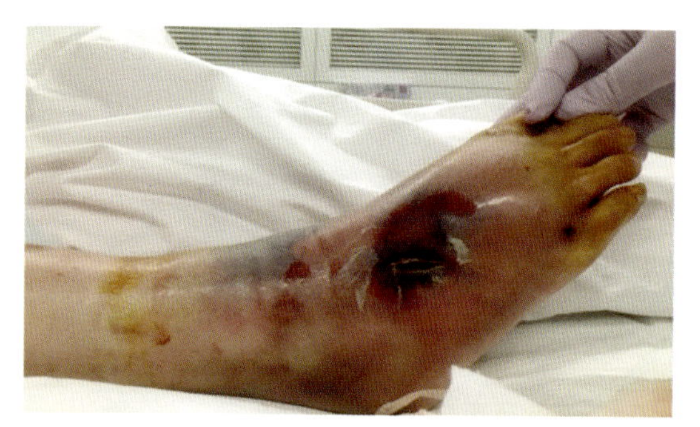

問 4-1-14／図1　受診時の足部

a　抗菌薬全身投与
b　早期の患肢切断
c　抗ウイルス薬の投与
d　麻薬性鎮痛薬の投与
e　破傷風トキソイドの投与

問 4-1-15

Brodie 骨膿瘍について正しいのはどれか．3つ選べ．

a　長管骨の骨幹端部に好発する．
b　起炎菌は黄色ブドウ球菌が多い．
c　急性期症状を伴って発症する．
d　血行性化膿性骨髄炎の特殊型である．
e　単純 X 線像は多発性骨透亮像を特徴とする．

問 4-1-16

小児の化膿性骨髄炎と鑑別を要する疾患はどれか．2つ選べ．

a　疲労骨折
b　Ewing 肉腫
c　横紋筋肉腫
d　骨形成不全症
e　軟骨性外骨腫

2）結　核

問 4-1-17

結核の予防・治療について誤っているのはどれか．

a　外来治療は医療費のほぼ全額が公費負担となる．
b　結核を診断したら必ず保健所に「発生届け」を提出する．
c　結核予防法による「命令入所」の対象は，喀痰塗抹陽性肺結核患者である．
d　感染源隔離の目的で入院する患者には，ほぼ全額医療費の公費負担が行われる．
e　結核予防法では，菌陰性化を連続 4 カ月培養で証明するまで入院させることができる．

問 4-1-18

結核性骨関節炎について正しいのはどれか．3つ選べ．

a　30 歳前後に多くみられる．
b　結核性脊椎炎が半数以上を占めている．
c　長管骨における好発部位は骨幹部である．
d　結核結節の壊死は黄色を帯びた灰白色を呈する．
e　結核菌は抗酸菌染色にて検出することができる．

問 4-1-19

結核性脊椎炎の所見で誤っているのはどれか．

a　流注膿瘍
b　魚椎変形
c　Pott 麻痺
d　塊椎の形成
e　腸腰筋拘縮

問 4-1-20

結核性脊椎炎の初期単純 X 線像として正しいのはどれか．2つ選べ．

a　骨硬化像
b　脊柱後弯変形
c　びまん性骨萎縮像
d　椎体前側部の不規則吸収像
e　owl winked sign（winking owl sign）

問 4-1-21

多剤耐性結核菌とはどの薬剤に耐性となった菌か．2つ選べ．

a イソニアジド
b エタンブトール
c ストレプトマイシン
d パラアミノサリチル酸
e リファンピシン

問 4-1-22

結核性脊椎炎について正しいのはどれか．3つ選べ．

a 骨関節結核の半数を占める．
b 下位頚椎-上位胸椎に好発する．
c 罹患脊椎の棘突起に叩打痛を認める．
d 急性炎症所見の少ない膿瘍を認める．
e 化学療法は3カ月間継続して終了する．

問 4-1-23

結核性関節炎について誤っているのはどれか．2つ選べ．

a 血行性感染が多い．
b 菌の検出にはPCR法が有用である．
c 関節液はクリーム様でさらさらしている．
d 早期単純X線像で関節裂隙は狭小化する．
e 診断した医師は1週間以内に保健所に届け出る．

3）MRSA，AIDS

問 4-1-24

メチシリン耐性黄色ブドウ球菌（MRSA）感染について正しいのはどれか．3つ選べ．

a 長期入院患者に起こりやすい．
b 鼻前庭に保菌しやすい．
c 院内感染対策委員会の設置は必要ない．
d 保菌者は症状がなくても予防の対象になる．
e リネゾリドは第1選択薬である．

問 4-1-25

メチシリン耐性黄色ブドウ球菌（MRSA）感染症の治療について誤っているのはどれか．

a ムピロシンは経口用抗菌薬である．
b 抗MRSA治療薬は腎機能障害を生じやすい．
c バンコマイシンは60分以上かけて静脈内投与する．
d バンコマイシン耐性腸球菌の院内感染が問題になっている．
e バンコマイシン投与時には血中濃度モニタリングが望ましい．

問 4-1-26

MRSAについて正しいのはどれか．2つ選べ．

a 健常人には存在しない．
b 院内感染の原因となる．
c 薬剤感受性試験は必要ない．
d 手指衛生は予防に有効である．
e メチシリンにのみ耐性を示す．

問 4-1-27

MRSA に対して有効でないのはどれか．2つ選べ．

a　リネゾリド(LZD)
b　セファゾリン(CEZ)
c　ダプトマイシン(DAP)
d　テイコプラニン(TEIC)
e　アジスロマイシン(AZM)

4）その他

問 4-1-28

手術部位感染(surgical site infection：SSI)について正しいのはどれか．

a　深部 SSI とは筋層に達したものをさす．
b　術前剃毛は前日に行うことが奨励される．
c　表層 SSI とは術後 7 日以内に発生したものをさす．
d　人工関節置換術後の SSI とは術後 1 年以内のものをさす．
e　SSI は切開部表層，切開部中間層，切開部深層に分類される．

問 4-1-29

人工関節置換術後の手術部位感染(SSI)について正しいのはどれか．2つ選べ．

a　関節穿刺は奨励されない．
b　感染の診断には赤沈，CRP が重要である．
c　培養検査が陰性ならば感染は否定的である．
d　術中のグラム染色で感染を否定可能である．
e　X 線学的には感染に特異的といえる変化はない．

問 4-1-30

破傷風の初発症状はどれか．

a　徐脈
b　発汗減少
c　開口障害
d　後弓反張
e　強直性痙攣

2　リウマチとその類縁疾患

□□□　A ▶ p. 79-95

問 4-2-1

関節リウマチで陽性になる頻度が高いのはどれか．3つ選べ．

a　抗ガラクトース欠損 IgG 抗体
b　抗好中球細胞質抗体
c　HLA-DR 4
d　抗リン脂質抗体
e　抗環状シトルリン化ペプチド抗体

問 4-2-2

関節リウマチの関節外症候で頻度がもっとも低いのはどれか．

a　リウマトイド結節
b　糸球体腎炎
c　間質性肺炎
d　骨粗鬆症
e　貧血

問 4-2-3

関節リウマチの活動性滑膜炎として特徴的な組織像はどれか．3つ選べ．

a 滑膜の線維化
b 滑膜表層細胞の重層化
c フィブリノイド物質の沈着
d リンパ濾胞の形成
e 異物巨細胞の出現

問 4-2-4

関節リウマチ(RA)について正しいのはどれか．2つ選べ．

a HLA-B27は重症化の指標となる．
b 血清リウマトイド因子の陽性率は約95%である．
c Felty症候群はRAに脾腫と白血球減少を伴ったものである．
d 関節液は中等度に混濁することが多い．
e 悪性関節リウマチはRAの約10%である．

問 4-2-5

関節液について誤っているのはどれか．

a 関節液の粘性を決定するのは主にヒアルロン酸である．
b 関節リウマチ(RA)では粘稠度が正常よりも低いことが多い．
c RAの関節液の細胞成分はリンパ球が主体である．
d 偽痛風ではピロリン酸カルシウムの析出と白血球数の増加を認める．
e 化膿性関節炎の関節液中の白血球数は50,000/μL以上に増加する．

問 4-2-6

関節リウマチの滑膜病変について正しいのはどれか．3つ選べ．

a 滑膜組織には炎症性細胞浸潤を伴う増殖性変化がみられる．
b 滑膜細胞は種々の蛋白質分解酵素を産生分泌するが，サイトカインは浸潤した炎症性細胞のみが産生分泌する．
c 滑膜組織には，CD68陽性のTリンパ球細胞が主に浸潤している．
d 滑膜組織の線維芽細胞で破骨細胞分化誘導因子(RANKL)が発現し骨破壊が進行する．
e 滑膜組織に浸潤しているリンパ球は免疫グロブリンを産生している．

問 4-2-7

関節リウマチの画像について誤っているのはどれか．

a 単純X線像では軟部組織の腫脹によるX線透過性の低下を認める．
b Larsen分類のgrade Ⅱでは，荷重関節のびらんが必須である．
c modified Sharpスコアの対象となる部位に，母趾IP関節は含まれる．
d CTは関節面の破壊を診断するのに有用である．
e ガドリニウムを用いた造影MRIは，炎症性滑膜の描出に有用である．

問 4-2-8

関節リウマチの脊椎病変について誤っているのはどれか.

a 環軸関節前方亜脱臼を調べるためには,開口位での頚椎正面の X 線撮影が有効である.
b Ranawat 法は頭蓋底陥入の診断に有効な計測法である.
c 環軸関節前方亜脱臼は頚椎の前屈にて増悪する.
d 環軸関節は滑膜性関節である.
e 一般に環軸関節前方亜脱臼が垂直亜脱臼よりも早期に起こる.

問 4-2-9

関節リウマチの画像所見について正しいのはどれか.3 つ選べ.

a Larsen 分類の grade Ⅳはムチランス変形を示す.
b MRI は早期診断に有用である.
c 手根骨は骨性癒合をきたしやすい.
d Steinbrocker 分類の stage Ⅲでは,関節の変形がみられる.
e 単純 MRI において増殖滑膜は,T1 強調像では高信号となる.

問 4-2-10

関節リウマチ分類基準(診断基準)[米国リウマチ学会(ACR)/欧州リウマチ学会(EULAR),2010 年]において 2 点以上のスコアとなる項目はどれか.2 つ選べ.

a 1 個の MCP 関節の腫脹または圧痛
b 両側の膝関節と肘関節の腫脹または圧痛
c RF が異常高値
d 滑膜炎の期間が 6 週間以上
e CRP が異常高値

問 4-2-11

関節リウマチ分類基準(診断基準)[米国リウマチ学会(ACR)/欧州リウマチ学会(EULAR),2010 年]に含まれるのはどれか.2 つ選べ.

a 1 関節以上の関節腫脹
b 単純 X 線像上の骨びらん
c 朝のこわばり
d 対称性の関節腫脹
e リウマトイド因子または抗シトルリン化ペプチド抗体

問 4-2-12

関節リウマチの MRI 画像診断で正しいのはどれか.2 つ選べ.

a 早期の骨びらんの検出には適さない.
b 炎症性滑膜は T1 強調像で高信号として描出される.
c 関節包の拡大を評価できる.
d 造影後 T1 強調像で骨洞は低信号として描出される.
e 造影後 T1 強調像で炎症性滑膜病変と関節液との鑑別が可能である.

問 4-2-13

欧州リウマチ学会の DAS(disease activity score)28 について誤っているのはどれか．2 つ選べ．

a 28 関節の圧痛，および腫脹関節数，赤沈(ESR)値または血清 CRP 値，患者による全般的健康状態(visual analog scale：VAS)から計算される．
b DAS28-ESR が 3.2 未満の場合は，中等度の疾患活動性と判定する．
c 薬物の反応性をみるときに用いられる．
d 28 関節中に足関節は含まれない．
e スコアにはリウマトイド因子または抗環状シルトリン化ペプチド抗体の値も含まれる．

問 4-2-14

関節リウマチで手指のしびれの原因となるのはどれか．3 つ選べ．

a 環軸関節の亜脱臼
b 尺側偏位
c スワンネック変形
d 手根管症候群
e 悪性関節リウマチの神経血管炎

問 4-2-15

関節リウマチの関節破壊の病態に深く関与し，炎症性サイトカインといわれているのはどれか．3 つ選べ．

a インターロイキン-1β(IL-1β)
b 血小板由来増殖因子(PDGF)
c 腫瘍壊死因子α(TNF-α)
d インターロイキン-6(IL-6)
e 線維芽細胞増殖因子(FGF)

問 4-2-16

関節リウマチ(RA)について正しいのはどれか．2 つ選べ．

a 肺線維症は生命予後に大きな影響を及ぼす重篤な合併症である．
b 悪性関節リウマチは，関節破壊が高度で日常生活動作(ADL)も高度に障害される症例につける診断名である．
c リウマトイド因子の陽性率は加齢に伴って低下する．
d RA の合併症である腎アミロイドーシスの所見として蛋白尿がある．
e RA の経過中に難治性皮膚潰瘍を合併した場合には，アミロイドーシスを疑う．

問 4-2-17

正しいのはどれか．2 つ選べ．

a 関節リウマチ(RA)患者の指趾に壊疽がある場合は悪性関節リウマチを疑う．
b 頚椎の単純 X 線像で環軸関節亜脱臼のある RA 患者には，頚椎牽引を行う．
c 膝関節の CT は滑膜病変の検出に有用である．
d RA 患者で環指と小指の伸展が不能になった場合は，伸筋腱断裂を疑う．
e 膝関節痛のため歩行困難となった RA 患者に対して，一般に膝関節固定術が適応となる．

問 4-2-18

関節リウマチ(RA)でみられる貧血について誤っているのはどれか.

a 正球性ないし小球性貧血のことが多い.
b 網内系の貯蔵鉄が減少する.
c 血清鉄は低下している.
d 血清フェリチンは高値のことが多い.
e 貧血の程度はRAの活動性と相関することが多い.

問 4-2-19

関節リウマチ(RA)に合併するアミロイドーシスについて誤っているのはどれか.

a 組織に沈着するアミロイド蛋白質はアミロイドA蛋白質である.
b 炎症関節において発現されたサイトカインが産生に関与する.
c 腎症状と消化管症状が圧倒的多数を占める.
d 診断には腹壁脂肪織の生検が特に有用である.
e 予防は，原疾患であるRAの活動性の抑制が重要である.

問 4-2-20

10年以上コントロール不良の関節リウマチ患者において，ここ1～2カ月にわたり嘔気と頑固な下痢を認めた場合，もっとも考えられる病態はどれか.

a 使用している疾患修飾性抗リウマチ薬の副作用である.
b 非ステロイド性抗炎症薬，特に坐剤の使用による副作用である.
c 患者の一存で減量しかけた副腎皮質ステロイド薬の離脱症状である.
d 続発性アミロイドーシスによる消化管症状である.
e 膵臓を中心とした新しい消化器病変を併発している.

問 4-2-21

関節リウマチによる手の障害について正しいのはどれか．3つ選べ.

a MP関節の罹患により尺側偏位が引き起こされる.
b 母指のスワンネック変形はMP関節の滑膜炎が誘因となる.
c 指のボタン穴変形はPIP関節の滑膜炎が誘因となる.
d 手関節部での伸筋腱の皮下断裂が生じた場合には端端縫合が必要となる.
e A1 pulleyレベルの屈筋腱腱鞘滑膜炎により弾発現象を生ずる.

問 4-2-22

悪性関節リウマチの発症を示唆する臨床所見はどれか．3つ選べ.

a 多発性漿膜炎(胸膜炎，心外膜炎)
b 多発骨びらん
c 体重減少
d 手指・足趾の潰瘍形成，壊死
e ムチランス型関節病変の進行

問 4-2-23

悪性関節リウマチの関節外症状として正しいのはどれか．3つ選べ．

a 多発性神経炎
b 側頭動脈炎
c 黄色爪
d 間質性肺炎
e 指趾潰瘍

問 4-2-24

非ステロイド性抗炎症薬のターゲットであるシクロオキシゲナーゼ(COX)について誤っているのはどれか．

a COXはプロスタグランジンの合成酵素である．
b COX-1は胃，腎臓をはじめ，ほとんどの細胞に恒常的に発現している．
c COX-2は誘導型で，炎症の病態形成に大きく関わっている．
d COX-2選択性の高い阻害作用をもつ非ステロイド性抗炎症薬は胃腸障害が少ない．
e グルココルチコイドはCOX-1の作用を選択的に抑制している．

問 4-2-25

疾患修飾性抗リウマチ薬の副作用について誤っているのはどれか．

a タクロリムスの副作用として血糖値の低下がある．
b メトトレキサートでは骨髄抑制を起こすことがある．
c サラゾスルファピリジンの注意すべき副作用に皮疹がある．
d 注射金製剤の重篤な副作用としてネフローゼ症候群がある．
e ブシラミン使用中に黄色爪が出現することがある．

問 4-2-26

疾患修飾性抗リウマチ薬について正しいのはどれか．3つ選べ．

a 関節リウマチの診断が確定したら早期から使用することが望ましい．
b 長期間使用しても効果が減弱することはない．
c 速効性の薬物が多い．
d D-ペニシラミンの重篤な副作用は無顆粒球症である．
e メトトレキサートの重篤な副作用は間質性肺炎である．

問 4-2-27

メトトレキサートの副作用として起こりにくいのはどれか．2つ選べ．

a 肝機能障害
b 間質性肺炎
c 骨髄抑制
d 出血性膀胱炎
e ネフローゼ症候群

問 4-2-28

生物学的製剤の1つであるインフリキシマブについて誤っているのはどれか.

a インターロイキン-6の中和抗体である.
b マウス由来の蛋白質構造をもつキメラ抗体である.
c 投与法は点滴静注である.
d メトトレキサートを併用する必要がある.
e 結核の合併に注意が必要である.

問 4-2-29

生物学的製剤の1つであるエタネルセプトについて誤っているのはどれか.

a 可溶性腫瘍壊死因子(TNF)受容体である.
b メトトレキサートと併用することで効果が増強される.
c 周術期に休薬する.
d 投与法は筋肉内注射である.
e 結核,日和見感染症の誘発に注意する.

問 4-2-30

関節リウマチに対するステロイド療法の副作用について正しいのはどれか.3つ選べ.

a 経口副腎皮質ステロイドは耐糖能低下をきたす.
b 長期投与は消化性潰瘍や感染症の発生リスクを高める.
c 白内障とは無関係である.
d ステロイド性骨粗鬆症にはビスフォスフォネート製剤は無効である.
e 血栓症が起こりやすくなる.

問 4-2-31

関節リウマチの手術療法について正しいのはどれか.2つ選べ.

a 人工関節置換術は,変形性関節症の場合に比較して術後感染症の頻度が高い.
b 人工関節置換術は,若年患者には適応がない.
c 関節固定術は,膝関節について手術適応となることが多い.
d 鏡視下滑膜切除術は,関節軟骨や骨の破壊がほとんどない時期がよい適応である.
e 頚椎病変の手術は危険性が高く,重度の麻痺を呈した場合のみ適応となる.

問 4-2-32

関節リウマチにおいて,滑膜切除術の適応にもっともなりにくい関節はどれか.

a 手関節
b 肘関節
c 肩関節
d 股関節
e 膝関節

問 4-2-33

関節リウマチの手術療法の組み合わせで誤っているのはどれか.

a 環軸関節亜脱臼——椎間固定術
b 臼蓋底突出症——人工関節置換術
c 外反膝変形——脛骨骨切り術
d 伸筋腱断裂——腱移行術
e 足関節——関節固定術

問 4-2-34

関節リウマチ患者のリハビリテーションについて誤っているのはどれか．2つ選べ．

a 関節保護のためには一般に等尺性収縮を行う．
b プール内での歩行訓練は下肢筋力の強化に有用である．
c 自助具を用いることにより日常生活動作(ADL)の改善が得られる．
d 関節リウマチでは，65歳未満は介護保険サービスを受けられない．
e 膝関節炎の強い時期は膝下に枕をおいて膝を屈曲位に保つように指導する．

問 4-2-35

強直性脊椎炎について誤っているのはどれか．2つ選べ．

a 好発年齢は40歳以降である．
b 仙腸関節の罹患は必発である．
c 靱帯骨棘形成が特徴的である．
d リウマトイド因子は陽性である．
e 軟骨下骨の骨萎縮と骨硬化が混在する．

問 4-2-36

強直性脊椎炎の1984年改訂 New York 基準に含まれないのはどれか．

a 仙腸関節炎
b 腰椎運動制限
c 胸郭運動制限
d 両側大腿部筋痛
e 3カ月以上続く腰痛

問 4-2-37

HLA-B27が関連する疾患はどれか．3つ選べ．

a 強直性脊椎炎
b 乾癬性関節炎
c 回帰性リウマチ
d 神経病性関節症
e 反応性関節炎

問 4-2-38

乾癬性関節炎について誤っているのはどれか．

a 非対称性の少関節炎型が多い．
b 関節炎の好発部位はDIP関節である．
c 脊椎あるいは仙腸関節炎をしばしば認める．
d リウマトイド因子は陰性であることが多い．
e 関節炎の滑膜病理所見は特異的で診断に役立つ．

問 4-2-39

乾癬性関節炎について正しいのはどれか．3つ選べ．

a 80～90%の症例でHLA-B 27陽性である．
b DIP関節よりPIP関節が障害されやすい．
c 約70%に皮膚症状が関節症状に先行する．
d 関節炎は30～50%の症例で非対称性に出現する．
e 皮膚乾癬症の10～30%に関節炎が認められる．

問 4-2-40

対称性の多発性関節炎を生じる疾患はどれか.

a 痛風
b 血友病
c 反応性関節炎
d 化膿性関節炎
e 全身性エリテマトーデス

問 4-2-41

リウマチ性多発筋痛症について正しいのはどれか. 3つ選べ.

a 特徴的な骨単純 X 線像はない.
b 手指の関節腫脹を伴うことが多い.
c プレドニゾロン投与が有効である.
d 高齢者に発症することはまれである.
e リウマトイド因子および抗核抗体は陰性であることが多い.

問 4-2-42

掌蹠膿疱症性骨関節炎について誤っているのはどれか.

a 手指の関節に多発性の対称性関節腫脹を起こすことが多い.
b HLA-B27 は陰性のことが多い.
c 胸鎖関節を中心とする前胸壁病変は大多数の患者にみられる.
d 仙腸関節に強直性脊椎炎と同様の単純 X 線像上の変化を生じることがある.
e 化膿性脊椎炎に似た脊椎炎を生じることがある.

問 4-2-43

副腎皮質ステロイド服用中の手術患者に対するステロイド補充療法で正しいのはどれか.

a 術直後から行う.
b 最近 6 カ月以内に 1 カ月以上ステロイドを投与された患者は適応となる.
c 副腎皮質機能不全による低血圧にただちに奏効する.
d 手術の大小にかかわらず, 全身麻酔の症例には必須である.
e 術後10日間かけて漸減し, 術前の量に戻す.

問 4-2-44

関節リウマチに使用するメトトレキサートの最大投与量は週に何 mg か.

a 6 mg
b 8 mg
c 12 mg
d 16 mg
e 25 mg

問 4-2-45

関節リウマチの治療において, メトトレキサートの併用が必須とされる生物学的製剤はどれか.

a ゴリムマブ
b アダリムマブ
c エタネルセプト
d インフリキシマブ
e セルトリズマブペゴル

問 4-2-46

副腎皮質ステロイドが治療の第1選択薬である疾患はどれか．2つ選べ．

a　回帰性リウマチ
b　掌蹠膿疱症性骨関節炎
c　痛風
d　リウマチ性多発筋痛症
e　remitting seronegative symmetrical synovitis with pitting edema(RS3PE)症候群

問 4-2-47

脊椎関節炎について正しいのはどれか．3つ選べ．

a　多発性付着部炎を伴うことが多い．
b　仙腸関節炎の早期診断にMRIが有用である．
c　関節症状にNSAIDsは無効である．
d　炎症性腰痛に対して，運動療法は有効である．
e　生物学的製剤(TNF-α阻害薬)の適応はない．

問 4-2-48

強直性脊椎炎に関連しないのはどれか．

a　HLA-B27
b　仙腸関節炎
c　RANKL阻害薬
d　血清反応陰性脊椎関節症
e　靱帯骨棘形成(syndesmophyte)

問 4-2-49

関節リウマチの手指・手関節変形について誤っているのはどれか．

a　尺側偏位
b　ジグザグ変形
c　オペラグラス手
d　白鳥のくび変形
e　ソーセージ様指

問 4-2-50

67 歳の女性．10 年来の腰痛で数回近医を受診，単純 X 線像で腰椎骨硬化像を指摘されたことがある．両手足の発疹のため皮膚科通院中である．来院時の手掌・足底肉眼写真(図 1)と，腰椎および骨盤の単純 X 線像(図 2)を示す．血液検査では CRP 1.71 mg/dL，白血球 $7.6 \times 10^3/\mu L$，RF 陰性．
もっとも考えられる疾患はどれか．

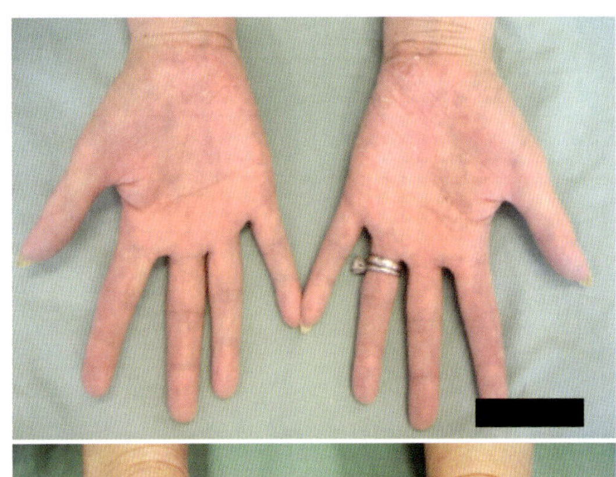
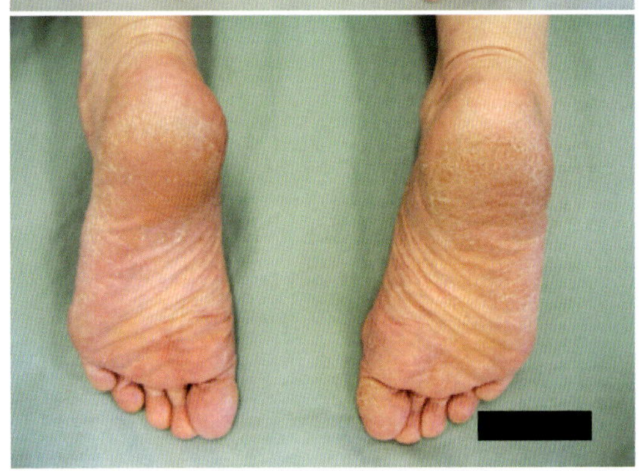

問 4-2-50／図 1

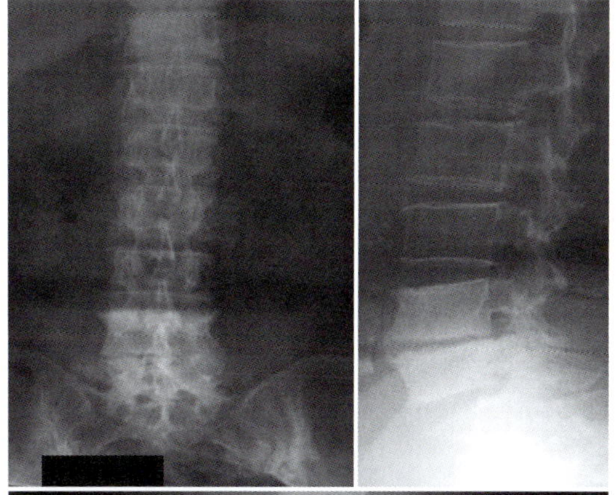
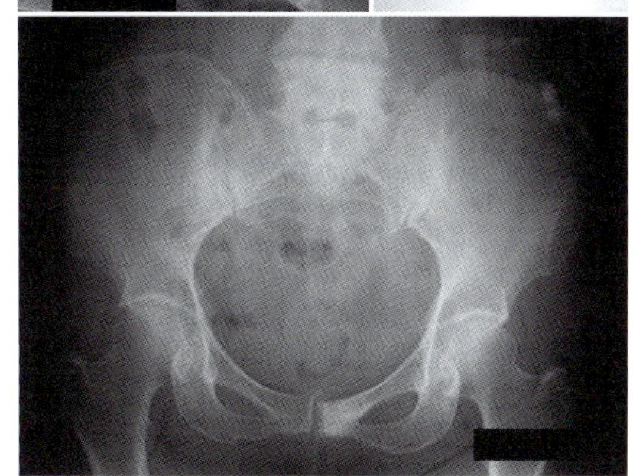

問 4-2-50／図 2

a　化膿性脊椎炎
b　乾癬性関節炎
c　強直性脊椎炎
d　SAPHO 症候群
e　腰椎転移性腫瘍

問 4-2-51

関節リウマチの足部変形について頻度のもっとも低いのはどれか．

a　開帳足
b　鉤爪趾
c　外反母趾
d　内反尖足変形
e　扁平三角状変形

問 4-2-52

抗環状シトルリン化ペプチド(CCP)抗体について正しいのはどれか．2つ選べ．

a 関節リウマチの早期診断に有用である．
b DAS(disease activity score)に含まれる．
c 陰性であれば関節リウマチとは診断できない．
d シトルリン化した蛋白質に対する抗体である．
e 関節リウマチのACR/EULAR分類基準(2010年)には含まれない．

問 4-2-53

関節リウマチの周術期投薬管理について正しいのはどれか．3つ選べ．

a メトトレキサートは，休薬しないのが原則である．
b 抗リウマチ薬投与は，術後感染のリスクを上昇させる．
c 抗リウマチ薬の休薬は，疾患活動性上昇のリスクがある．
d 生物学的製剤の使用時は，同一期間の休薬後に手術を行う．
e ステロイド製剤内服時は，術前日からステロイドカバーを行う．

問 4-2-54

関節リウマチでの画像検査について誤っているのはどれか．

a 造影MRIにより，炎症性滑膜が識別できる．
b 超音波検査では，滑膜の血流抽出により病勢評価を行う．
c MRIでの関節近傍の骨髄浮腫は，関節破壊進行と関連する．
d 炎症性滑膜は，MRI T1強調画像で低信号の領域として描出される．
e 血液検査と超音波検査により，関節リウマチの診断が可能である．

問 4-2-55

疾患と炎症の好発する関節部位の組み合わせで適当でないのはどれか．

a 痛風——膝関節
b 強直性脊椎炎——仙腸関節
c 変形性関節症——手指PIP関節
d 関節リウマチ——足趾MTP関節
e 乾癬性関節炎——手指MP関節

問 4-2-56

関節リウマチに対する日常生活上の注意点の組み合わせで誤っているのはどれか．

a 手指変形の関節保護——雑巾しぼりの禁止
b 環軸椎不安定性——長時間の編み物禁止
c 再燃期の筋力維持——等張性筋収縮による訓練
d 中足骨頭部の疼痛——ロッカーソールの装着
e 更衣困難——面ファスナー付き前あきシャツの着用

問 4-2-57

40歳の女性．約1年前に急性ぶどう膜炎を罹患し，同じ頃から特に誘因のない腰背部痛を自覚していた．腰背部痛は安静時や起床時にもっとも強く，身体活動とともに改善する．単純X線像（図1）とMRI（図2）を示す．
もっとも疑われる疾患はどれか．

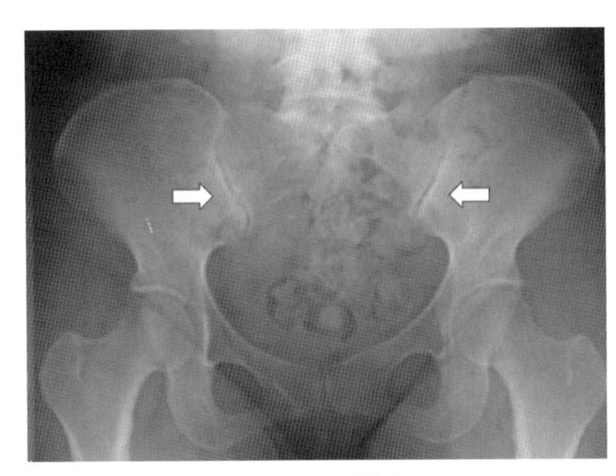

問 4-2-57／図1

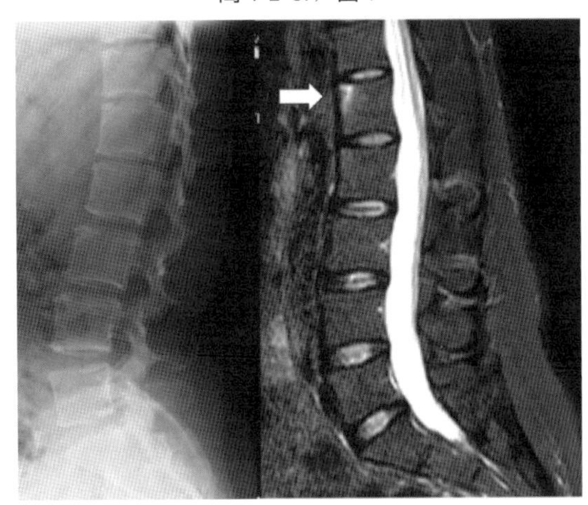

問 4-2-57／図2

a　変形性脊椎症
b　腸骨硬化性骨炎
c　結核性仙腸関節炎
d　体軸性脊椎関節炎
e　腰椎分離すべり症

3 その他の関節疾患

□□□ A ▶ p. 95-102

問 4-3-1

二次性（続発性）変形性関節症の原因ではない疾患，病態はどれか．

a　高尿酸血症
b　特発性骨壊死
c　Charcot 関節
d　アルカプトン尿症
e　Bouchard 結節

問 4-3-2

変形性関節症について誤っているのはどれか．

a　初期には軟骨のサフラニンO染色性が増加する．
b　初期には軟骨の細線維化がみられる．
c　骨棘形成は主に内軟骨性骨化による．
d　荷重部の軟骨下骨の骨梁が肥厚する．
e　二次性に非特異的滑膜炎が生じる．

問 4-3-3

変形性関節症の病理所見はどれか．3つ選べ．

a　軟骨基質の染色性の増加
b　軟骨下骨の骨梁の非薄化
c　骨軟骨片の滑膜内埋入
d　滑膜内の炎症細胞浸潤
e　tidemark の乱れ

問 4-3-4

膝関節特発性骨壊死のX線所見について誤っているのはどれか.

a　発症期には異常を認めない.
b　吸収期には荷重部に骨吸収像を認める.
c　変性期には関節裂隙の狭小化が著明となる.
d　発症期, 陥凹期, 吸収期, 変性期の順に進行する.
e　陥凹期には関節面に面した部分に線状陰影を認める.

問 4-3-5

膝関節特発性骨壊死について正しいのはどれか. 3つ選べ.

a　閉経前の女性に多い.
b　急激な疼痛で発症する.
c　大腿骨外側顆部に高頻度に発症する.
d　発症期には単純X線像で骨変化を認めない.
e　陥凹期では高位脛骨骨切り術が有効である.

問 4-3-6

ステロイド性膝骨壊死について正しいのはどれか. 2つ選べ.

a　50歳以上の中高年に好発する.
b　発症頻度に性差はない.
c　片側発症が多い.
d　特発性膝骨壊死に比べ病巣は広範囲である.
e　高率に大腿骨頭壊死を合併する.

問 4-3-7

血友病性関節症について誤っているのはどれか. 2つ選べ.

a　滑膜と関節包の肥厚がみられる.
b　年齢が進むにつれ, 出血の頻度は高くなる.
c　出血をもっとも起こしやすいのは肘関節である.
d　小児では急性化膿性関節炎と誤る可能性がある.
e　一度出血した関節に繰り返し出血する傾向がある.

問 4-3-8

神経病性関節症について正しいのはどれか. 2つ選べ.

a　血性の関節液はみられない.
b　糖尿病による例が増加している.
c　約半数程度の例は軽度の疼痛を伴う.
d　脊髄空洞症によるものは下肢の関節に多い.
e　膝関節に多量の関節水症を生じることはまれである.

問 4-3-9

神経病性関節症の所見として頻度が低いのはどれか.

a　不安定性
b　軽度の疼痛
c　深部感覚障害
d　著明な関節腫脹
e　高度の関節拘縮

問 4-3-10

偽痛風発作について正しいのはどれか．2つ選べ．

a 脳梗塞が誘因にはならない．
b 膝関節に発生することが多い．
c 発熱や赤沈値の亢進は伴わない．
d 多発性関節炎を呈することはない．
e 関節痛が出現し，数時間から1日のうちにピークに達する．

問 4-3-11

ピロリン酸カルシウム沈着症について誤っているのはどれか．

a 遺伝性の報告がある．
b 無症状のものもある．
c 加齢に伴って減少する．
d 原発性上皮小体機能亢進症に合併する．
e 単純X線像で，関節包，腱，靱帯にも石灰化を認める．

問 4-3-12

ステロイド関節症について誤っているのはどれか．2つ選べ．

a 荷重関節に好発する．
b 膝関節での初期変化は大腿骨内側顆に好発する．
c 急速に関節破壊が進行する．
d 病理組織像で骨組織の微小骨折を認める．
e 単純X線像は神経病性関節症に比べ増殖性変化に富む．

問 4-3-13

色素性絨毛結節性滑膜炎について誤っているのはどれか．

a 症状は寛解と増悪を繰り返すことが多い．
b 褐色調ないし血性の関節液が吸引される．
c 膝関節に好発する．
d MRIは病変の広がりを把握するのに有用である．
e 広範な滑膜切除が必須である．

問 4-3-14

滑膜骨軟骨腫症について正しいのはどれか．2つ選べ．

a 大関節に好発する．
b 小児に多く発生する．
c 滑液包内には発生しない．
d 遊離した軟骨片は関節内で成長しうる．
e Milgram分類の第3期では滑膜切除が必要である．

問 4-3-15

老人性特発性関節血症について誤っているのはどれか．

a 膝関節に好発する．
b 出血時間の延長を認める．
c 高血圧症を合併することが多い．
d Rumpel-Leedeテストが陽性である．
e 変形性関節症を合併することが多い．

問 4-3-16

非外傷性膝関節血症について誤っているのはどれか．2つ選べ．

a　滑膜血管腫は若年者に好発する．
b　特発性老人性膝関節血症は男性に好発する．
c　色素性絨毛結節性滑膜炎は高齢者に好発する．
d　血友病性関節症は血液凝固因子量が1%未満の血友病で発症しやすい．
e　神経病性関節症で脊髄癆や糖尿病などに起因するものは40歳台での発症が多い．

問 4-3-17

膝の単純X線像で高度な関節破壊を認めることが，もっとも少ない疾患はどれか．

a　血友病性関節症
b　神経病性関節症
c　特発性膝骨壊死
d　ステロイド関節症
e　ステロイド性膝骨壊死

問 4-3-18

二次性股臼底突出症をもっとも伴いやすい疾患はどれか．

a　関節リウマチ
b　強直性脊椎炎
c　Morquio 症候群
d　大腿骨頭壊死症
e　急速破壊型股関節症

問 4-3-19

特発性一過性大腿骨頭骨萎縮症について正しいのはどれか．

a　両側性が多い．
b　高齢者の女性に多い．
c　妊娠に伴うホルモン異常が原因の1つである．
d　安静・免荷などの保存療法により治癒に至る．
e　単純X線像にみられる骨萎縮が改善した後に，症状が消失する．

問 4-3-20

特発性一過性大腿骨頭骨萎縮症について正しいのはどれか．2つ選べ．

a　単純X線像で帯状硬化像
b　骨シンチグラフィーで cold in hot 所見
c　単純X線像での病初期からの関節裂隙の狭小化
d　単純X線像で骨頭から頚部にかけてのびまん性の骨萎縮像
e　MRI の T1 強調像における骨頭から頚部にかけてのびまん性低信号域

問 4-3-21

アミロイド関節症について正しいのはどれか．3つ選べ．

a　β_2-ミクログロブリン由来のアミロイド蛋白の沈着が原因である．
b　単純X線像の特徴は傍関節性の骨嚢腫や scalloping である．
c　手指関節や肘関節などの比較的小関節に

起こりやすい．
d 発症初期から関節裂隙の消失をきたしやすい．
e 大腿骨頚部の病的骨折が起こりうる．

問 4-3-22

疾患と治療に関する組み合わせで誤っているのはどれか．2つ選べ．

a 外側型変形性膝関節症——大腿骨顆上部矯正骨切り術
b 膝蓋大腿関節症——脛骨粗面前方移行術
c 血友病性膝関節症——高位脛骨骨切り術
d 特発性大腿骨頭壊死症——弯曲内反骨切り術
e 内反肘——尺骨矯正骨切り術

問 4-3-23

神経病性関節症について正しいのはどれか．

a 原因疾患として脊髄癆がもっとも多い．
b 深部感覚の破綻はまれである．
c 罹患関節は非荷重関節に多い．
d 手術療法の第1選択は骨切り術である．
e 糖尿病に伴う神経病性関節症は膝関節の罹患が多い．

問 4-3-24

血友病および血友病性膝関節症について正しいのはどれか．2つ選べ．

a 伴性劣性遺伝の疾患である．
b 第Ⅸ因子の欠損・活性低下を血友病Aと呼ぶ．
c 血液凝固因子活性が5%以下は重症とされる．
d 急性関節内出血に対して凝固因子の補充療法を行う．
e 膝関節症では関節固定の適応となる．

問 4-3-25

神経病性関節症の原因となる疾患として誤っているのはどれか．

a 糖尿病
b 癒着性くも膜炎
c 先天性痛覚異常症
d 多発性末梢神経炎
e 筋萎縮性側索硬化症

問 4-3-26

二次性変形性関節症の原因になりにくい疾患はどれか．2つ選べ．

a 血友病
b Paget 病
c アルカプトン尿症
d 多発性骨端異形成症
e メロレオストーシス

4 四肢循環障害

□□□ A ▶ p. 102-105

問 4-4-1

主幹動脈損傷について正しいのはどれか．2つ選べ．

a 応急処置として圧迫止血が有用である．
b 上肢は下肢に比べて壊死になりやすい．

c　損傷が疑われれば，早急に血管造影を行う．

d　血行再建の golden period は 18～24 時間である．

e　全身状態が重篤な場合は，ただちに切断術を行う．

問 4-4-2

急性動脈閉塞について誤っているのはどれか．2 つ選べ．

a　急性動脈塞栓症，急性動脈血栓症，外傷性動脈閉塞に分類される．

b　典型的症状は疼痛，蒼白，感覚異常，脈拍喪失，間欠跛行である．

c　急性動脈血栓症の素因として，粥状硬化性病変が挙げられる．

d　閉塞部位としては，膝窩動脈がもっとも多い．

e　塞栓は心疾患によるものが大半を占める．

問 4-4-3

深部静脈血栓症(DVT)の診断について誤っているのはどれか．2 つ選べ．

a　高齢は DVT 発生の危険因子である．

b　予防を何もしない場合の，下肢人工関節置換術や股関節骨折手術後の DVT 発生率は 30～50% である．

c　整形外科の術後に発生する DVT では，約半数の例で症状を呈する．

d　足関節背屈時，腓腹筋部に疼痛を訴えることを Homans 徴候という．

e　D-ダイマーの高値は超音波検査よりも診断価値が高い．

問 4-4-4

深部静脈血栓症(DVT)の予防・治療で正しいのはどれか．2 つ選べ．

a　早期離床は予防対策として重要である．

b　予防的抗凝固療法は術直後に開始する．

c　DVT 治療の第 1 選択は血栓除去術である．

d　間欠空気圧迫法(フットポンプ)は下腿 DVT 治療に有効である．

e　大腿部に DVT を認めたときには肺血栓塞栓症(PTE)発生に注意する．

問 4-4-5

損傷によって四肢壊死の危険率が高いのはどれか．2 つ選べ．

a　鎖骨下動脈

b　総腸骨動脈

c　外腸骨動脈

d　上腕動脈

e　膝窩動脈

問 4-4-6

四肢循環障害の評価について誤っているのはどれか．2 つ選べ．

a　Homans 徴候陽性なら下腿深部静脈血栓を疑う．

b　爪圧迫テストでは，手指や足趾の循環を評価する．

c　区画内圧測定値 50 mmHg なら区画症候群は除外できる．

d　Allen テストにより橈骨動脈と尺骨動脈に閉塞がないかを確認できる．

e　ABI(ankle brachial index)が0.9以上であれば，末梢動脈閉塞性疾患を疑う．

問 4-4-7

虚血性壊死が生じた場合に，膝窩部の膝窩動脈閉塞が原因と考えられるのはどれか．

a　大腿中央以下
b　下腿中央以下
c　膝関節以下
d　足関節以下
e　趾尖部のみ

問 4-4-8

四肢の阻血が生じた場合に，阻血領域の予後不良を示す臨床所見はどれか．２つ選べ．

a　蒼白
b　筋腫脹
c　運動麻痺
d　感覚鈍麻
e　皮膚点状出血

問 4-4-9

胸郭出口症候群のテストのうち橈骨動脈の触知以外で判定する検査はどれか．２つ選べ．

a　Morley テスト
b　Wright テスト
c　Adson テスト
d　Eden テスト
e　Roos テスト

問 4-4-10

血管性間欠跛行について正しいのはどれか．２つ選べ．

a　自転車乗車での移動では症状が発現しない．
b　症状が増悪時には足部が内反尖足位となる．
c　歩行障害は運動時の乏血が原因である．
d　立ち止まるだけで下肢症状は改善する．
e　膀胱直腸障害を合併する．

問 4-4-11

Allen テストは，次のどの動脈の閉塞を調べる場合の検査か．３つ選べ．

a　腋窩動脈
b　上腕動脈
c　橈骨動脈
d　尺骨動脈
e　指動脈

問 4-4-12

前腕の急性区画症候群について正しいのはどれか．３つ選べ．

a　長時間手術による圧迫で生じる．
b　感覚異常は早期から出現する．
c　指を他動伸展すると疼痛が増強する．
d　意識レベルの低下がある患者では診断方法がない．
e　筋膜切開により疼痛は速やかに消失する．

問 4-4-13

脂肪塞栓症候群の Gurd の診断基準で，<u>大基準でない</u>のはどれか．2 つ選べ．

a　下肢の腫脹
b　点状出血斑
c　脳神経症状
d　血中遊離脂肪滴
e　両肺野の吹雪様陰影

5　骨端症

□□□　A ▶ p. 105-109

1）上　肢

問 4-5-1

49 歳の男性．職業：製造業．2 カ月前に右肘に突然痛みが出現し，動かせなくなった．前医を受診し，NSAIDs を処方され，痛みは軽減したが，肘関節の運動時痛，可動域制限が持続し，当院を紹介され受診した．スポーツ歴として，小学校 3 年生から高校生まで野球をやっていた．外側関節裂隙に圧痛があり，肘関節可動域は伸展 7°，屈曲 120° である．単純 X 線像と CT（図 1）を示す．
考えられる疾患はどれか．3 つ選べ．

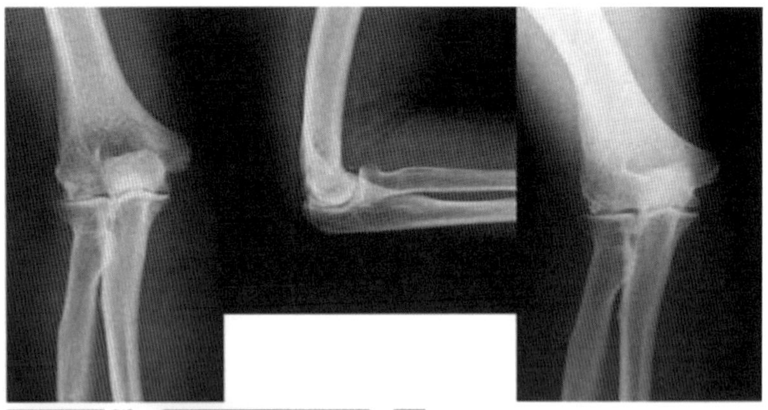

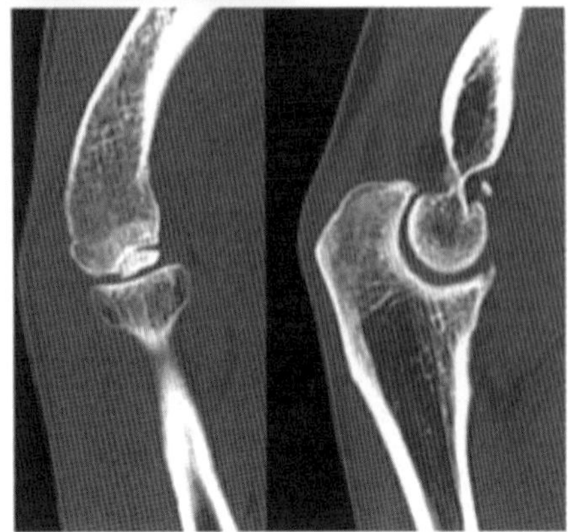

問 4-5-1／図 1

a　Panner 病
b　異所性骨化
c　離断性骨軟骨炎
d　肘関節内遊離体
e　変形性肘関節症

問 4-5-2

Kienböck 病について正しいのはどれか.

a　遺伝的素因が証明されている.
b　手舟状骨の無腐性壊死である.
c　進行すると握力低下が生じる.
d　保存療法は無効である.
e　進行しても変形性関節症にはならない.

2）下　肢

問 4-5-3

Blount 病について正しいのはどれか. 3つ選べ.

a　活性型ビタミン D_3 欠乏によるものである
b　外反膝変形をきたし, 両側例ではＸ脚を呈する.
c　脛骨近位の成長軟骨板内側部の成長障害である.
d　単純Ｘ線像で内側骨端線の不規則骨化が認められる.
e　高度の変形症例には骨切り矯正などの手術療法を行う.

問 4-5-4

Perthes 病について正しいのはどれか. 3つ選べ.

a　6～7 歳に好発する.
b　男女比は約 1：5 である.
c　高齢発症ほど予後が悪い.
d　両側発症は 50％程度である.
e　膝関節前面の痛みの訴えが多い.

問 4-5-5

Perthes 病の初期症状として正しいのはどれか. 3つ選べ.

a　跛行
b　患肢の短縮
c　Drehmann 徴候
d　大腿から膝関節の痛み
e　股関節の開排, 内旋の制限

問 4-5-6

Perthes 病の壊死発生後 1 年以内の単純Ｘ線像として正しいのはどれか. 3つ選べ.

a　軟骨下骨折
b　骨頭核の分節化
c　骨頭核の扁平化
d　骨頭外側の石灰化
e　Waldenström 徴候

問 4-5-7

Perthes 病の遺残期にみられる単純 X 線像として誤っているのはどれか．

a　巨大骨頭
b　大転子高位
c　臼底の二重像
d　臼蓋縁の形成不全
e　骨頭と臼蓋関節面の適合不全

問 4-5-8

次の組み合わせで正しいのはどれか．

a　第 1 Köhler 病——手舟状骨
b　Blount 病——脛骨遠位
c　Freiberg 病——第 5 中足骨
d　Scheuermann 病——頚椎
e　Sever 病——踵骨

問 4-5-9

いわゆる骨端症について正しいのはどれか．

a　Blount 病では内反膝となる．
b　第 1 Köhler 病の予後は不良である．
c　Sever 病は若年症者ほど予後が悪い．
d　Panner 病では手術治療を要する場合が多い．
e　Osgood-Schlatter 病では膝関節内に遊離骨片を残すことがある．

問 4-5-10

跛行を主訴に来院した7歳男児の初診時単純 X 線像（図 1），および MRI T1 強調像（図 2）を示す．
本疾患について正しいのはどれか．3つ選べ．

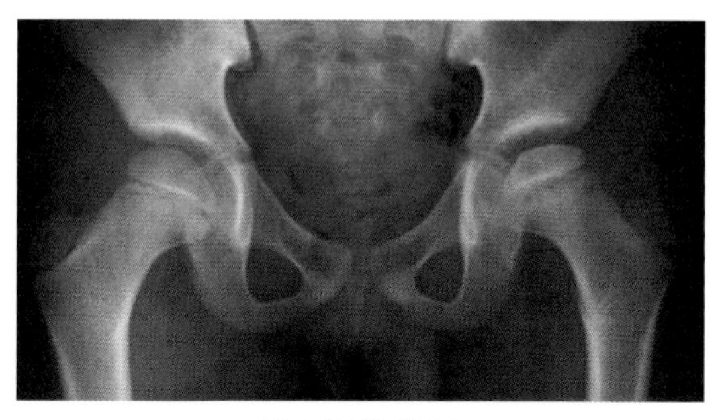

問 4-5-10／図 1

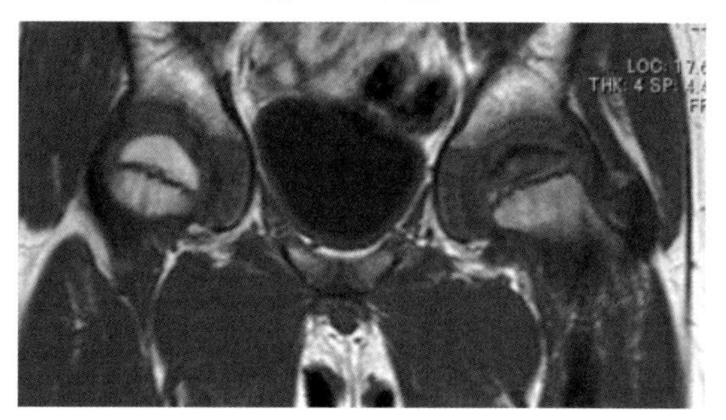

問 4-5-10／図 2

a　大腿骨近位骨端部に阻血性壊死をきたす疾患である．
b　発症頻度は男児に多い．
c　単純 X 線像において Trethowan 徴候は有用な診断所見である．
d　lateral pillar classification で group C は予後不良である．
e　手術法としては大腿骨外反骨切り術が一般的である．

3）その他

問 4-5-11

骨端症について正しいのはどれか. 3つ選べ.

a　Sever 病は踵骨に発生する.
b　Freiberg 病は足舟状骨に発生する.
c　Panner 病は上腕骨小頭部に発生する.
d　第1 Köhler 病は第2中足骨に発生する.
e　Osgood-Schlatter 病は膝蓋腱脛骨付着部に発生する.

問 4-6-1

本邦で頻度の高い骨系統疾患はどれか. 2つ選べ.

a　ムコ多糖症
b　軟骨無形成症
c　骨形成不全症
d　骨幹端異形成症
e　多発性骨端異形成症

問 4-6-2

骨形成不全症について正しいのはどれか. 3つ選べ.

a　Silence 分類がある.
b　大腿骨に骨折が好発する.
c　骨折の骨癒合が不良である.
d　難聴が幼小児期に発症する.
e　Ⅰ型コラーゲンの変異による.

問 4-6-3

軟骨無形成症について誤っているのはどれか. 2つ選べ.

a　知能は正常である.
b　四肢短縮型低身長を呈する.
c　腰椎椎弓根間距離が頭側から尾側にかけて広くなる.
d　成長ホルモンの投与は分泌不全がある場合に限定される.
e　線維芽細胞増殖因子3型受容体(FGFR)遺伝子の異常が原因である.

問 4-6-4

Ollier 病について正しいのはどれか. 3つ選べ.

a　手指病変が好発する.
b　悪性化を生じることがない.
c　軟部組織の血管腫を合併する.
d　身体の片側に病変が発生する.
e　単純X線像で, 多発性の骨内の嚢腫様透明巣, 骨皮質の膨隆・菲薄化を呈する.

問 4-6-5

軟骨無形成症について正しいのはどれか. 3つ選べ.

a　主に内軟骨性骨化障害に起因する障害がみられる.
b　体幹短縮型小人症である.
c　罹患者の80～90%が新突然変異である.
d　線維芽細胞増殖因子3型受容体(FGFR3)遺伝子の異常による.
e　顔貌は正常である.

問 4-6-6

四肢短縮型小人症を呈する疾患はどれか．2つ選べ．

a　大理石骨病
b　軟骨無形成症
c　骨幹端異形成症
d　鎖骨・頭蓋異形成症
e　先天性脊椎骨端異形成症

問 4-6-7

多発性軟骨性外骨腫症について正しいのはどれか．3つ選べ．

a　常染色体優性遺伝の形式をとる．
b　前腕弯曲変形が特徴の1つである．
c　外骨腫部で成長期に膜性骨化がみられる．
d　成人で外骨腫が増大する場合は骨肉腫への悪性化を疑う．
e　単純X線像は，骨幹端部より骨幹部方向に向かう骨突出像が特徴である．

問 4-6-8

大理石骨病について誤っているのはどれか．

a　遺伝性は認められない．
b　骨の大部分が未熟骨で占められる．
c　破骨細胞の骨吸収機能異常が原因である．
d　脊椎は単純X線像で特徴的なサンドイッチ様椎体を呈する．
e　易骨折性，骨髄機能不全，脳神経症状を3徴候とする疾患である．

問 4-6-9

被虐待児症候群の骨折について誤っているのはどれか．2つ選べ．

a　肥満児が多い．
b　入院治療を行う
c　皮膚のあざを伴う．
d　骨折後早期に受診する．
e　様々な治癒過程の骨折が混在する．

問 4-6-10

脳性麻痺に含まれるのはどれか．

a　周産期に生じた分娩麻痺
b　周産期に生じた脳虚血による知的障害
c　周産期に生じた脳虚血による運動障害
d　10歳時の脳炎による精神運動発達障害
e　新生児期に生じた大脳白質変性症による運動障害

問 4-6-11

脳性麻痺の変形で頻度が低いのはどれか．

a　外反肘
b　かがみ肢位
c　はさみ肢位
d　外反扁平足
e　手関節掌屈変形

問 4-6-12

脳性麻痺に続発する症状で頻度が比較的低いのはどれか．2つ選べ．

a　側弯

b　疲労骨折
c　股関節脱臼
d　頚椎症性脊髄症
e　腰椎椎間板ヘルニア

問 4-6-13

瘧直型の脳性麻痺について正しいのはどれか．3 つ選べ．

a　言語障害を伴うことが多い．
b　脳性麻痺の中で頻度の高い病型である．
c　股関節内転変形や尖足変形を起こしやすい．
d　関節の他動運動に際し折りたたみナイフ現象をみる．
e　緊張が変動するため，関節の変形，拘縮はまれである．

問 4-6-14

脳性麻痺の病因として誤っているのはどれか．

a　核黄疸
b　高血糖
c　新生児仮死
d　低酸素脳症
e　低出生体重児

問 4-6-15

分娩麻痺の合併症として正しいのはどれか．3 つ選べ．

a　鎖骨骨折
b　Horner 徴候
c　横隔神経麻痺
d　先天性内反足
e　発育性股関節形成不全

問 4-6-16

先天性内反足の矯正ギプス治療において正しいのはどれか．2 つ選べ．

a　巻き綿は使用しない．
b　ギプスは膝下とする．
c　最初に尖足を矯正する．
d　近年，Ponseti 法が普及している．
e　治療はできるだけ早期に開始する．

問 4-6-17

Perthes 病の単純 X 線所見について誤っているのはどれか．2 つ選べ．

a　軟骨下骨折
b　骨幹端部嚢腫
c　骨頭の亜脱臼
d　骨端線の垂直化
e　Trethowan 徴候

問 4-6-18

先天性下腿偽関節症について正しいのはどれか．3 つ選べ．

a　神経線維腫症 1 型にみられる．
b　ほとんどの弯曲が前外弯変形である．
c　ギプス固定による保存療法が有効である．
d　下腿の弯曲部が生後に骨折すると偽関節となる．
e　骨折治療後に骨癒合が獲得後の装具は不

要である.

問 4-6-19

先天性筋性斜頚について正しいのはどれか. 2つ選べ.

a　自然治癒は40%以下である.
b　可及的早期に徒手矯正を開始する.
c　顔面は健側に向けて回旋している.
d　骨盤位分娩児は頭位分娩児よりも発生頻度が高い.
e　手術法としては, 胸鎖乳突筋全摘出術が一般的である.

問 4-6-20

骨系統疾患について正しいのはどれか. 3つ選べ.

a　骨形成不全症はⅡ型コラーゲンの異常である.
b　大理石骨病では骨の大部分が未熟骨で占められる.
c　軟骨無形成症は fibroblast growth factor receptor-3 の異常による.
d　先天性脊椎骨端異形成症は腰椎単純X線像で西洋梨型の椎体を認める.
e　多発性軟骨性外骨腫症で成人期に腫瘍が増大する場合は, 骨肉腫への悪性化を疑う.

問 4-6-21

軟骨無形成症について正しいのはどれか. 2つ選べ.

a　常染色体劣性遺伝である.
b　体幹短縮型小人症である.
c　O脚変形が特徴的である.
d　脊柱管狭窄症は合併しない.
e　胸腰椎移行部の後弯が特徴的である.

問 4-6-22

Larsen 症候群について正しいのはどれか. 2つ選べ.

a　常染色体劣性遺伝である.
b　関節脱臼の予後は良好である.
c　頚椎前弯変形が特徴的である.
d　多発性関節脱臼が特徴的である.
e　単純X線像で踵骨の二重骨化が特徴的である.

問 4-6-23

小児期足部変形について誤っているのはどれか. 2つ選べ.

a　小児期扁平足は手術治療が必要なことが多い.
b　先天性垂直距骨では後足部の尖足拘縮が存在する.
c　先天性内反足では舟状骨は距骨頚部の内側に位置する.
d　先天性内反足に対するギプス矯正は可及的早期に行う.
e　先天性外反踵足に対しては積極的にギプス矯正を行う.

7 代謝性骨疾患

□□□ A ▶ p. 118-125

問 4-7-1

疾患とその単純X線像について正しいのはどれか．3つ選べ．

a　くる病では膝内反変形がみられる．
b　骨形成不全症では多発性骨折がみられる．
c　先天性脊椎骨端異形成症では外反股がみられる．
d　甲状腺機能低下症では骨幹端部の盃状変形がみられる．
e　Albright症候群では大腿骨近位部に羊飼い杖様変形がみられる．

問 4-7-2

低リン血症性くる病について正しいのはどれか．

a　類骨過剰状態を呈する．
b　X脚を呈することが多い
c　常染色体優性遺伝である．
d　治療の基本は装具療法である．
e　血清ALP値は正常値であることが多い．

問 4-7-3

成人発症の骨軟化症の原因となりうる疾患はどれか．3つ選べ．

a　糖尿病
b　卵巣摘出
c　胃腸管切除
d　腎尿細管障害
e　骨・軟部腫瘍

問 4-7-4

骨軟化症について正しいのはどれか．2つ選べ．

a　骨端線閉鎖以前に発症したものをくる病という．
b　単純X線像で骨膜下骨吸収がみられる．
c　組織所見は線維性骨の増加である．
d　治療には，半減期の長い活性型ビタミンDが投与される．
e　治療効果判定の指標の1つはALP値である．

問 4-7-5

病理組織所見について誤っているのはどれか．2つ選べ．

a　骨軟化症では骨髄の線維化がみられる．
b　骨粗鬆症では類骨組織の増加がみられる．
c　骨Paget病ではモザイクパターンがみられる．
d　原発性副甲状腺機能亢進症では線維性骨の形成がみられる．
e　腎性骨異栄養症では副甲状腺機能亢進症と骨軟化症所見が混在する．

問 4-7-6

二重エネルギーX線吸収法(DXA法)による骨量測定について正しいのはどれか．2つ選べ．

a　骨質の評価にも有用である．
b　橈骨の測定は薬物治療への感度が高い．
c　三次元骨密度(mg/cm^3)を評価している．
d　高齢者の腰椎の測定値は過大評価されや

すい.

e　腰椎と大腿骨近位部が，測定部位として推奨される.

問 4-7-7

ビタミンDについて誤っているのはどれか．2つ選べ.

a　ビタミンD不足は骨折と関連する.

b　日光曝露不足では血清25(OH)D低値となる.

c　ビタミンDによる転倒抑制効果は認められていない.

d　ビタミンD過剰により続発性副甲状腺機能亢進を生じる.

e　血清25(OH)D値はビタミンDの充足状態を示す指標である.

問 4-7-8

骨粗鬆症性椎体骨折について誤っているのはどれか．2つ選べ.

a　頚胸椎移行部に多い.

b　身長低下の原因となる.

c　半数以上は無症候性である.

d　死亡リスクとの相関は低い.

e　椎体後壁損傷は偽関節のリスクとなる.

問 4-7-9

骨粗鬆症治療薬について正しいのはどれか．2つ選べ.

a　抗RANKL抗体は骨折治癒を促進する.

b　テリパラチドは閉経後骨粗鬆症の初期に使用する.

c　活性型ビタミンD_3の投与は腸管カルシウムの吸収を抑制する.

d　静脈血栓塞栓症のある患者ではラロキシフェンは禁忌である.

e　抗RANKL抗体による低カルシウム血症は，腎機能障害患者に発生しやすい.

問 4-7-10

閉経後早期の骨代謝について正しいのはどれか．2つ選べ.

a　血清リン値の上昇

b　血清副甲状腺ホルモンの上昇

c　酒石酸抵抗性酸ホスファターゼの低下

d　血清骨型アルカリホスファターゼの上昇

e　尿中I型コラーゲン架橋N-テロペプチドの増加

問 4-7-11

ステロイド性骨粗鬆症について正しいのはどれか．2つ選べ.

a　非脊椎骨折は少ない.

b　骨形成，骨吸収ともに亢進する.

c　ビスフォスフォネートが骨折防止に有効である.

d　骨折リスク上昇は骨密度低下が生じる前に起きる.

e　プレドニゾロン換算で1日10 mg以上の使用量が骨折のリスクとなる.

問 4-7-12

くる病・骨軟化症について正しいのはどれか．2つ選べ．

a Fanconi 症候群は骨軟化症を生じない．
b 慢性の胆道閉塞では骨軟化症が生じる．
c 腫瘍によって骨軟化症が生じることはない．
d ビタミンD依存症Ⅰ型はビタミンD受容体の異常による．
e ビタミンD欠乏性くる病はカルシウム吸収障害で生じる．

問 4-7-13

原発性副甲状腺機能亢進症について誤っているのはどれか．2つ選べ．

a 血清リン値低下
b 血清 ALP 値上昇
c 血清尿酸値上昇
d 尿中リン排泄増加
e 血清カルシウム値低下

問 4-7-14

骨 Paget 病について誤っているのはどれか．2つ選べ．

a 骨の変形が生じる．
b 頭蓋骨には生じない．
c 血清 ALP 値が上昇する．
d 骨代謝回転は低下する．
e 骨組織ではモザイク構造がみられる．

問 4-7-15

甲状腺機能低下症について誤っているのはどれか．

a 乳歯脱落遅延
b 早発二次性徴
c 骨端線の不整
d 血清 ALP 値減少
e 骨端核の出現遅延

問 4-7-16

甲状腺機能亢進症について正しいのはどれか．2つ選べ．

a 骨量増加
b 血清リン値上昇
c 骨代謝回転の亢進
d 血清カルシウム値低下
e 血清オステオカルシン値増加

問 4-7-17

成長ホルモン過剰症について誤っているのはどれか．2つ選べ．

a 過成長を起こす．
b 変形性関節症は生じない．
c 下垂体腺腫によるものが大半を占める．
d 骨量は増加，あるいは減少がみられる．
e 骨端線閉鎖以前では，先端肥大を生じる．

問 4-7-18

骨軟化症の病理で正しいのはどれか．2つ選べ．

a 類骨過剰
b 石灰化亢進
c 骨量の増加
d 成長軟骨の幅減少
e 軟骨柱の不規則配列

問 4-7-19

慢性腎臓病で骨折リスクが上昇する理由として誤っているのはどれか．2つ選べ．

a 栄養障害
b 高リン血症
c ビタミンD欠乏
d 高カルシウム血症
e 続発性甲状腺機能亢進症

問 4-7-20

原発性骨粗鬆症の診断について正しいのはどれか．3つ選べ．

a 骨密度は原則として腰椎または大腿骨近位部骨密度とする．
b 骨吸収の亢進に伴い高カルシウム血症をしばしば併発する．
c YAMが正常値であっても，椎体の脆弱性骨折を有する場合は骨粗鬆症と判定する．
d 脆弱性骨折がない場合はYAMの80%以下または−2.5 SD以下を骨粗鬆症と判定する．
e 脆弱性骨折の誘因となる軽微な外力とは立った姿勢からの転倒か，それ以下の外力をさす．

問 4-7-21

ビタミンD欠乏性くる病の原因として誤っているのはどれか．

a 肥満
b 慢性下痢
c 完全母乳栄養
d 食物アレルギー
e 日光曝露不足

問 4-7-22

高カルシウム血症の原因として正しいのはどれか．2つ選べ．

a 骨形成不全症
b 原発性骨粗鬆症
c ビタミンD中毒
d 甲状腺機能亢進症
e 原発性副甲状腺機能亢進症

問 4-7-23

原発性骨粗鬆症について正しいのはどれか．3つ選べ．

a 痩せが危険因子の1つである．
b 血清カルシウム値は低値である．
c 骨盤は脆弱性骨折を起こさない．
d 脆弱性骨折があれば骨粗鬆症と診断できる．
e 骨強度の低下により骨折をきたしやすくなった病態である．

問 4-7-24

骨粗鬆症治療薬について正しいのはどれか．2つ選べ．

a　エルデカルシトールは腎臓で活性化される．
b　デノスマブは破骨細胞に結合し骨吸収を抑制する．
c　ラロキシフェンの副作用として静脈血栓塞栓症がある．
d　テリパラチドは転移性骨腫瘍による病的骨折予防に有効である．
e　ビスフォスフォネート製剤によるインフルエンザ様症状は再発率が低い．

問 4-7-25

骨粗鬆症治療について正しいのはどれか．2つ選べ．

a　テリパラチドは骨吸収抑制薬である．
b　テリパラチドは副甲状腺ホルモン製剤である．
c　デノスマブはヒト型抗 RANKL モノクローナル抗体製剤である．
d　非定型骨折は大腿骨頚部に好発する．
e　メナテトレノンは活性型ビタミン D 製剤である．

問 4-7-26

ビスフォスフォネート製剤について誤っているのはどれか．2つ選べ．

a　顎骨壊死の合併がある．
b　骨折の治癒を促進する．
c　骨 Paget 病に効果がある．
d　カルシウム剤と同時に服用する．
e　ステロイド性骨粗鬆症に効果がある．

問 4-7-27

ビタミン D 欠乏性くる病について誤っているのはどれか．

a　血清 25(OH)D は低値を示す．
b　カルシウム吸収障害で生じる．
c　過度の菜食主義は原因になりうる．
d　血清カルシウム値は正常，または低値である．
e　血清アルカリホスファターゼ値は正常を示す．

問 4-7-28

原発性副甲状腺機能亢進症について誤っているのはどれか．

a　多飲，多尿
b　脊椎ラガージャージ像
c　褐色腫(brown tumor)
d　尿中カルシウム排泄減少
e　periosteal bone resorption

8 骨・軟部腫瘍

□□□ A ▶ p. 125–139

問 4-8-1

骨盤(仙骨を含む)が第一の好発部位である悪性骨腫瘍はどれか．3つ選べ．

a　脊索腫
b　軟骨肉腫
c　通常型骨肉腫

d 傍骨性骨肉腫
e Ewing 肉腫

問 4-8-2

仙骨の骨腫瘍について誤っているのはどれか．2つ選べ．

a 癌骨転移はまれである．
b 原発性骨腫瘍では脊索腫，骨巨細胞腫が多い．
c 片側神経根の合併切除では膀胱・直腸障害が必発である．
d 仙骨前面には静脈叢があり，手術操作で大出血しやすい．
e S1 にかかる腫瘍では前方アプローチを必要とすることが多い．

問 4-8-3

骨腫瘍と好発部位の組み合わせで誤っているのはどれか．

a アダマンチノーマ――肋骨
b 癌骨転移――脊椎
c 脊索腫――仙骨
d 内軟骨腫――手指骨
e Langerhans 細胞組織球症――頭蓋骨

問 4-8-4

長管骨の骨端に好発する骨腫瘍はどれか．

a 骨髄腫
b 軟骨芽細胞腫
c 軟骨肉腫
d Ewing 肉腫
e 類骨骨腫

問 4-8-5

骨腫瘍と好発部位の組み合わせで誤っているのはどれか．

a 単発性骨嚢腫――骨端
b 軟骨肉腫――骨幹端～骨幹
c 非骨化性線維腫――骨幹端
d Ewing 肉腫――骨幹
e 類骨骨腫――骨幹

問 4-8-6

発生のピークが 40 歳以降である骨腫瘍はどれか．2つ選べ．

a 骨巨細胞腫
b 多発性骨髄腫
c 軟骨肉腫
d 傍骨性骨肉腫
e Ewing 肉腫

問 4-8-7

多発する骨腫瘍として誤っているのはどれか．

a 骨軟骨腫
b 線維性骨異形成
c 内軟骨腫
d Langerhans 細胞組織球症
e 類骨骨腫

問 4-8-8

骨膜反応を呈する骨腫瘍はどれか．2つ選べ．

a 骨軟骨腫
b 線維性骨異形成
c 非骨化性線維腫
d Langerhans 細胞組織球症
e 類骨骨腫

問 4-8-9

単純 X 線像で骨膜反応がみられることがまれな疾患はどれか．

a 骨髄腫
b 骨肉腫
c Ewing 肉腫
d Langerhans 細胞組織球症
e 類骨骨腫

問 4-8-10

腫瘍とその診断に有用な血液生化学的所見の組み合わせで誤っているのはどれか．

a 骨肉腫――ALP
b 膵癌骨転移――CA19-9
c 前立腺癌骨転移――PSA
d 多発性骨髄腫――Bence Jones 蛋白質
e Ewing 肉腫――尿中 VMA

問 4-8-11

腫瘍と免疫組織染色の組み合わせで誤っているのはどれか．

a 筋原性腫瘍――デスミン
b 癌骨転移 ――EMA(epithelial membrane antigen)
c 神経原性腫瘍――S-100 蛋白質
d 軟骨肉腫――S-100 蛋白質
e 未分化多形肉腫――サイトケラチン

問 4-8-12

放射線照射後肉腫として頻度が高いのはどれか．

a 悪性リンパ腫
b 骨髄腫
c 骨肉腫
d 平滑筋肉腫
e 軟骨肉腫

問 4-8-13

骨巨細胞腫について正しいのはどれか．2つ選べ．

a 20～30 歳台に好発する．
b 長管骨の骨幹部に発生する．
c 肺転移をきたすことはない．
d 単純 X 線像では溶骨性病変を呈する．
e 単純掻爬・骨移植術が標準的治療である．

問 4-8-14

14 歳の男子．主訴：右膝痛．単純 X 線像では大腿骨遠位部骨幹端の内部に不規則な硬化像を示し，骨皮質を破壊して骨外に進展する病変がみられ，骨膜反応を認めた．血液学的には ALP の高値を認めた．
診断として可能性がもっとも高いのはどれか．

a 骨巨細胞腫
b 骨髄腫
c 骨肉腫
d 軟骨肉腫
e Ewing 肉腫

問 4-8-15

骨肉腫について予後が悪いのはどれか．2 つ選べ．

a 骨膜性骨肉腫
b 通常型骨肉腫
c 傍骨性骨肉腫
d 血管拡張型骨肉腫
e 骨内高分化型骨肉腫

問 4-8-16

Ewing 肉腫の特徴はどれか．

a ALP 高値
b 炎症様所見
c 中高年に好発
d 免疫グロブリンの産生
e 融合遺伝子 SS18/SSX が陽性

問 4-8-17

軟骨肉腫の病理所見として誤っているのはどれか．

a 核異型
b 骨梁破壊
c 二核細胞
d 粘液様変化
e 類骨形成

問 4-8-18

骨肉腫に対する化学療法について正しいのはどれか．

a メスナはシスプラチンの中和剤である．
b 重篤な副作用を避けるため単剤での投与を行う．
c 手術後に補助化学療法として行うのが一般的である．
d 5 年生存率は導入前の 15～20% から 50% へと改善した．
e メトトレキサート大量療法ではロイコボリン救援療法を行う．

問 4-8-19

抗癌薬の副作用としてまれなのはどれか．

a ドキソルビシン——心筋障害
b イホスファミド——出血性膀胱炎
c エトポシド——骨髄抑制
d シスプラチン——腎機能障害
e メトトレキサート——聴力障害

問 4-8-20

放射線感受性がもっとも高い骨腫瘍はどれか.

a 骨肉腫
b 脊索腫
c 軟骨肉腫
d 未分化多形肉腫
e Ewing 肉腫

問 4-8-21

発生頻度がもっとも高い悪性軟部腫瘍はどれか.

a 横紋筋肉腫
b 滑膜肉腫
c 脂肪肉腫
d 平滑筋肉腫
e 粘液線維肉腫

問 4-8-22

40 歳以降に好発する悪性軟部腫瘍はどれか.

a 横紋筋肉腫
b 滑膜肉腫
c 脂肪肉腫
d 胞巣状軟部肉腫
e 類上皮肉腫

問 4-8-23

軟部腫瘍および腫瘍類似疾患の好発部位について誤っているのはどれか. 2つ選べ.

a グロムス腫瘍——大腿
b 結節性筋膜炎——前腕
c 腱鞘巨細胞腫——手足
d 弾性線維腫——腰部
e 胞巣状軟部肉腫——大腿

問 4-8-24

浸潤傾向のある軟部腫瘍はどれか. 2つ選べ.

a 粘液腫
b 神経鞘腫
c デスモイド
d グロムス腫瘍
e 色素性絨毛結節性滑膜炎

問 4-8-25

リンパ節転移を起こしやすい悪性軟部腫瘍はどれか. 2つ選べ.

a 悪性末梢神経鞘腫瘍
b 横紋筋肉腫
c 平滑筋肉腫
d 粘液線維肉腫
e 類上皮肉腫

問 4-8-26

MRI T2 強調像でしばしば骨格筋に比し低信号領域を示す腫瘍はどれか. 2つ選べ.

a ガングリオン
b 色素性絨毛結節性滑膜炎
c 脂肪腫
d デスモイド型線維腫症
e 粘液型脂肪肉腫

問 4-8-27

軟部腫瘍の画像所見について誤っているのはどれか．2つ選べ．

a　脂肪腫は超音波検査では低エコーを示す．
b　FDG-PET は悪性軟部腫瘍の転移巣検出に有用である．
c　神経鞘腫の MRI では target sign がみられることが多い．
d　胞巣状軟部肉腫は，MRI T1 強調像で骨格筋に比し高信号を示す．
e　^{201}Tl(タリウム)シンチグラフィーで陽性所見を示せば悪性と診断できる．

問 4-8-28

特異的融合遺伝子が知られている軟部腫瘍はどれか．3つ選べ．

a　悪性末梢神経鞘腫瘍
b　滑膜肉腫
c　粘液型脂肪肉腫
d　平滑筋肉腫
e　胞巣状軟部肉腫

問 4-8-29

軟部腫瘍の生検について正しいのはどれか．2つ選べ．

a　切開生検は大血管を十分剥離してから行う．
b　切開生検時の皮切は，四肢の長軸方向に加える．
c　針生検は切開生検に比べ，腫瘍細胞播種の危険性が高い．
d　皮下発生の腫瘍では，大きさによらず切除生検を行ってよい．
e　神経系腫瘍では，針生検による神経損傷の危険がある．

問 4-8-30

脂肪肉腫について正しいのはどれか．2つ選べ．

a　大腿に好発する．
b　痛みを伴うことが多い．
c　20〜40 歳台に好発する．
d　脱分化型の予後は良好である．
e　主に高分化型，粘液型，多形型，脱分化型の 4 亜型に分類される．

問 4-8-31

滑膜肉腫について誤っているのはどれか．

a　若年成人に好発する．
b　肺転移の頻度が高い．
c　深部軟部組織に好発する．
d　融合遺伝子 EWS-FLI1 が検出される．
e　組織学的に単相型と二相型に分類される．

問 4-8-32

類上皮肉腫について正しいのはどれか．2つ選べ．

a　体幹に好発する．
b　高齢者に好発する．
c　皮膚潰瘍を好発する．
d　肺以外ではリンパ節に転移する．
e　腫瘍細胞にメラニンの沈着を認める．

問 4-8-33

グロムス腫瘍について正しいのはどれか．3つ選べ．

a 寒冷時痛
b 局所熱感
c 小児に好発
d 限局性圧痛
e 爪下の色調変化

問 4-8-34

明細胞肉腫について正しいのはどれか．2つ選べ．

a 放射線療法が著効する．
b 高齢の女性に好発する．
c 遠隔転移はまれである．
d 融合遺伝子の検出が診断に有用である．
e 組織学的にメラニンの沈着を約半数で認める．

問 4-8-35

腹壁外デスモイドについて誤っているのはどれか．2つ選べ．

a 遠隔転移を生じる．
b 浸潤性の増殖を示す．
c 若年成人に好発する．
d 自然消退することがある．
e 単純切除でも局所再発はまれである．

問 4-8-36

神経線維腫症1型について正しいのはどれか．3つ選べ．

a 骨病変は伴わない．
b 聴神経腫瘍を伴う．
c カフェオレ斑を伴う．
d 悪性化に注意を要する．
e 常染色体優性遺伝である．

問 4-8-37

胞巣状軟部肉腫について誤っているのはどれか．

a 若年成人に好発する．
b 血流に富む腫瘍である．
c 長期予後は良好である．
d 遠隔転移を生じることが多い．
e MRI T1 強調像で筋肉に比して高信号を呈す．

問 4-8-38

殺細胞性の化学療法が必須である腫瘍はどれか．3つ選べ．

a 線維肉腫
b 平滑筋肉腫
c 骨外性骨肉腫
d 胎児型横紋筋肉腫
e 骨外性 Ewing 肉腫

問 4-8-39

18 歳の女子．大腿骨遠位に発生した骨病変の単純 X 線像（図 1）と MRI（図 2）を示す．画像所見から除外できる疾患はどれか．2 つ選べ．

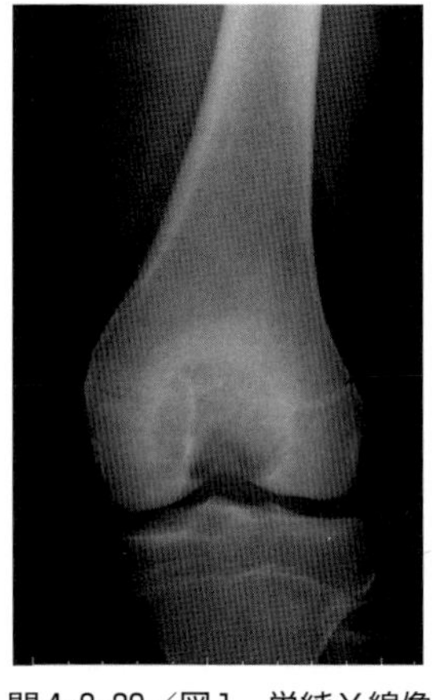

問 4-8-39／図 1　単純 X 線像

- a　骨巨細胞腫
- b　単発性骨嚢腫
- c　淡明細胞型軟骨肉腫
- d　軟骨芽細胞腫
- e　Ewing 肉腫

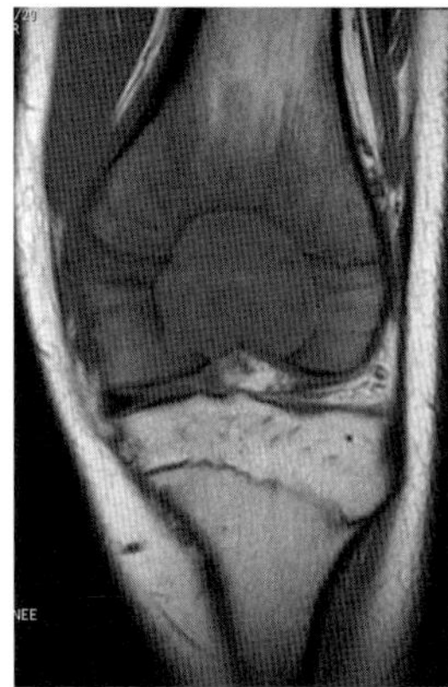

MRI T1 強調像

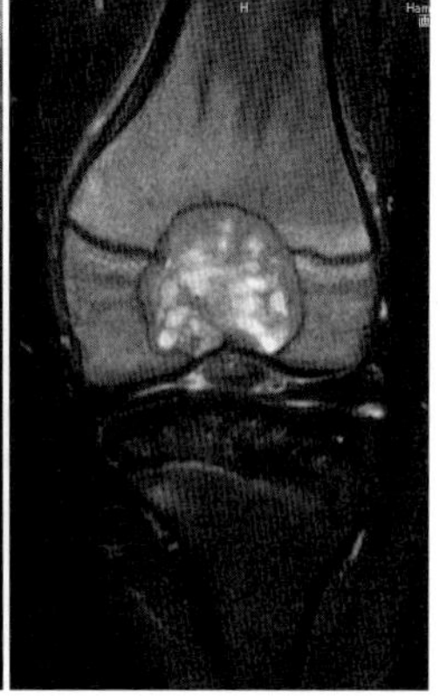

MRI T2 強調像（脂肪抑制）

問 4-8-39／図 2

問 4-8-40

化学療法に感受性の低い悪性骨腫瘍はどれか．2 つ選べ．

- a　悪性リンパ腫
- b　骨肉腫
- c　脊索腫
- d　軟骨肉腫
- e　Ewing 肉腫

問 4-8-41

癌骨転移の原発巣別の頻度が他に比較して低いのはどれか．

- a　胃癌
- b　肺癌
- c　腎癌
- d　乳癌
- e　前立腺癌

問 4-8-42

未分化多形肉腫（undifferentiated pleomorphic sarcoma）について正しいのはどれか．2 つ選べ．

- a　悪性線維性組織球腫（malignant fibrous histiocytoma：MFH）とは異なる腫瘍である．
- b　好発年齢は 20～30 歳台である．
- c　病理組織学的に「花むしろ模様」が特徴である．
- d　広範切除を行う．
- e　化学療法は行わない．

問 4-8-43

初診時，原発巣が不明な癌の骨転移患者について正しいのはどれか．2 つ選べ．

- a　もっとも多い原発巣は肺である．
- b　腎癌や甲状腺癌の骨転移は造骨性変化を

示すことが多い.

c 悪性リンパ腫は原発不明骨転移患者全体と比較し予後不良である.

d 受診時の全身状態(パフォーマンスステータス)は予後因子である.

e 問診, 身体診察, 血液検査, 全身CTで90%以上の原発巣が発見できる.

問 4-8-44

臨床検査値と疾患の関係で正しいのはどれか.

a 軟部肉腫でLDHの上昇はみられない.

b 腫瘍性骨軟化症ではFGF23が低値となる.

c 骨巨細胞腫では, TRACP-5bが低値となる.

d 未分化多形肉腫ではCRPの上昇はみられない.

e 悪性リンパ腫では可溶性インターロイキン2受容体(sIL2R)が上昇する.

問 4-8-45

悪性軟部腫瘍について正しいのはどれか. 2つ選べ.

a 滑膜肉腫は膝周囲に好発する.

b 胞巣状軟部肉腫は男性に多い.

c 未分化多形肉腫の5年生存率は20〜30%である.

d 悪性末梢神経鞘腫瘍は単発の神経鞘腫に続発する.

e 異型脂肪腫様腫瘍/高分化型脂肪肉腫は良悪性中間型に分類される.

問 4-8-46

55歳の女性. 半年前に大腿遠位後面に母指頭大の腫瘤を自覚した. 半年間で50 mm程度に増大したため, 近医を受診した. CTにて局所精査後, 局所麻酔下に切除術を受けた. 病理組織学的診断が低悪性度粘液線維肉腫であったため紹介受診した. 前医から取り寄せた病理組織診断報告書によると, 腫瘍は3つに分けて切除されており, 切除断端は肉眼的陽性であった. 当院受診時に施行した造影MRIでは, 残存腫瘍は確認されていない. また当院受診時に行った胸部CTでは肺転移所見はない. 前医受診時の局所CT(図1, 2)と, 当院受診時の局所肉眼所見(図3)を示す. もっとも適切な対応はどれか.

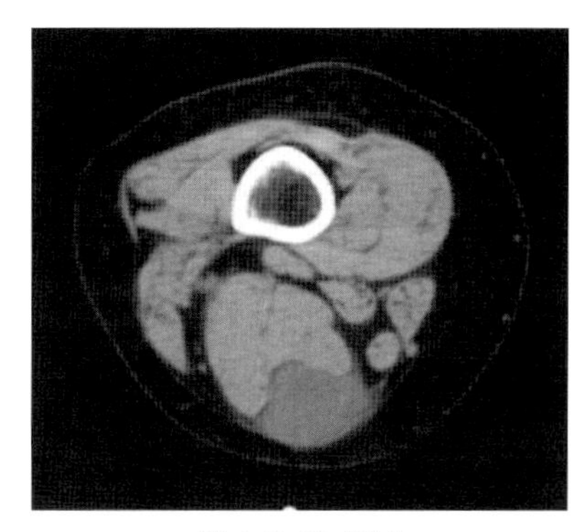

問 4-8-46/図1

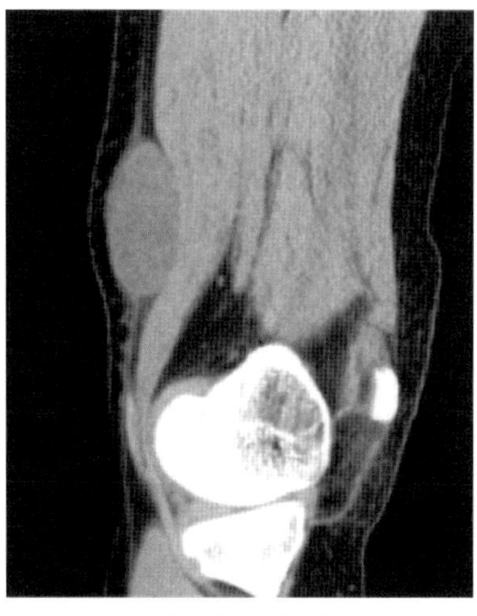

問 4-8-46/図2

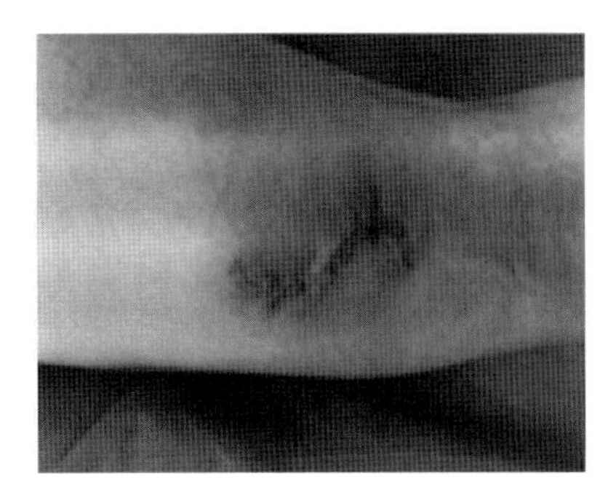

問 4-8-46／図 3

a　ただちに放射線照射を行う.

b　ただちに大腿切断術を行う.

c　肉眼的再発が確認された時点で広範切除を行う.

d　ただちに追加広範切除術と形成外科的再建術を行う.

e　MRI で再発が確認された時点で放射線照射を行う.

問 4-8-47

骨転移の治療における抗 RANKL 抗体やゾレドロン酸などの骨修飾薬について正しいのはどれか. 2 つ選べ.

a　高カルシウム血症をきたしやすい.

b　有害事象の 1 つに大腿骨頭壊死がある.

c　投与前に口腔内スクリーニングが必須である.

d　投与量は骨粗鬆症に対する投与量と同じである.

e　多くのがん種の骨転移における骨関連事象(SRE)の発生頻度を低下させる.

問 4-8-48

Duchenne 型筋ジストロフィーについて誤っているのはどれか.

a　伴性劣性遺伝である.

b　5 歳以前に発症する.

c　筋力低下は遠位筋群に強い.

d　血清アルドラーゼ値が著明に上昇する.

e　waddling gait(あひる歩行)が特徴的である.

問 4-8-49

疼痛を生じることが多い軟部腫瘍はどれか. 2 つ選べ.

a　血管腫

b　脂肪腫

c　グロームス腫瘍

d　腱滑膜巨細胞腫

e　デスモイド型線維腫症

問 4-8-50

腫瘍の切開生検について正しいのはどれか.

a　四肢では横切開を行う.

b　周囲の正常組織を十分に剥離する.

c　重要な神経・血管は展開し確認する.

d　筋層深部病変の切開生検では, 筋間を進入する.

e　骨内病変の切開生検では, 皮質骨を楕円形に開窓して進入する.

問 4-8-51

小児，AYA 世代(思春期，および若年成人)に好発する腫瘍はどれか．3つ選べ．

a 脱分化型脂肪肉腫
b 未分化多形肉腫
c Ewing 肉腫
d 横紋筋肉腫
e 滑膜肉腫

問 4-8-52

45歳の男性．6カ月前から右膝の歩行時痛を自覚していた．最近，疼痛の増強と可動域制限が出現した．右膝関節の単純X線写真側面像(図1)とMRIのT1強調矢状断像(図2)を示す．
もっとも考えられる疾患はどれか．

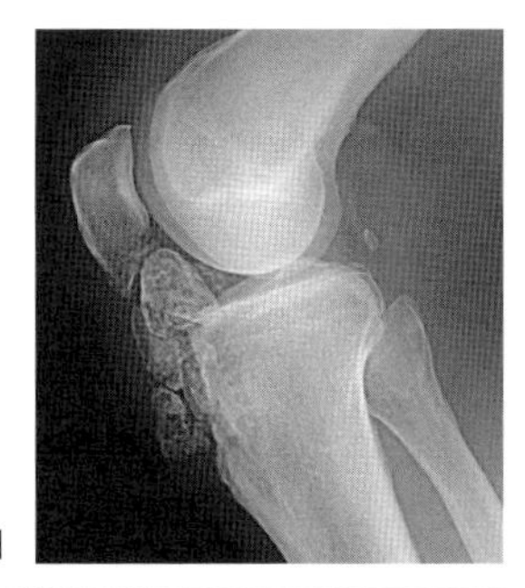

問 4-8-52／図1

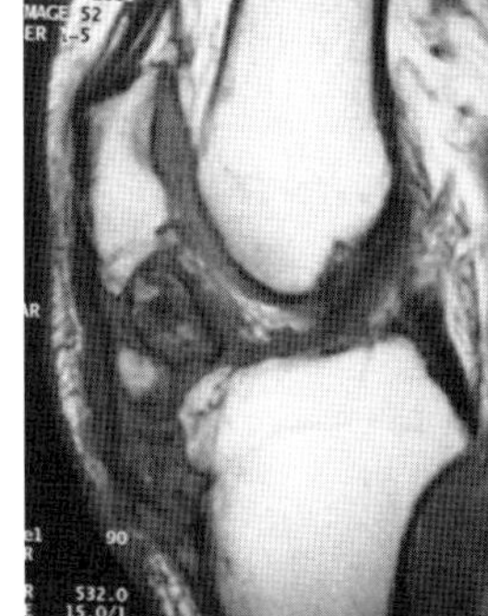

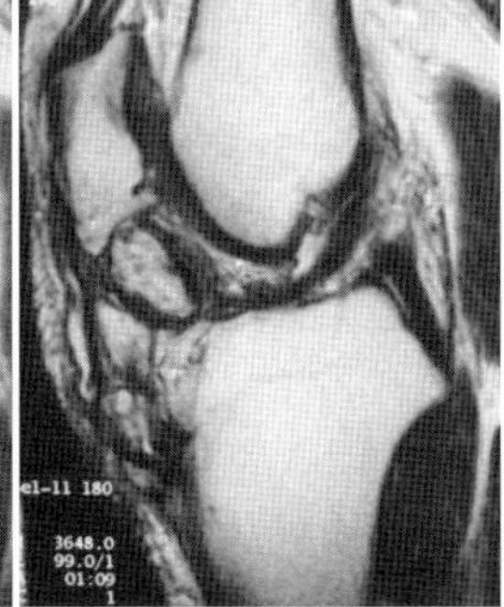

T1強調像　T2強調像

問 4-8-52／図2

a 滑膜性骨軟骨腫症
b 腱滑膜性巨細胞腫
c 樹枝状脂肪腫
d 痛風結節
e 血管腫

問 4-8-53

8歳の女児．運動会の後，左膝痛が出現したため受診した．左膝関節の単純X線にて大腿骨骨幹端内側に骨透亮像が見られた．左膝関節の単純X線像，CT，MRI T1強調水平断像(図1)を示す．
もっとも考えられる疾患はどれか．

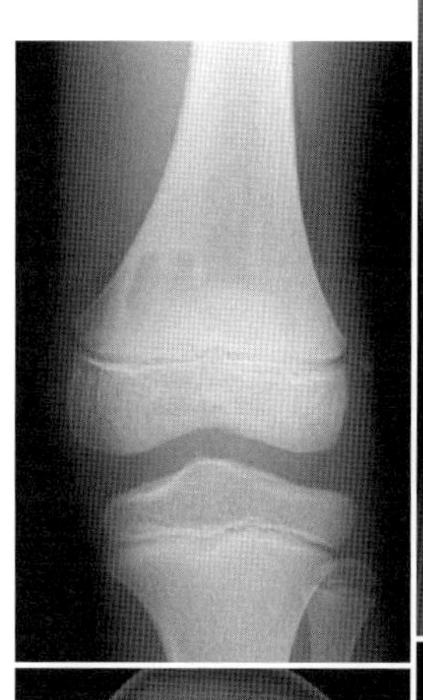

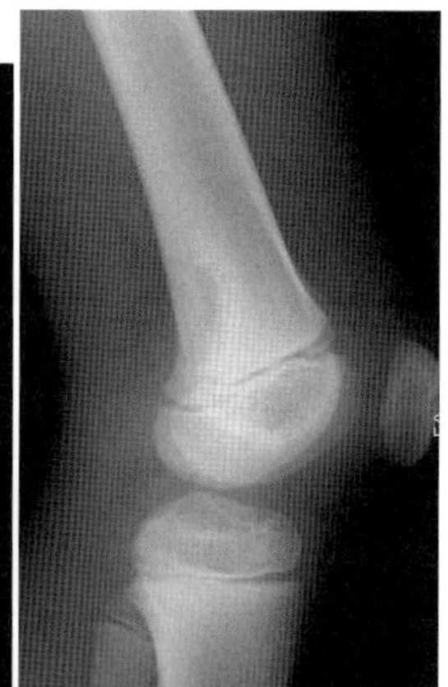

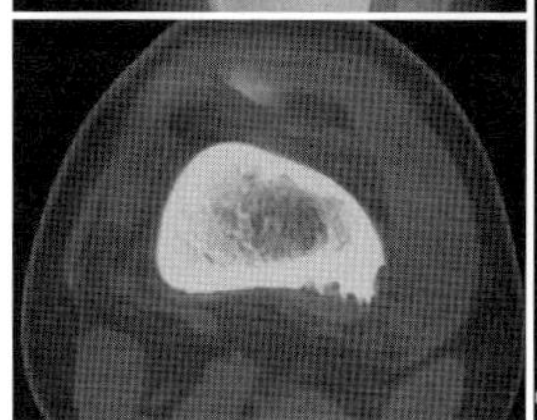

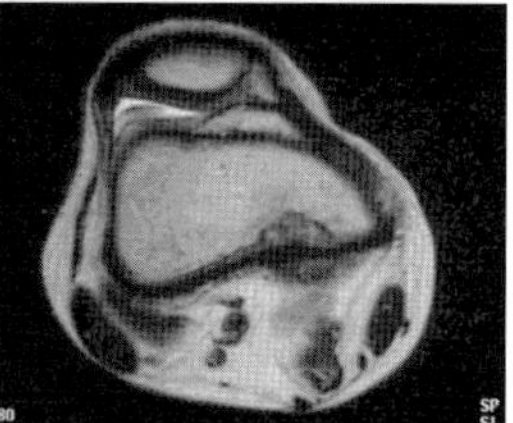

単純CT　MRI T2強調像

問 4-8-53／図1

a 骨肉腫
b 類骨骨腫
c 軟骨芽細胞腫
d 好酸球性肉芽腫

e 線維性骨皮質欠損

9 神経・筋疾患

□□□ A ▶ p. 139-154

問 4-9-1

Guillain-Barré 症候群について誤っているのはどれか.

a 四肢および呼吸筋や顔面筋の筋力低下がみられる.
b ウイルスの先行感染後に発症する.
c 髄液所見は蛋白細胞解離を呈する.
d 自律神経障害を伴う.
e 運動麻痺を残さない.

問 4-9-2

前脊髄動脈症候群について正しいのはどれか.

a 緩徐に発症する.
b 温痛覚障害を呈する.
c 脊髄の腹側 1/3 が障害される.
d 慢性進行性に脊髄症状をきたす.
e MRI で Gd-DTPA による髄内造影効果はみられない.

問 4-9-3

筋萎縮性側索硬化症について正しいのはどれか. 3 つ選べ.

a 四肢の腱反射が低下することが多い.
b 四肢筋に線維束攣縮がみられる.
c 感覚は障害されない.
d 舌の筋萎縮を伴う.
e 小児期に発症する.

問 4-9-4

糖尿病性ニューロパシーについて正しいのはどれか. 3 つ選べ.

a 重症糖尿病患者に高頻度に合併する.
b 手袋・靴下状の感覚障害が多い.
c 単神経障害は起こさない.
d 自律神経障害を起こす.
e 運動麻痺は起こさない.

問 4-9-5

多発性硬化症について正しいのはどれか.

a 男性に多い.
b 高齢発症が多い.
c 視力障害が生じる.
d 運動障害は生じない.
e 感覚障害は生じない.

問 4-9-6

Parkinson 病について正しいのはどれか. 2 つ選べ.

a 振戦は安静時にはみられない.
b 歩行障害は末期まで生じない.
c 立位時, 体幹は後傾する.
d 鉛管現象がみられる.
e 自律神経症状を伴う.

問 4-9-7

Duchenne 型・Becker 型筋ジストロフィーについて正しいのはどれか．3つ選べ．

a 女児には発症しない．
b ミオシン遺伝子の異常が原因である．
c 筋生検では筋線維の大小不同を認める．
d Duchenne 型に比較し Becker 型が軽症である．
e Duchenne 型に比較し Becker 型の頻度が高い．

問 4-9-8

Duchenne 型筋ジストロフィーについて誤っているのはどれか．

a Gowers 徴候を呈する．
b 腓腹筋に仮性肥大が出現する．
c 乳幼児期の運動発達は正常である．
d 筋は経過により徐々に線維化をきたす．
e 心電図検査で異常を認めることが多い．

問 4-9-9

筋萎縮が近位筋優位に始まる疾患はどれか．

a Duchenne 型筋ジストロフィー
b Charcot-Marie-Tooth 病
c 筋緊張性ジストロフィー
d 脊髄空洞症
e 多発性神経炎

問 4-9-10

筋緊張性ジストロフィーについて誤っているのはどれか．

a 幼児期に発症する．
b 前頭部に脱毛がみられる．
c 常染色体優性遺伝である．
d 筋力低下は遠位筋に優位である．
e 筋電図では急降下爆撃音が特徴である．

問 4-9-11

重症筋無力症について誤っているのはどれか．

a 朝に症状が強い．
b 自己免疫疾患である．
c 胸腺の異常を高率に合併する．
d 反復動作で症状が増強する．
e 末梢神経反復刺激試験で漸減現象がみられる．

問 4-9-12

末梢神経損傷の分類について正しいのはどれか．2つ選べ．

a 神経断裂は Sunderland 分類の 1 度損傷に相等する．
b 一過性神経伝導障害は自然回復を期待できる予後のよい麻痺である．
c Sunderland 分類の 2 度損傷は過誤神経支配を生じることなく回復する．
d Sunderland 分類の 3 度損傷は神経内膜，神経周膜ともに損傷されている．
e Sunderland 分類の 4 度損傷は神経上膜が保たれており，保存療法の適応である．

問 4-9-13

Seddon 分類に基づく末梢神経損傷について正しいのはどれか.

a　軸索断裂では神経上膜の断裂が確認できる.
b　一過性神経伝導障害では髄鞘と軸索に異常を認める.
c　軸索断裂後では Tinel 徴候が遠位に移動することが回復と関係する.
d　神経断裂で修復を行えば再生軸索は元来の終末目的器官に到達する.
e　一過性神経伝導障害では，麻痺筋は神経筋接合部までの距離の順に回復する.

問 4-9-14

末梢神経断裂後の変化について正しいのはどれか．2つ選べ.

a　軸索断裂後には神経細胞体の肥大が起こる.
b　神経断裂後の回復において神経支配の順番に関係なく回復する.
c　軸索近位断端から軸索1本につき1つの再生軸索の発芽が認められる.
d　Waller 変性において，Schwann 細胞は形態を維持して軸索再生を助ける.
e　再生軸索が発芽して Büngner 帯に届くまでにかかる時間が初期遅延である.

問 4-9-15

神経電気生理学的検査の意義・解釈について正しいのはどれか．2つ選べ.

a　神経伝導速度の遅延は脱髄の程度を反映する.
b　針筋電図検査で安静時の陽性鋭波は正常所見である.
c　運動神経伝導速度が正常であれば，神経障害はないと判断する.
d　運動神経伝導検査で M 波が多相性となるものを時間的分散という.
e　針筋電図検査は末梢神経損傷直後に支配筋の脱神経所見を確認する検査である.

問 4-9-16

神経修復術について正しいのはどれか．2つ選べ.

a　神経損傷から神経修復術までの期間は，術後成績に影響する.
b　患者の年齢は高齢ほど神経修復術の術後成績が良好である.
c　神経縫合の際，断端は緊張を加えて縫合するのがよい.
d　神経縫合の際，神経断端の強い圧着は神経再生を促す.
e　神経断裂数日後の遠位神経内では，Schwann 細胞は分裂・増殖する.

問 4-9-17

神経に対する手術について正しいのはどれか．3つ選べ.

a　神経断裂の陳旧例では，神経断端の新鮮化を行って縫合する.
b　現在用いられている人工神経は，軸索再生を誘導する治療である.
c　鋭利な刃物による清潔な創では，断裂した神経は二次的に縫合する.

d 神経移植で太さが足りない場合，神経を束にしたケーブル移植を行う．

e 神経幹を一塊として周囲の瘢痕から剥離することを神経内剥離という．

問 4-9-18

正しい組み合わせはどれか．2つ選べ．

a Meissner 小体——温度覚の受容器

b Ruffini 終末——軟骨内の圧受容器

c Merkel 終盤——筋・腱の伸張受容器

d 自由神経終末——痛覚・温度覚の受容器

e Pacini 小体——動的触覚・振動覚の受容器

問 4-9-19

副神経麻痺について正しいのはどれか．3つ選べ．

a 翼状肩甲が出現する．

b 肩関節の外転障害が出現する．

c 原因は医原性であることが多い．

d 腕神経叢麻痺を伴って発症しやすい．

e 胸鎖乳突筋の麻痺が問題になりやすい．

問 4-9-20

絞扼性神経障害と考えられているのはどれか．2つ選べ．

a 区画症候群

b 絞扼輪症候群

c Guyon 管症候群

d 胸郭出口症候群

e 挫滅(圧挫)症候群

問 4-9-21

前骨間神経麻痺について正しいのはどれか．2つ選べ．

a 前腕部の疼痛，正中神経領域のしびれを主体とする疾患である．

b 母指 IP 関節と示指 DIP 関節の自動屈曲障害を示す．

c ほとんどの症例で母指球筋の萎縮がみられる．

d 手関節掌側部に Tinel 徴候がみられる．

e 多くは6～12カ月後に自然回復する．

問 4-9-22

手根管症候群の原因として可能性が低いのはどれか．

a 妊娠

b 透析

c 手作業労働

d Kienböck 病

e 手舟状骨偽関節

問 4-9-23

手根管症候群について正しいのはどれか．2つ選べ．

a 保存療法に抵抗性である

b 母指の対立運動は障害される．

c 母指・示指の屈曲は障害される．

d 正中神経反回枝は神経本幹の尺側から分岐することが多い．

e 正中神経の運動神経終末潜時が4.5 msec 以上に遅延すれば，本疾患の可能性が高い．

問 4-9-24

Guyon 管症候群について正しいのはどれか．2つ選べ．

a 手内筋の運動麻痺は生じない．
b 大部分は保存療法で軽快する．
c Guyon 管は，橈側の有鉤骨鉤と尺側の豆状骨の間に位置する．
d 長期間のサイクリングにおけるハンドルによる圧迫は原因になる．
e 運動神経伝導速度を測定する場合，小指外転筋を選択するのがよい．

問 4-9-25

小指と環指尺側半分の感覚鈍麻，背側骨間筋の萎縮がある．考えられる疾患はどれか．2つ選べ．

a 回内筋症候群
b 手根管症候群
c 肘部管症候群
d Guyon 管症候群
e 後骨間神経麻痺

問 4-9-26

正中神経支配の筋はどれか．2つ選べ．

a 小指外転筋
b 第 2 虫様筋
c 母指内転筋
d 小指の浅指屈筋
e 第 1 背側骨間筋

問 4-9-27

橈骨神経麻痺について正しいのはどれか．2つ選べ．

a 骨折に伴う橈骨神経麻痺は緊急手術の適応である．
b 上腕中央部での橈骨神経本幹の障害では下垂手を呈する．
c 回外筋入口部の腱性組織は絞扼性橈骨神経障害の原因となる．
d 典型的な後骨間神経麻痺では母指・示指の屈曲障害から祈祷肢位を呈する．
e 上腕中央部での橈骨神経損傷で，最初に回復するのは総指伸筋である．

問 4-9-28

前腕遠位部における橈骨神経浅枝障害について誤っているのはどれか．2つ選べ．

a 長母指伸筋の麻痺を生じる．
b Tinel 徴候は診断に有用である．
c 母指・示指間にしびれや痛みを生じる．
d 運動神経伝導速度検査は診断に有用である．
e 前腕遠位部橈側の外傷や手術が原因となることが多い．

問 4-9-29

肘における尺骨神経圧迫障害の一般的な原因はどれか．2つ選べ．

a 変形性肘関節症
b 上腕骨外側上顆炎
c 先天性近位橈尺関節癒合症
d 陳旧性 Monteggia 脱臼骨折

e　上腕骨外側顆偽関節後の外反肘

問 4-9-30

骨折や脱臼に伴う神経麻痺として関連の深いものはどれか．2つ選べ．

a　肩関節脱臼――腋窩神経麻痺
b　上腕骨骨折――橈骨神経麻痺
c　肘関節脱臼――筋皮神経麻痺
d　手の舟状骨骨折――正中神経麻痺
e　尺骨遠位 1/3 の骨折――尺骨神経麻痺

問 4-9-31

足根管症候群について正しいのはどれか．2つ選べ．

a　筋力低下を自覚することが多い
b　足底神経は，運動神経を含んでいない．
c　原因としてはガングリオンによる圧迫が多い．
d　脛骨神経は，足根管で踵骨枝，内・外側足底神経に分かれる．
e　脛骨神経は，後脛骨筋腱，長母趾伸筋腱，長趾伸筋腱とともに足根管を通る．

問 4-9-32

Morton 病について正しいのはどれか．2つ選べ．

a　中年以降の男性に多い．
b　第 4・5 趾間に生じることが多い．
c　趾神経に偽神経腫を形成する．
d　足趾に運動麻痺を生じる．
e　神経ブロックが有効である．

問 4-9-33

腓骨神経麻痺について正しいのはどれか．2つ選べ．

a　深腓骨神経単独麻痺は，下垂足になる．
b　受傷機転にかかわらず予後は不良である．
c　浅腓骨神経単独麻痺は，足部の内反をきたす．
d　もっとも障害を受けやすい部位は，脛骨神経との分岐部である．
e　もっとも頻度が高い原因は，ガングリオンなどの腫瘤による圧迫である．

問 4-9-34

感覚異常性大腿痛について正しいのはどれか．3つ選べ．

a　大腿外側皮神経は L5 神経根由来である．
b　大腿外側皮神経が鼡径靱帯の下で絞扼される．
c　大腿外側皮神経は感覚神経と運動神経を含んでいる．
d　腹臥位手術時の架台による圧迫は発症の誘因となる．
e　手術療法の 1 つに，鼡径靱帯を切断して神経を剥離する方法がある．

問 4-9-35

正しい組み合わせはどれか．2つ選べ．

a　Morton 病――腓腹神経
b　梨状筋症候群――坐骨神経
c　足根管症候群――腓骨神経
d　Hunter 管症候群――伏在神経
e　感覚異常性大腿痛――上殿神経

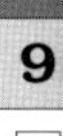

問 4-9-36

腋窩神経麻痺について正しいのはどれか．3つ選べ．

a 単独麻痺例は緊急手術の適応である．
b 単独損傷は肩関節脱臼に伴って発生することが多い．
c 腋窩神経が断裂すると肩関節外側の感覚麻痺が生じる．
d もっとも多い受傷機序は外傷による神経の牽引である．
e 腋窩神経が断裂すると肩の外転・屈曲はまったくできない．

問 4-9-37

腕神経叢損傷について正しいのはどれか．3つ選べ．

a 頚椎横突起骨折は高エネルギー損傷を示す．
b 横隔神経は主にC6神経根より支配を受けている．
c もっとも多い原因は，オートバイによる交通事故である．
d Horner徴候の存在は，C5とC6神経根の引き抜き損傷を意味する．
e 引き抜き損傷では，支配領域にヒスタミンを皮下注射すると，その部位に発赤・腫脹を生じる．

問 4-9-38

腕神経叢損傷について正しいのはどれか．2つ選べ．

a 分娩麻痺は自然回復することが多い．
b Erb-Duchenne型麻痺では，手指の麻痺が主である．
c 体性感覚誘発電位により神経の連続性を調べる方法は信頼性が高い．
d 引き抜き損傷が疑われたら，手術によって直視下に根糸を縫合する．
e 神経根部以遠の節後損傷では，手術による神経修復効果は期待できない．

問 4-9-39

頚部での神経根引き抜き損傷について正しいのはどれか．3つ選べ．

a 患側上肢には，発汗障害など交感神経の機能障害がない．
b 感覚脱失野を電気刺激しても感覚神経活動電位は導出できない．
c 受傷後できるだけ早期に神経縫合することが良好な予後につながる．
d 神経根が頚髄から引きちぎられ，硬膜外に引き抜かれたものをいう．
e 脊髄造影で，硬膜からの造影剤の漏出や硬膜の嚢腫状陰影が認められる．

問 4-9-40

C5・C6神経根完全損傷の際の肘屈曲再建に用いられる筋はどれか．3つ選べ．

a 肩甲挙筋
b 広背筋
c 上腕三頭筋
d 前腕屈曲回内筋群
e 僧帽筋

問 4-9-41

C5・C6 神経根完全損傷で障害される筋はどれか．3つ選べ．

a 横隔膜
b 棘上筋
c 上腕二頭筋
d 前鋸筋
e 僧帽筋

問 4-9-42

複合性局所疼痛症候群の診断基準(IASP, 2005)の項目にないのはどれか．

a 骨萎縮
b 感覚異常
c 血管運動異常
d 浮腫・発汗異常
e 運動異常・神経性変化

問 4-9-43

複合性局所疼痛症候群について正しいのはどれか．

a 発症メカニズムは解明されていない．
b 侵害受容性疼痛に分類される．
c 皮膚温の変化は生じない．
d 心理療法は無効である．
e 内科的疾患に続発しない．

問 4-9-44

脳卒中患者でみられる症状の組み合わせで正しいのはどれか．2つ選べ．

a 右前頭葉脳梗塞――左半側空間無視
b 尖足拘縮――反張膝
c 痙縮――肩関節亜脱臼
d 右後頭葉梗塞――失語症
e 小脳梗塞――測定障害

問 4-9-45

糖尿病に伴う末梢神経障害について正しいのはどれか．2つ選べ．

a 顔面神経麻痺は生じない．
b 虚血性軸索障害が特徴である．
c 近位部優位の感覚障害を認める．
d 重症糖尿病患者に高頻度に合併する．
e 発症早期にはアキレス腱反射は消失しない．

問 4-9-46

筋萎縮性側索硬化症に認められる所見はどれか．3つ選べ．

a 感覚障害
b 構音障害
c 線維束性収縮
d Babinski 反射
e 膀胱直腸障害

問 4-9-47

Parkinson 病について正しいのはどれか．2つ選べ．

a 仮面様顔貌を呈する．
b 自律神経症状を伴う．
c 立位時，体幹は後傾する．
d 振戦は安静時にみられない．
e 歩行障害は末期まで生じない．

問 4-9-48

多発性硬化症について誤っているのはどれか．

a 中年男性に多い．
b 自己免疫性疾患である．
c 神経症状が寛解と再発を繰り返す．
d 中枢神経系に多巣性の脱髄巣が生じる．
e 急性増悪期には副腎皮質ステロイドが有効である．

10 ロコモティブシンドローム

□□□ A ▶ p. 154–156

問 4-10-1

ロコモティブシンドローム（ロコモ）について正しいのはどれか．3つ選べ．

a 運動器不安定症と同義である．
b 介護において要支援の原因としてもっとも多い．
c 運動器の障害のため移動機能の低下をきたした状態をさす．
d 予備群を含めると国内で約1,000万人にロコモの危険性がある．
e ロコチェックは，ロコモの疑いがあるかどうかを患者自身が確認できる方法である．

問 4-10-2

ロコモーショントレーニングとして推奨されているのはどれか．2つ選べ．

a 開眼片脚立ち
b Codman 体操
c ジョギング
d スクワット
e 腹筋運動

問 4-10-3

がん患者の運動器管理について誤っているのはどれか．

a がん患者にもロコモティブシンドロームは発生する．
b 転移性骨腫瘍の治療方針は患者の生命予後を考慮する．
c がん患者のADL改善には整形外科医の関わりが重要である．
d がん患者に運動器疼痛が発症した場合，転移性骨腫瘍を念頭に置く．
e がん患者の運動器疼痛に対する治療はオピオイドが第1選択である．

問 4-10-4

「健康日本21（第二次）」のロコモ認知度について，2018年度と目標値（2022年）の組み合わせで正しいのはどれか．

a 8.7％（2018年）——70％（2022年）

b　17.3%(2018年)——80%(2022年)
c　17.3%(2018年)——90%(2022年)
d　48.1%(2018年)——80%(2022年)
e　48.1%(2018年)——90%(2022年)

問4-10-5

平成25年度に要支援と要介護が必要となった原因とその割合の組み合わせで正しいのはどれか.

a　脳卒中——15.8%
b　認知症——18.5%
c　心疾患——13.4%
d　運動器疾患——25%
e　高齢による衰弱——4.5%

問4-10-6

ロコモ度テストの結果とロコモ度判定との組み合わせで正しいのはどれか. 3つ選べ.

a　2ステップテスト：1.4——ロコモではない
b　2ステップテスト：1.2——ロコモ度2
c　立ち上がりテスト：片脚40 cm(どちらか一方の脚で30 cmの高さから立ち上がれない)——ロコモ度1
d　立ち上がりテスト：両脚30 cm(両脚で20 cmの高さから立ち上がれない)——ロコモ度2
e　ロコモ25：15点——ロコモ度1

問4-10-7

ロコモ度テストについて正しいのはどれか. 3つ選べ.

a　2ステップ値は, 最大2歩幅を身長で除した値である.
b　2ステップテストは, 歩行速度と相関する.
c　立ち上がりテストでは, 主に下腿三頭筋力を評価する.
d　ロコモ25は, 運動器の痛みと日常生活動作の困難さに関する質問からなる.
e　ロコモ25は, 点数が低いほどADL障害が大きい.

問4-10-8

ロコモ度の判定に用いるのはどれか. 3つ選べ.

a　ロコモ25
b　片脚起立時間
c　2ステップテスト
d　立ち上がりテスト
e　3 m timed up and go(TUG)テスト

疾患各論

5 疾患各論

1 肩関節

□□□ A ▶ p. 158-163

問 5-1-1

他医で1年前に反復性肩関節前方脱臼に対して鏡視下手術を受けた患者が，肩の痛みを訴えて受診した．まず鑑別すべき病態はどれか．3つ選べ．

a 不安定性の再発
b 縫合固定材料の関節内脱転
c 変形性関節症
d 腋窩神経麻痺
e 上腕骨頭無腐性壊死

問 5-1-2

胸郭出口部の正常解剖で，前斜角筋と中斜角筋の間を通過するのはどれか．2つ選べ．

a 鎖骨下動脈
b 鎖骨下静脈
c 椎骨動脈
d 椎骨静脈
e 腕神経叢

問 5-1-3

胸郭出口症候群の自覚症状として頻度が高いのはどれか．3つ選べ．

a 頭痛
b 母指・示指・中指のしびれ
c 肩こり
d 上肢のだるさ
e 上肢の痛み

問 5-1-4

胸郭出口症候群の診断テストについて，正しい組み合わせはどれか．

a Morley テスト――肩を 90° 外転・外旋位とし，肘を 90° 屈曲させる．
b Wright テスト――頚椎伸展位で，疼痛側に頭部を回旋させる．
c Eden テスト――鎖骨上窩で腕神経叢を圧迫する．
d Adson テスト――胸を張り，両肩を後下方に引く．
e Roos テスト――肩を 90° 外転・外旋位で，手指の屈伸運動を行わせる．

問 5-1-5

肩石灰化(性)腱炎について正しいのはどれか．2つ選べ．

a 慢性例ではインピンジメント徴候が陽性になる場合も多い．
b 急性のものは激烈な疼痛がある．
c 多くの症例は保存療法が無効である．
d 高齢者ほど発症頻度が高い．
e 沈着物質はピロリン酸カルシウムである．

問 5-1-6

上腕二頭筋長頭腱断裂について正しいのはどれか．

a 筋腱の膨隆が正常より近位へ移動する．
b 疼痛は肩から上腕近位の前面にあり，慢性化する．
c 不全断裂では結節間溝付近の痛みが生じる．
d 手術適応となることが多い．
e 手術では，腱の断端同士を引き出して縫合する．

問 5-1-7

凍結肩について誤っているのはどれか．

a 40～60 歳台に多い．
b MRI T2 強調像で腱板の不連続性が特徴である．
c 生活指導，温熱療法，運動療法が治療の主体である．
d 保存療法としてヒアルロン酸の関節内注射がある．
e 難治例の手術療法として鏡視下関節包切離術がある．

問 5-1-8

腱板断裂について正しいのはどれか．

a 4つの腱板構成筋のうちもっとも断裂しやすいのは棘下筋である．
b 80 歳台では 10 人に 1 人の割合で腱板断裂が存在する．
c 腱板断裂が存在しても症状を呈さない無症候性断裂の頻度は低い．
d 若年者に生じる腱板断裂の多くは，スポーツ活動の1回の大きい外力で生じる．
e 不全断裂には関節面断裂，腱内断裂，滑液包面断裂に分けられる．

問 5-1-9

腱板断裂の画像所見について誤っているのはどれか．2つ選べ．

a 単純 X 線正面像で大結節部に石灰沈着がある．
b 単純 X 線正面像では大断裂が長期に存在すると，肩峰骨頭間距離が減少する．
c 超音波断層検査では長軸像で腱板陰影の不連続性となる．
d MRI T2 強調斜位冠状断像で腱板に高輝度領域がある．
e MRI T2 強調斜位冠状断像で腱板付着部に肥厚がある．

問 5-1-10

腱板断裂の手術適応について正しいのはどれか.

a　広範囲断裂は手術の絶対的適応である.
b　肩関節の挙上が可能でも，疼痛が強い場合は手術適応となる.
c　高齢者には手術適応がない.
d　不全断裂には手術適応がない.
e　神経麻痺を伴う例には手術適応がない.

問 5-1-11

肩峰下インピンジメント症候群について誤っているのはどれか.

a　上肢を肩の高さより高い位置で使用したときの運動痛が特徴である.
b　有痛弧徴候は代表的所見である.
c　Neer の手技では，肩甲骨を押さえながら内旋位にした上肢を他動的に屈曲(前方挙上)すると痛みが誘発される.
d　Hawkins の手技では，肩甲骨を押さえながら約 90° 屈曲した上肢を他動的に外旋させると痛みが誘発される.
e　棘上筋と肩峰下滑液包が肩峰または烏口肩峰靱帯に押しつけられ，疼痛が発生する.

問 5-1-12

動揺性肩関節(ルースショルダー)について正しいのはどれか．2 つ選べ.

a　20〜30 歳台の男性に多い.
b　肩関節を構成する骨や肩甲帯筋に異常がある.
c　sulcus sign が陽性である.
d　症状のない例でも治療が必要である.
e　保存療法として筋力強化訓練や装具療法がある.

問 5-1-13

反復性肩関節前方脱臼に認められる所見として誤っているのはどれか.

a　前方関節唇剥離
b　前下関節上腕靱帯断裂
c　関節窩縁骨折
d　上腕骨頭後外側陥没骨折
e　烏口突起骨折

問 5-1-14

反復性肩関節前方脱臼の手術法として誤っているのはどれか.

a　鏡視下 Bankart 法
b　Latarjet 法
c　Putti-Platt 法
d　Kocher 法
e　Bristow 法

問 5-1-15

肩甲骨高位症について誤っているのはどれか．2 つ選べ.

a　発生原因として，胎生期の肩甲骨の下降障害が挙げられている.
b　両側性に発症することはない.
c　肩甲骨上角と頚椎との間に異常な結合がある.

d 先天異常の合併は通常ない.
e 肩関節外転が制限される.

問 5-1-16

肩甲骨高位症について正しいのはどれか. 3つ選べ.

a 外見上頸部が長くみえる.
b 患側肩甲骨は健側より大きい.
c 合併先天異常が多くみられる.
d 外転制限が強い場合は手術の対象である.
e 術後合併症として腕神経叢麻痺がある.

問 5-1-17

主に肩の外旋作用を有する筋はどれか. 2つ選べ.

a 三角筋
b 棘上筋
c 棘下筋
d 小円筋
e 大円筋

問 5-1-18

69歳の男性. 半年前に1mの脚立から転落し右手をついて右肩痛が出現した. 右肩のMRI T2強調斜位冠状断像(図1)とT2強調脂肪抑制水平断像(図2)を示す.
次の診断手技のうち, この患者で陽性になる可能性が低いのはどれか. 2つ選べ.

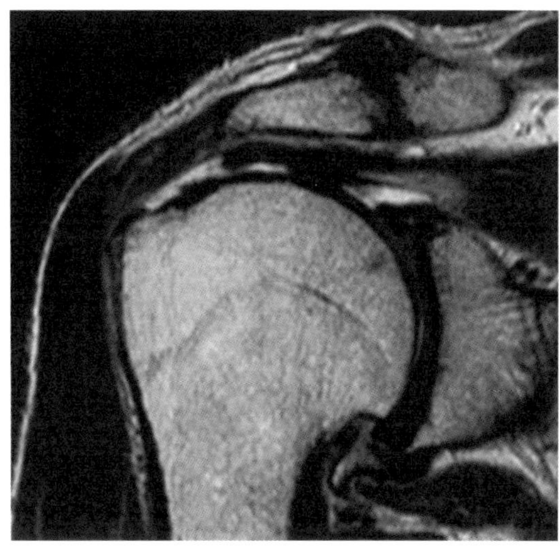

問 5-1-18／図1 T2強調斜位冠状断

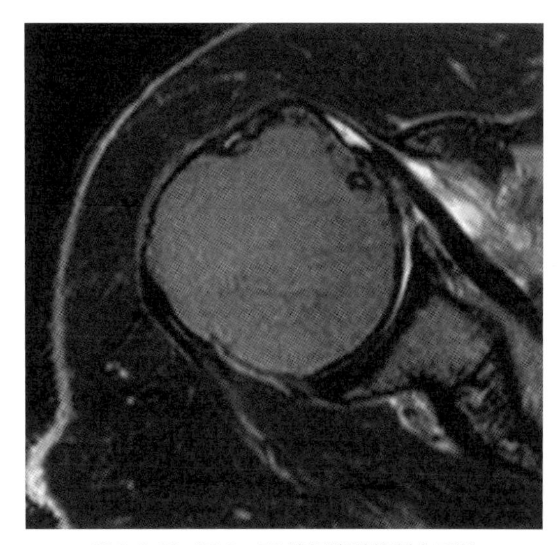

問 5-1-18／図2 T2強調脂肪抑制水平断

a Adson テスト
b belly press テスト
c 棘上筋テスト
d lift-off テスト
e Morley テスト

問 5-1-19

肩甲骨高位症について正しいのはどれか．2つ選べ．

a 外見上，頚部が長くみえる．
b 肩関節の外転が制限される．
c 患側肩甲骨は健側より小さい．
d 通常，他の先天異常は合併しない．
e 肩甲骨下角と胸椎の間に異常な結合がある．

問 5-1-20

腱板断裂について正しいのはどれか．3つ選べ．

a 年齢とともに有病率が高くなる．
b 肩甲下筋腱断裂がもっとも高頻度にみられる．
c 棘下筋腱が断裂すると lift-off テストが陽性になる．
d 中高年者の変性断裂の約7割は保存的に症状が軽快する．
e 偽性麻痺を伴う高齢者の腱板断裂性関節症は反転型人工肩関節置換術のよい適応である．

問 5-1-21

上腕二頭筋長頭腱完全断裂について正しいのはどれか．2つ選べ．

a 多くは腱板断裂に合併する．
b 肘屈曲筋力が40％程度低下する．
c 筋腹の膨隆が近位方向に移動する．
d 痛みは通常3週間程度で軽快する．
e 手術では腱の断端同士を縫合する．

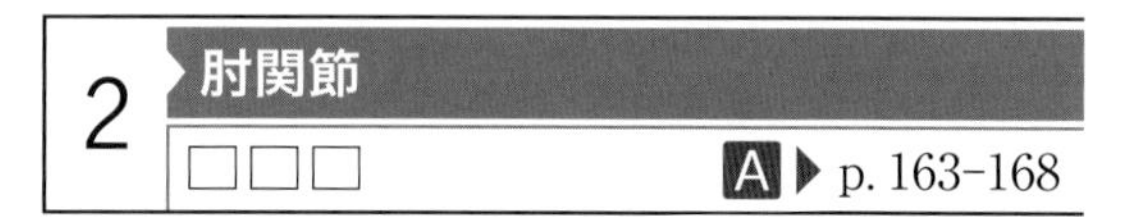

p. 163-168

問 5-2-1

肘関節鏡について正しいのはどれか．3つ選べ．

a 通常1.9 mm 径の関節鏡が用いられる．
b 前外側穿刺は肘関節を伸展位にして作製する．
c 上腕骨小頭の離断性骨軟骨炎の評価と治療に有用である．
d 遊離体の診断に鈎突窩，橈骨窩，肘頭窩の軟部組織の検索が重要である．
e 仰臥位，側臥位，腹臥位のいずれでも施行することができる．

問 5-2-2

肘関節について正しいのはどれか．2つ選べ．

a 腕橈関節は車軸関節である．
b 近位橈尺関節は球状関節である．
c 橈骨の長軸は上腕骨小頭の中心を通る．
d 上腕二頭筋は強い回外作用をもつ．
e 上腕筋は強い回内作用をもつ．

問 5-2-3

肘関節の靱帯について正しいのはどれか．2つ選べ．

a 内側側副靱帯は上腕骨内側上顆に起始し，橈骨に停止する．
b 内側側副靱帯は肘関節の内反や前後方向の動揺性を防いでいる．
c 外側側副靱帯は上腕骨外側上顆に起始し，尺骨と輪状靱帯に停止する．
d 外側側副靱帯は肘関節の外反や前腕の過外旋を防いでいる．
e 輪状靱帯は橈骨頭を尺骨につなぎ止める．

問 5-2-4

肘部管症候群の神経所見として誤っているのはどれか．

a 環小指のみに鉤爪変形が生じる．
b 母指と示指で紙をつまんで引っぱると母指 MP 関節が屈曲する．
c 指交差テストが陽性となる．
d 肘部管での Tinel 様徴候が陽性である．
e 肘屈曲テストが陽性である．

問 5-2-5

Panner病について正しいのはどれか．2つ選べ．

a 男児の罹患率が高い．
b 8～10 歳に生じることが多い．
c 予後は悪く障害を残しやすい．
d 上腕骨小頭の部分的な無腐性骨壊死である．
e 野球肘による離断性骨軟骨炎との関連が深い．

問 5-2-6

変形性肘関節症について誤っているのはどれか．

a 腕橈関節に比べ，腕尺関節，橈尺関節は軟骨障害の発生頻度が高い．
b 荷重関節である脊椎や股・膝関節に比較すると変形性関節症の発生頻度は低い．
c 本症では屈曲制限に比べて伸展制限による機能障害は少ない．
d 屈曲制限の原因は，鉤状突起の肥厚・骨棘形成，鉤状突起窩の骨棘形成などである．
e 関節形成術の内容は骨棘切除，遊離体摘出などである．

問 5-2-7

肘関節拘縮について誤っているのはどれか．2つ選べ．

a 骨折や脱臼などの外傷に続発するものが多い．
b 原因が関節内のものは関節外のものより予後が悪い．
c 小児は強力な他動運動により改善が得られやすい．
d 異所性骨化によるものは早期の骨化除去にて改善する．
e 成人例では肩関節拘縮にも注意を要する．

問 5-2-8

上腕骨外側上顆炎について誤っているのはどれか．2つ選べ．

a　ゴルフ肘と呼ばれる．
b　多くの場合，保存療法は無効である．
c　腱付着部症と考えられている．
d　肘関節鏡視下手術が有効な場合がある．
e　Thomsen テストが陽性である．

問 5-2-9

内反肘について正しいのはどれか．2つ選べ．

a　上腕骨外側顆骨折に合併する．
b　上腕骨顆上骨折後のものでは遠位骨片が内反のみならず内旋・過伸展する．
c　上腕骨顆上骨折後のものでは肘の屈曲制限がみられる．
d　遅発性尺骨神経麻痺を発症することはない．
e　内反のみを矯正する骨切り術を行う．

問 5-2-10

骨化性筋炎について正しいのはどれか．3つ選べ．

a　筋肉の出血が基盤となって骨化が発生することが多い．
b　肘関節にもっとも多く，次いで膝・肩・股関節に多い．
c　外傷後の関節拘縮に対する過度な運動療法により発症しやすい．
d　関節近傍に生じるが，疼痛を伴うことはない．
e　骨化早期に摘出術を行うことが重要である．

問 5-2-11

人工肘関節全置換術の適応とならないのはどれか．2つ選べ．

a　高度の変形性肘関節症
b　stage Ⅰの関節リウマチ
c　結核性肘関節炎
d　関節リウマチのムチランス変形
e　強直した肘関節

問 5-2-12

肘頭滑液包炎について正しいのはどれか．3つ選べ．

a　肘をついて行う作業が原因となる．
b　痛風結節を合併する．
c　肘頭部の皮下に波動を触れる．
d　感染例の穿刺液は黄色漿液性である．
e　慢性滑液包炎では，摘出術後の皮膚の血流障害はない．

問 5-2-13

肘関節周囲の神経の走行に関して正しいのはどれか．2つ選べ．

a　橈骨神経浅枝は腕橈骨筋の内側を通過する．
b　後骨間神経は円回内筋のレベルで正中神経から分岐する．
c　正中神経は上腕二頭筋腱の尺側を通過する．
d　前骨間神経は回外筋の浅層と深層の間を

通過する.

e 尺骨神経は尺側手根伸筋の両頭間を通過する.

問 5-2-14

肘内障について正しいのはどれか. 2つ選べ.

a 手を引っぱられて生じる.
b 肘関節外側に腫脹を認める.
c 肩の外転は容易である.
d 自然整復はされない.
e 徒手整復は前腕を回外しながら整復する.

問 5-2-15

内側型野球肘について正しいのはどれか. 2つ選べ.

a 関節ねずみが生じる.
b 内側上顆骨端離開が生じる.
c 肘頭骨端線閉鎖遅延が生じる.
d 変形性肘関節症に移行しやすい.
e 内側上顆下端の裂離骨折が生じる.

問 5-2-16

20歳の女性. 3カ月前に左手指の伸展ができなくなった. 前医を受診, 神経麻痺と診断され, 当院を紹介され受診した. 指の伸展は不可能であるが, 屈曲は可能であった. その後も回復傾向がなかったため, 肘外側前方の圧痛部位を展開し神経剥離術を行ったところ, 神経束に「砂時計様くびれ」が認められた.
この疾患について正しいのはどれか. 2つ選べ.

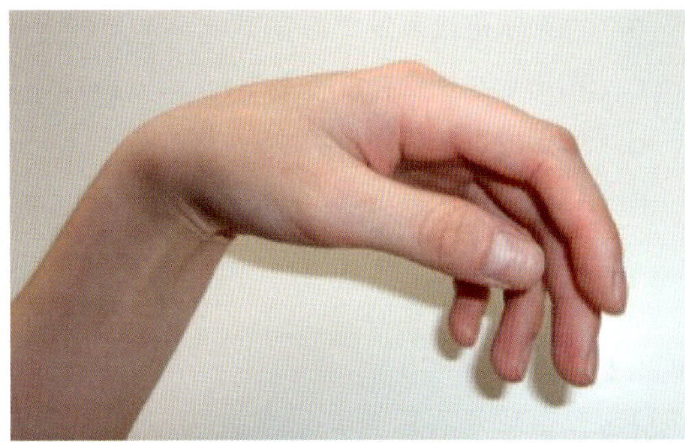
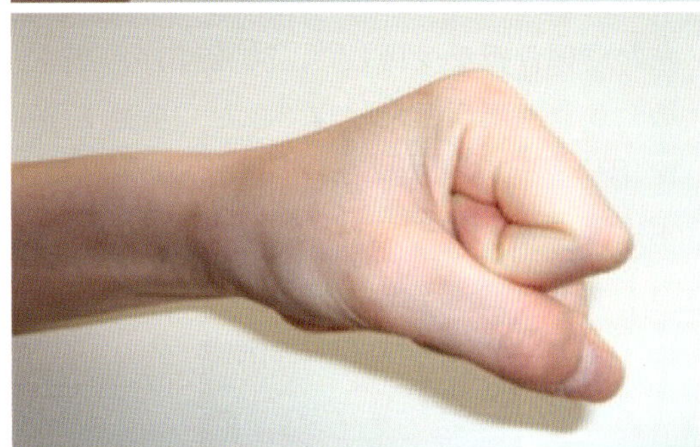
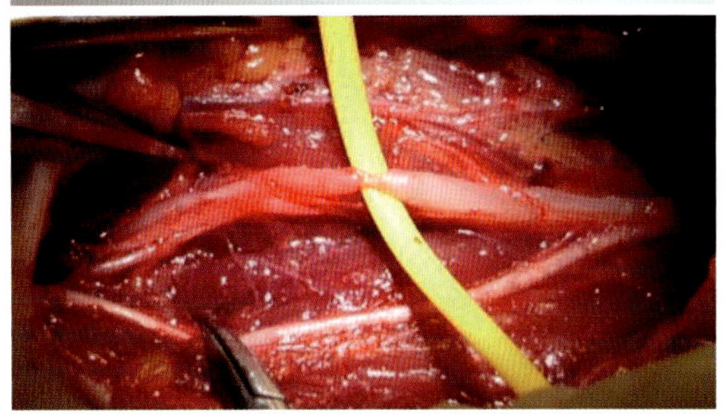

問 5-2-16／図 1

a 疼痛が麻痺に先行する.
b 手指のしびれを訴える.

c　涙滴徴候(teardrop sign)が陽性である.
d　筋電図検査が有用である.
e　Tinel 徴候の移動により神経の回復状況を知ることができる.

問 5-2-17

肘の Charcot 関節について正しいのはどれか. 3 つ選べ.

a　脊髄癆が原因となる.
b　関節水症は多量である.
c　関節動揺性は軽度である.
d　関節内遊離体が出現する.
e　関節破壊が高度になると疼痛が強い.

問 5-2-18

60 歳の男性. 10 歳時に自転車から転落して左肘周囲骨折を受傷した. 50 歳頃から左手のしびれが出現し増強してきた. 単純 X 線像(図 1)を示す.
本症例に関して正しいのはどれか.

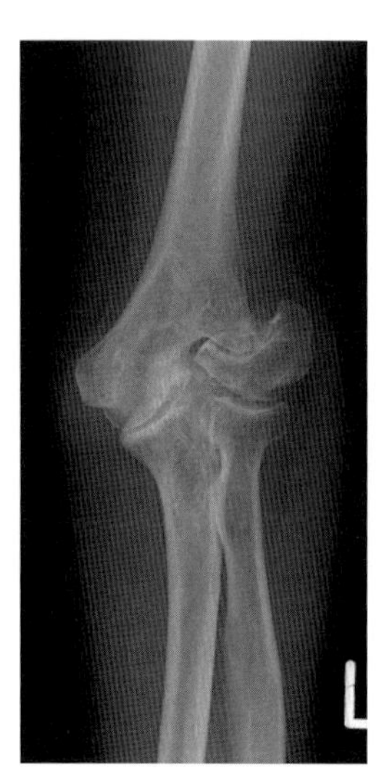

問 5-2-18／図 1

a　内反肘変形を呈する.
b　肘関節の可動域制限はない.
c　全指の鷲手変形がみられる.
d　中指に感覚鈍麻がある.
e　麻痺は進行性である.

問 5-2-19

上腕骨外側上顆炎について正しいのはどれか. 2 つ選べ.

a　長橈側手根伸筋起始部の変性が原因と考えられている.
b　テニス選手・愛好家よりも労働による発症数が多い.
c　抵抗下手関節屈曲テストによって痛みが誘発される.
d　ステロイド注射は長期的にも有効である.
e　ほとんどの症例は保存療法で軽快する.

問 5-2-20

変形性肘関節症について正しいのはどれか. 3 つ選べ.

a　軟骨障害の発生頻度は腕橈関節に比べ腕尺関節で高い.
b　遊離体によりロッキングが生じる.
c　伸展制限に比べ屈曲制限は障害が少ない.
d　鉤突窩と鉤状突起の骨棘が屈曲制限の原因となる.
e　人工関節が必要となることは少ない.

3 手関節・手・指

□□□　A ▶ p. 168–182

問 5-3-1

手関節鏡視下手術について正しいのはどれか．2つ選べ．

a　前腕筋の筋弛緩を得られる麻酔法を選択する．
b　牽引の必要性はない．
c　掌側アプローチが一般的である．
d　三角線維軟骨複合体損傷は適応とならない．
e　橈骨関節面はやや掌側を向いていることを考慮して，器具の向きを調節する．

問 5-3-2

手関節鏡を用いた鏡視下手術が一般的に可能な術式はどれか．3つ選べ．

a　手関節滑膜切除術
b　三角線維軟骨複合体損傷縫合術
c　橈骨遠位端関節内骨折整復術
d　尺骨短縮術
e　手関節部分固定術

問 5-3-3

指の腱損傷について正しいのはどれか．2つ選べ．

a　伸筋腱損傷は屈筋腱損傷よりも神経血管損傷を合併しやすい．
b　屈筋腱は，伸筋腱に比べ縫合後に癒着を生じにくい．
c　腱縫合では強度が強く腱内血行障害が少ない方法がよい．
d　伸筋腱損傷は屈筋腱損傷よりも外固定の期間が長い．
e　損傷から1週間経過した屈筋腱損傷には腱移植を第1選択とする．

問 5-3-4

断裂した腱の治癒について正しいのはどれか．2つ選べ．

a　腱組織に治癒能力はない．
b　腱鞘内の屈筋腱は，腱鞘外の屈筋腱に比べ縫合後に癒着を生じにくい．
c　縫合術後早期の運動療法は縫合腱に過度な緊張が加わらないように行う．
d　指の伸筋腱は屈筋腱に比べて扁平であるため，強固な縫合が困難である．
e　ノーマンズランドとは，指屈筋腱のMP関節部より手関節までの部位である．

問 5-3-5

指腱鞘の輪状部(A)と十字部(C)のうち，機能上重要とされているのはどれか．2つ選べ．

a　A2
b　C1
c　A3
d　C2
e　A4

問 5-3-6

手の腱皮下断裂とその原因の組み合わせで正しいのはどれか．2つ選べ．

a 環指深指屈筋腱――スポーツ外傷
b 小指伸筋腱――有鉤骨鉤骨折
c 長母指伸筋腱――橈骨遠位端骨折
d 橈側手根屈筋腱――舟状骨骨折
e 橈側手根伸筋腱――遠位橈尺関節変形性関節症

問 5-3-7

手指の外傷について誤っているのはどれか．2つ選べ．

a 手袋状剥皮損傷では剥脱した皮膚を戻せば良好に生着する．
b 電撃損傷では電気抵抗の低い神経・血管が通電経路となりやすい．
c 凍傷では凍結による細胞膜の障害と血流障害が起こる．
d 高圧注入損傷では損傷部が小さく疼痛をきたすことが少ない．
e 咬傷は創が小さくても高率に感染しやすい．

問 5-3-8

de Quervain 病について正しいのはどれか．2つ選べ．

a 手をよく使用する労働者にもっとも多く発症する．
b 手関節第1背側伸筋区画の短母指外転筋と長母指伸筋の狭窄性腱鞘炎である．
c 母指を握りこみ手関節を尺屈させ橈骨茎状突起部に疼痛が誘発される誘発テストを Eichhoff test という．
d 治療はまず腱鞘切開術を考慮する．
e 腱鞘切開術では橈骨神経浅枝の損傷に注意する．

問 5-3-9

MP 関節のロッキングについて正しいのはどれか．2つ選べ．

a もっとも多いのは示指である．
b 母指では過伸展位をとる．
c 牽引により徒手整復は容易である．
d 中手骨骨頭の骨棘が掌側板に引っかかることで生じる．
e 弾発指との鑑別が困難である．

問 5-3-10

弾発指（ばね指）について正しいのはどれか．2つ選べ．

a MP 関節に伸展制限を生じる．
b MP 関節の掌側皮下に圧痛のある小結節を触れる．
c 母指では MP 関節近傍の種子骨が原因となる．
d A3 pulley の炎症により発症する．
e 靱帯性腱鞘に対する腱の相対的な肥大が原因である．

問 5-3-11

母指内転拘縮について正しいのはどれか．

a 外転はできないが対立運動はできる．

b 背側の皮膚拘縮ではなりにくい.
c Volkmann 拘縮でみられる.
d IP 関節が動けば，機能障害は少ない.
e 皮膚性の拘縮には分層植皮術がよい.

問 5-3-12

橈側列形成障害について正しいのはどれか．2つ選べ.

a 主に母指と橈骨に形成障害が出現する.
b 心臓の異常，腎臓や血液疾患の合併はない.
c 小児期には母指の内転拘縮を治療する必要はない.
d 5歳前後に橈屈偏位を矯正する尺骨中心化術を行う.
e 母指の完全欠損に対しては，母指化術が第1選択となる.

問 5-3-13

母指多指症について正しいのはどれか．3つ選べ.

a 日本人ではもっとも頻度の高い手の先天異常である.
b 多くの場合，橈側指が低形成を呈する.
c 手術は4～5歳くらいまで待って行う.
d 片側が三指節の場合，三指節側を温存する.
e Wassel 分類の type Ⅳでは MP 関節部から分岐する.

問 5-3-14

先天性握り母指症について誤っているのはどれか.

a 生後1カ月を過ぎても MP 関節の自動運動ができないものをいう.
b 一般的には他動伸展は可能である.
c 家族に他動伸展運動を指導する.
d 年長児では MP 関節の屈曲拘縮と IP 関節の過伸展変形を認める.
e 保存療法で改善しない場合は，植皮術や腱移行術が必要となる.

問 5-3-15

先天性絞扼輪症候群に特徴的でないのはどれか.

a 内反足
b 先端合指症
c 裂手
d リンパ浮腫
e 切断

問 5-3-16

手関節三角線維軟骨について正しいのはどれか．2つ選べ.

a 線維軟骨の厚さは一定である.
b 衝撃吸収に関与している.
c 加齢により厚さが少なくなる傾向がある.
d 尺骨マイナス変異のものに断裂が多い.
e 断裂形態はほぼ一定である.

問 5-3-17

尺骨突き上げ症候群の病態について誤っているのはどれか．2つ選べ．

- a 尺骨神経麻痺を生じやすい．
- b 尺骨プラス変異で生じやすい．
- c 橈骨遠位端骨折後の変形で生じる．
- d 舟状月状骨靱帯の損傷が生じやすい．
- e 尺骨頭は背側に亜脱臼しやすい．

問 5-3-18

遠位橈尺関節の安定性に関与している組織はどれか．3つ選べ．

- a 三角線維軟骨複合体
- b 骨間膜
- c 尺側手根伸筋腱
- d 背側手根骨間靱帯
- e 月状三角靱帯

問 5-3-19

三角線維軟骨複合体(TFCC)損傷にみられる所見として正しいのはどれか．2つ選べ．

- a cortical ring sign
- b fovea sign
- c piano key sign
- d tear drop sign
- e Terry-Thomas sign

問 5-3-20

近位手根列背側回転型手根不安定症(DISI)をきたすことが多いのはどれか．2つ選べ．

- a 三角線維軟骨複合体損傷
- b 舟状月状骨解離
- c 月状三角骨解離
- d 舟状骨骨折偽関節
- e 尺骨突き上げ症候群

問 5-3-21

手指の変形で正しい組み合わせはどれか．2つ選べ．

- a 尺骨神経麻痺——全指鉤爪変形
- b 高位橈骨神経麻痺——drop finger
- c 槌指——ボタン穴変形
- d 低位正中神経麻痺——ape hand
- e ムチランス型 RA——オペラグラス変形

問 5-3-22

手指の変形や肢位について正しいのはどれか．

- a PIP 関節側副靱帯損傷の外固定肢位は伸展位または軽度屈曲位である．
- b PIP 関節の機能肢位は伸展位である．
- c MP 関節側副靱帯損傷の外固定肢位は伸展位である．
- d 内在筋マイナス位では PIP 関節は伸展する．
- e 内在筋に限局して阻血性拘縮が起こると，MP 関節は伸展する．

問 5-3-23

白鳥のくび変形の原因となる外傷はどれか. 3つ選べ.

a 終止伸筋腱断裂
b 深指屈筋腱断裂
c 浅指屈筋腱断裂
d 伸筋腱中央索断裂
e PIP 関節掌側板断裂

問 5-3-24

手の変形性関節症について正しいのはどれか.

a 変形性手関節症は, 一次性のものが多い.
b Heberden 結節のある患者には抗リウマチ薬を投与する.
c 有痛性の Heberden 結節の罹患頻度は女性より男性のほうが高い.
d Heberden 結節の 50% 以上は Bouchard 結節を伴っている.
e 母指 CM 関節症は進行すると母指内転拘縮を伴う.

問 5-3-25

母指 CM 関節症について誤っているのはどれか. 3つ選べ.

a 進行期になると母指は内転, 屈-曲位となる.
b 母指を軸圧方向に力を加えて回旋させる grind test が診断に有用である.
c 装具療法は進行期には効果がない.
d Eaton 分類 Stage Ⅳは手術適応である.
e 関節可動性を温存する手術は重労働者に適応がある.

問 5-3-26

手の変形性関節症について誤っているのはどれか. 2つ選べ.

a 母指 CM 関節症では grind test が陽性になる.
b 母指 CM 関節症では MP 関節の屈曲変形がみられる.
c Bouchard 結節は MP 関節に生じる.
d 粘液囊腫は DIP 関節に発生する.
e 乾癬性関節炎は DIP 関節に好発する.

問 5-3-27

母指 CM 関節症について正しいのはどれか. 3つ選べ.

a 運動時痛は少ない.
b 可動域制限が強く, 進行すると中手骨の外転変形をきたす.
c 単純 X 線像にて骨棘形成, 関節裂隙の狭小などの所見を認める.
d 副腎皮質ステロイド関節内注入は有効である.
e 靱帯再建術や CM 関節固定術などの手術療法がある.

問 5-3-28

手のガングリオンについて正しいのはどれか. 2つ選べ.

a 透明な粘液を含む囊腫である.
b 働き盛りの男性に多い.

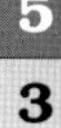

c　自然になくなることはない．
d　骨内にも生じる．
e　まれに悪性化する．

問 5-3-29

Dupuytren 拘縮について正しいのはどれか．2つ選べ．

a　橈側指に頻度が高い．
b　筋線維芽細胞の増殖が原因である．
c　白人＞黒人＞黄色人種の順で頻度が高い．
d　コラゲナーゼ局所注射による治療は選択肢の1つである．
e　手術の際は末節部での神経血管側の変異に注意する．

問 5-3-30

Dupuytren 拘縮の治療法として正しいのはどれか．3つ選べ．

a　化学療法
b　屈筋腱剥離術
c　部分腱膜切除術
d　経皮的腱膜切離術
e　コラゲナーゼ局所注入

問 5-3-31

70 歳の女性．数年前から両手の環指・小指の伸展が困難になってきた(図 1)．手掌皮下に索状物を触れる．
正しいのはどれか．3つ選べ．

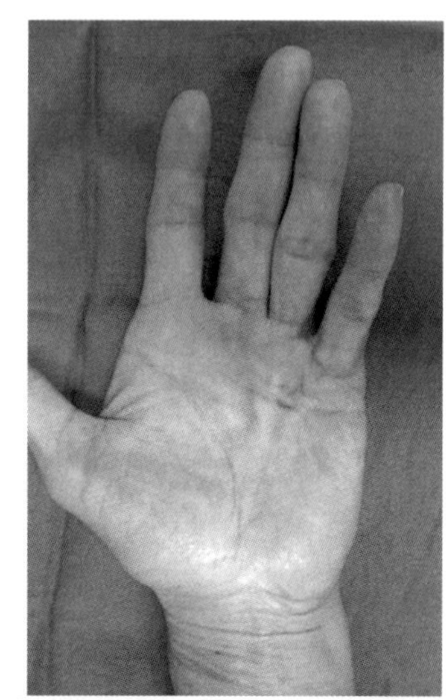
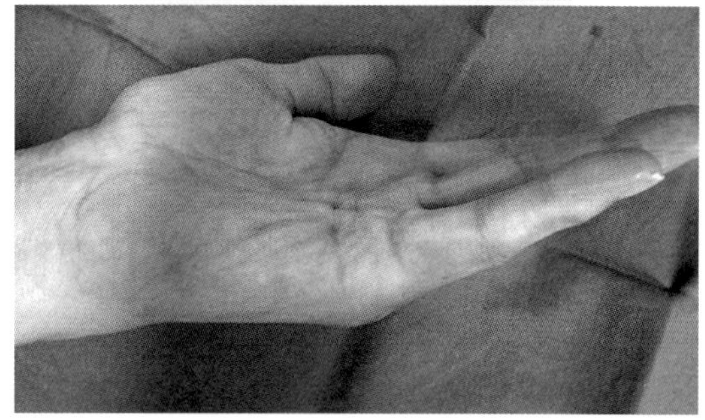

問 5-3-31／図 1

a　人種により発症率に差がある．
b　手掌腱膜の筋線維芽細胞増殖が原因である．
c　PIP 関節には屈曲拘縮は生じない．
d　手関節を屈曲させると手指の拘縮が改善する．
e　酵素注射療法が有効である．

問 5-3-32

上肢における骨延長の適応となるのはどれか．3つ選べ．

a 短指症
b 橈骨遠位端部骨巨細胞腫
c 骨端線損傷による 2 cm の上腕骨長左右差
d 橈側列または尺側列形成障害
e 骨軟骨腫などによる前腕短縮

問 5-3-33

手指の化膿性屈筋腱腱鞘炎について正しいのはどれか．3つ選べ．

a 起炎菌は黄色ブドウ球菌がもっとも多い．
b 屈筋腱鞘は隔壁をもった閉鎖空間であるので，関節炎や骨髄炎に至ることはない．
c 母指あるいは小指が罹患した場合，症状が遷延化しても，他指に比べて重篤には至らない．
d 急性期の治療として，生理食塩水による持続洗浄は有効な治療法である．
e 発症後1週間以上が経過し，腫脹が手掌に及んでいる場合，滑膜切除術が望ましい．

問 5-3-34

化膿性屈筋腱腱鞘炎について誤っているのはどれか．

a 手指の刺傷から発症する．
b 患指は屈曲位となる．
c 他動伸展時に激痛が生じる．
d 感染の悪化があっても手術はせず，まずは抗菌薬を変更する．
e 閉鎖式潅流法が有用である．

問 5-3-35

急激な右手関節痛，手関節背側と掌側の発赤，腫脹，熱感から疑われる疾患はどれか．2つ選べ．

a ガングリオン
b 偽痛風
c 化膿性関節炎
d 結核性関節炎
e 月状骨軟化症

問 5-3-36

手の結核性炎症について誤っているのはどれか．

a 小児の結核性骨髄炎は，指や手に無痛性の腫脹で始まる．
b 成人では，指骨や中手骨の結核性骨髄炎は少ない．
c 手背部の結核性腱鞘炎では，しばしば波動が認められる．
d 手指屈筋腱の結核性腱鞘炎は，手術適応となることは少ない．
e 手関節の運動痛，手根骨破壊を認める成人例には関節固定術の適応がある．

問 5-3-37

手関節や手指関節の関節炎の原因として誤っているのはどれか．

a 関節リウマチ

b 乾癬
c 偽痛風
d ネコひっかき病
e 結核

問 5-3-38

76歳の女性. 1週間前から誘因なく左手関節痛が出現した. 単純X線正面像(図1)を示す. もっとも考えられる診断はどれか.

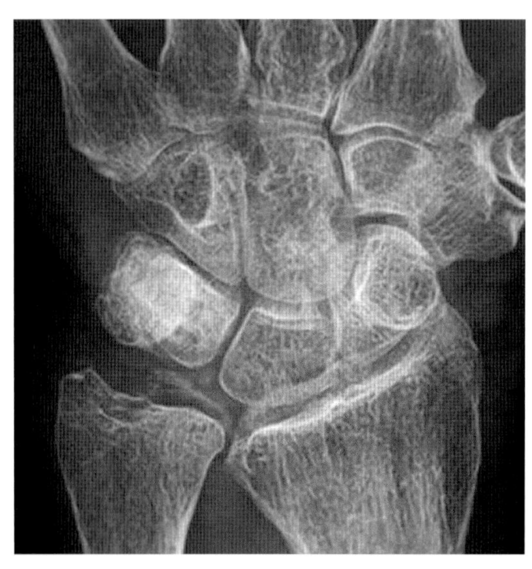

問 5-3-38／図 1

a 痛風
b 偽痛風
c 骨軟骨腫症
d アミロイド沈着症
e basic calcium phosphate(BCP)沈着症

問 5-3-39

Kienböck 病の手術療法について誤っているのはどれか. 2つ選べ.

a 橈骨短縮術
b 手根骨間部分固定術
c 大菱形骨切除術
d 月状骨切除術と腱球置換術
e 遠位手根列切除術

問 5-3-40

Kienböck 病について誤っているのはどれか. 2つ選べ.

a 若年者では外傷を契機に発症することが多い.
b 遺伝的素因が証明されている.
c 尺骨 plus variant 例に多い.
d Lichtman stage Ⅱでは血管柄付骨移植が行われる.
e 終末期例には救済手術の適応となる.

問 5-3-41

Kienböck病について正しいのはどれか. 2つ選べ.

a 常染色体優性遺伝性疾患である.
b 女性より男性に多い.
c 尺骨 plus variant 例に多い.
d 伸筋腱皮下断裂の原因となる.
e 変形性関節症をきたさない.

問 5-3-42

前骨間神経麻痺, 後骨間神経麻痺について誤っているのはどれか. 2つ選べ.

a 発症の前駆症状として前腕の疼痛を訴えることが多い.
b 前骨間神経麻痺の症状として teardrop

sign が生じる．
c 後骨間神経麻痺になると下垂手となる．
d 確定診断がつけば神経剥離の適応である．
e 神経は砂時計様のくびれがみられる．

問 5-3-43

手根管症候群の診察法・徴候に関連のあるのはどれか．

a Allen テスト
b Eichhoff テスト
c Phalen テスト
d Froment 徴候
e piano key sign

問 5-3-44

末梢神経障害の評価法で誤っているのはどれか．

a moving two-point discrimination test
b Semmes-Weistein monofilament test
c Tinel 様徴候
d 発汗テスト
e Allen テスト

問 5-3-45

手根管症候群にみられる所見として正しいのはどれか．3つ選べ．

a 夜間痛
b 骨間筋の萎縮
c 示指の屈曲障害
d 示指掌側の感覚障害
e 短母指外転筋の筋力低下

問 5-3-46

血管柄付き組織移植について誤っているのはどれか．

a 広背筋皮弁は，肩甲骨を同時に血管柄付き骨移植として採取できる．
b wrap around flap は足趾欠損の再建法である．
c 小児の血管柄付き腓骨皮弁採取には足関節の変形に注意する．
d 腓骨皮弁採取後の合併症として claw toe 変形がある．
e 血管柄付き腓骨頭移植は橈骨遠位端の再建に有用である．

問 5-3-47

切断指再接着術の術後管理について正しいのはどれか．2つ選べ．

a 腫脹を予防するために冷却する．
b 疼痛や機械的刺激を避ける．
c カフェイン摂取は問題ない．
d 再接着後には禁煙を強く勧める．
e 再接着後，切断指が蒼白の場合は静脈環流障害を疑う．

問 5-3-48

指切断時の対処および切断指の保存方法として正しいのはどれか．

a 断端をアルコール消毒する．
b 切断指は約 4℃の氷水に直接浸けて保存する
c 指切断では動脈断端は結紮しておく．
d 断端部の止血には，近位を動脈圧以下の圧力で緊縛する．

e　切断指は生食ガーゼで包み，ビニール袋に入れ，氷水に入れ保存する．

問 5-3-49

上肢における切断肢・指再接着術について正しいのはどれか．3つ選べ．

a　上腕部・前腕部での切断は，可能な限り再接着を試みるべきである．
b　手関節部での切断は腱の癒着を生じやすい．
c　母指を含まない多数指切断では，母指の対向指に対して最低限2本の再接着を試みる．
d　母指切断では可能な限り再接着を試みるべきである．
e　小児の切断指再接着では感覚回復が不良である．

問 5-3-50

再接着中毒症について誤っているのはどれか．

a　筋肉組織を多く含む四肢切断の再接着後に生じる．
b　阻血時間が長いほど生じやすい．
c　切断肢由来のカリウム，乳酸，ミオグロビンなどの急激な再潅流により，心停止，腎不全に陥る．
d　術中ヘパリン全身投与が有効な予防法である．
e　再接着中毒症の危険性が高い症例においては，再接着術よりも断端形成術を選択すべきである．

問 5-4-1

透析患者の脊椎病変について正しいのはどれか．2つ選べ．

a　頚椎に好発する．
b　骨棘を伴う椎間板腔の狭小化が特徴的である．
c　透析期間と脊椎病変の発生頻度には相関がない．
d　歯突起周囲の偽腫瘍は生じない．
e　椎間板や靱帯にアミロイド沈着をきたす．

問 5-4-2

黄色靱帯石灰化について正しいのはどれか．3つ選べ．

a　高齢の女性に好発する．
b　発生部位は上位頚椎が多い．
c　石灰化物質はハイドロキシアパタイトとピロリン酸カルシウムである．
d　半月，股関節唇など，他の軟骨の石灰化を合併することが多い．
e　脊柱靱帯骨化を合併することが多い．

問 5-4-3

上位頚椎の機能解剖について正しいのはどれか．3つ選べ．

a　後頭骨と環椎間の最大の運動は前後屈である．
b　頚部の運動性は頭部の回旋運動の50%以上がC1～C2間で行われている．

c 環軸椎間の安定性にもっとも重要な靱帯は翼状靱帯である.

d 環椎と軸椎間には椎間孔がない.

e 環軸関節は前環軸関節と外側環軸関節で構成される.

問 5-4-4

関節リウマチの頚椎病変について正しいのはどれか. 2つ選べ.

a 環軸関節垂直亜脱臼は外側環軸関節の破壊が主因である.

b 下位頚椎亜脱臼は環軸関節亜脱臼に先行して起こる.

c 発生頻度はムチランス型では低い.

d 環軸関節亜脱臼は spontaneous fusion により病因性が減少することがある.

e 環軸関節亜脱臼の頻度は生物学的製剤の使用でも改善しない.

問 5-4-5

長期透析患者によくみられる脊椎病変のうち誤っているのはどれか.

a rugger jersey appearance

b 歯突起周囲偽腫瘍

c 椎体終板の不整

d 靱帯付着部の反応性骨形成

e 後縦靱帯・黄色靱帯の肥厚

問 5-4-6

一側の肩周囲の筋萎縮をきたしやすい疾患はどれか. 2つ選べ.

a 平山病(若年性一側上肢筋萎縮症)

b 頚椎症性筋萎縮症(Keegan 型頚椎症)

c 胸郭出口症候群

d C4/C5 椎間高位の椎間板ヘルニアによる神経根症

e C6/C7 椎間高位の椎間板ヘルニアによる神経根症

問 5-4-7

頚椎症性脊髄症の解離性運動障害(Keegan 型)の診断において, 運動ニューロン疾患(筋萎縮性側索硬化症)との鑑別上誤っているのはどれか. 2つ選べ.

a 広範囲な筋萎縮を伴うことは少ない.

b 筋萎縮は近位筋に始まることは少ない.

c 発病は緩徐である.

d 下肢の腱反射が亢進することは少ない.

e 片側例が多い.

問 5-4-8

Klippel-Feil 症候群の3主徴はどれか. 3つ選べ.

a 小頭

b 短頚

c 項部頭髪の生え際の低位

d 頚椎運動制限

e 頚椎後弯

問 5-4-9

頭頚移行部の先天異常について正しいのはどれか．3つ選べ．

a Chiari 奇形は頭頚移行部の骨形成異常が原因である．
b Chiari 奇形では脊髄空洞症を合併することが多い．
c Klippel-Feil 症候群では手の鏡像運動がみられる．
d 歯突起骨では環椎歯突起間距離が増大する．
e 後頭蓋窩の病変では下方注視時に垂直眼振がみられる．

問 5-4-10

歯突起骨について誤っているのはどれか．

a Down 症候群に合併することが多い．
b 歯突起と椎体との癒合不全であると考えられてきた．
c 小児期の外傷性歯突起基部骨折の放置例が少なくない．
d 分離部がなめらかで丸みを帯びている．
e 発生学的に歯突起は1つの骨核から形成される．

問 5-4-11

脊椎の発生・発育について正しいのはどれか．3つ選べ．

a 脊椎骨は中胚葉性組織から形成される．
b 生下時には環椎後弓は癒合していない．
c 乳児期には歯突起と軸椎椎体との間に軟骨板がみられる．
d 頚部脊柱管前後径は10〜14歳頃に急速に増加する．
e 椎体の横径の成長は主に内軟骨骨化により行われる．

問 5-4-12

上位頚椎の解剖について正しいのはどれか．2つ選べ．

a 環椎には横突起はない．
b 横靱帯は歯突起を背側からおおう靱帯である．
c 環椎と軸椎の間には黄色靱帯が存在する．
d 環椎後弓後結節には頚長筋が付着する．
e 後縦靱帯は歯突起後面で蓋膜から移行する．

問 5-4-13

頚椎の可動域について正しいのはどれか．3つ選べ．

a 環椎後頭関節では，回旋運動がもっとも大きい．
b 環椎後頭関節では，前後屈運動がもっとも小さい．
c 環軸関節では，回旋運動がもっとも大きい．
d 環軸関節では，側屈運動がもっとも小さい．
e 中・下位頚椎では，前後屈運動がもっとも大きい．

問 5-4-14

C5/C6 椎間高位の椎間板ヘルニアによる神経根障害の神経学的所見として正しいのはどれか．3つ選べ．

a 腕橈骨筋腱反射の低下
b 上腕三頭筋腱反射の低下
c 母指，示指の感覚低下
d 中指の感覚低下
e 手関節背屈力の低下

問 5-4-15

一側の環指と小指のしびれをきたしやすい疾患はどれか．3つ選べ．

a C5/C6 椎間高位の椎間板ヘルニアによる神経根症
b C7/T1 椎間高位の骨棘による神経根症
c 手根管症候群
d 肘部管症候群
e 胸郭出口症候群

問 5-4-16

C5/C6 椎間高位の頚髄症でみられる神経学的所見はどれか．3つ選べ．

a 上腕二頭筋腱反射亢進
b 上腕三頭筋腱反射低下
c 三角筋筋力低下
d 上腕三頭筋筋力低下
e 手指前腕尺側の感覚低下

問 5-4-17

頚椎の X 線学的診断について誤っているのはどれか．

a McGregor 法は，頭蓋底陥入症の診断に用いる．
b 環椎歯突起間距離は，成人では 3 mm 以下が正常である．
c 日本人の脊柱管前後径の平均値は，C5 高位で約 12 mm である．
d 頚椎前面の後咽頭腔幅は，頚椎前方の血腫で増加する．
e 後縦靱帯骨化は，単純 X 線側面像にて 4 型に分類される．

問 5-4-18

先天性筋性斜頚の姿勢について正しいのはどれか．

a 頭部は患側へ側屈し，顔面は患側に向けて回旋している．
b 頭部は患側へ側屈し，顔面は健側に向けて回旋している．
c 頭部は健側へ側屈し，顔面は健側に向けて回旋している．
d 頭部は健側へ側屈し，顔面は患側に向けて回旋している．
e 患側・健側と斜頚位の間に一定の関係はない．

問 5-4-19

Down 症候群にしばしば合併する脊椎病変はどれか．2つ選べ．

a Chiari 奇形

b 環軸関節亜脱臼
c 歯突起骨
d Scheuermann 病
e Klippel-Feil 症候群

問 5-4-20

脊髄空洞症を生じる頻度が高い疾患はどれか．3つ選べ．

a 筋性斜頚
b Klippel-Feil 症候群
c Chiari 奇形
d 脊髄損傷
e 癒着性くも膜炎

問 5-4-21

頚椎後縦靱帯骨化症について正しいのはどれか．2つ選べ．

a 女性に多い．
b 比較的若年(30歳前後)で発症することが多い．
c 病因として遺伝的背景がある．
d 日本人の発生頻度は約0.1%である．
e 健常者(非骨化例)に比べ耐糖能異常の合併が多い．

問 5-4-22

圧迫性脊髄症と筋萎縮性側索硬化症の鑑別に重要な症候はどれか．2つ選べ．

a Babinski 反射
b 筋力低下
c 感覚障害
d 膀胱直腸障害
e 深部腱反射亢進

問 5-4-23

脊柱靱帯骨化症について正しいのはどれか．3つ選べ．

a 白色人種に多い．
b 頚椎黄色靱帯石灰化症は骨化に至る前段階である．
c 後縦靱帯骨化症，黄色靱帯骨化症は厚生労働省の難治性疾患に認定されている．
d 胸椎黄色靱帯骨化症は上・下位胸椎に多い．
e 後縦靱帯骨化症の手術治療では頚椎より胸椎のほうが術後麻痺発生のリスクが高い．

問 5-4-24

脊髄・神経根の解剖で正しいのはどれか．3つ選べ．

a C4/C5椎間板レベルの脊髄髄節は一般的にC5髄節である．
b 成人では脊髄尾側端はL2/L3椎間高位がもっとも多い．
c 脊髄円錐上部は脊髄の腰髄膨大部にほぼ一致している．
d 脊髄円錐はS3以下の髄節を含んでいる．
e 馬尾は下位の神経根ほど硬膜管内の後方正中に配列している．

問 5-4-25

C5 完全損傷(C5 まで機能残存)の症例における到達可能の移動機能予後はどれか.

a 電動車椅子
b 平地での車椅子駆動
c 車椅子移乗動作
d 自動車運転
e 長下肢装具下の松葉杖歩行

問 5-4-26

環軸関節回旋位固定について誤っているのはどれか.

a 軽微な外傷や上気道感染によって引き起こされる場合が多い.
b 環軸関節が脱臼することが多い.
c 臨床症状は持続性の斜頚位である.
d 神経合併症はまれである.
e 保存療法で治癒することが多い.

問 5-4-27

脊髄損傷について誤っているのはどれか. 2つ選べ.

a 受傷後 24 時間以内に神経症状が正常に回復するものを, 脊髄振とうという.
b T5 高位より頭側の重度脊髄損傷では, 徐脈と血圧低下がみられる.
c 頚髄横断面において仙髄領域はもっとも損傷を受けやすい.
d 下位頚髄損傷では横隔膜神経は損傷されないため奇異性呼吸を呈する.
e 脊髄ショックにおいては, 損傷高位以下のすべての脊髄反射は亢進する.

問 5-4-28

頚髄完全横断損傷急性期の症状で誤っているのはどれか.

a 頻脈
b 気道の分泌亢進
c 奇異性呼吸
d 麻痺性イレウス
e 尿閉

問 5-4-29

脊髄の左半側が切断された場合の神経学的所見で正しいのはどれか.

a 左側の深部感覚と運動障害, 右側の温痛覚障害
b 左側の温痛覚と運動障害, 右側の深部感覚障害
c 左側の温痛覚, 深部感覚障害と運動障害
d 左側の運動障害, 右側の温痛覚と深部感覚障害
e 左側の温痛覚障害, 右側の深部感覚と運動障害

問 5-4-30

頚椎手術後の早期合併症の C5 麻痺について正しいのはどれか.

a 発生率は平均 10%である.
b 麻痺発生前に頚部から肩の痛みを訴えることが多い.
c 前方法(前方除圧固定術)と後方法(椎弓形成術)では, 前方法で多い.
d 椎弓形成術では片側拡大と正中拡大で, 発生率に有意な差がある.

e　C5 麻痺の予後は一般に不良である.

問 5-4-31

先天性筋性斜頸の治療について正しいのはどれか.

a　自然治癒することが多いので，治療を行う必要はない.
b　生後 1 カ月以内にマッサージ，徒手矯正を開始する.
c　生後 1 カ月以内に手術療法を行う.
d　生後 1 年 6 カ月以上経過しても自然治癒しない場合は，手術療法を行う.
e　6 歳頃まで経過観察して自然治癒しない場合は，手術療法を行う.

問 5-4-32

頚椎後縦靱帯骨化症について正しいのはどれか. 3 つ選べ.

a　骨化があれば症状がなくても除圧術の適応となる.
b　頚髄症が発症しない例や発症しても進行しない例がある.
c　骨化の大きさと頚髄症の重症度は比例する.
d　外傷などの明らかな誘因なく頚髄症を発症することが多い.
e　厚生労働省指定難病の 1 つである.

問 5-4-33

頚椎症性脊髄症に対する手術について誤っているのはどれか.

a　軽症例には，まず保存療法を試みる.
b　軽症例でも保存療法で効果がなく脊髄圧迫の強い青壮年者は手術適応である.
c　進行性の脊髄症は手術適応である.
d　高齢者の手術禁忌基準は明確でない.
e　術後軸性疼痛の軽減を目的に長期装具着用が推奨される.

問 5-4-34

頚椎後縦靱帯骨化症について誤っているのはどれか.

a　女性に多い.
b　発生頻度には人種差がある.
c　発生には糖代謝異常が関与している.
d　胸椎の黄色靱帯骨化症を合併しやすい.
e　発症に骨化途絶部の動的因子が関与することが多い.

問 5-4-35

68歳の男性．歩行障害を主訴に受診し，脊髄症と診断した．MRI T2強調像を示す(図1)．この患者で見られない所見は何か．

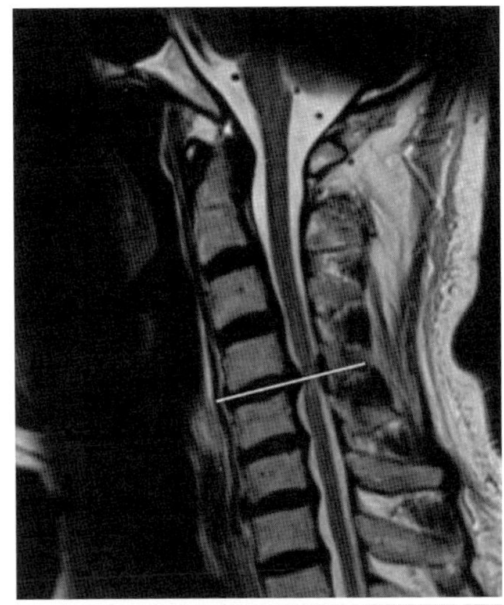

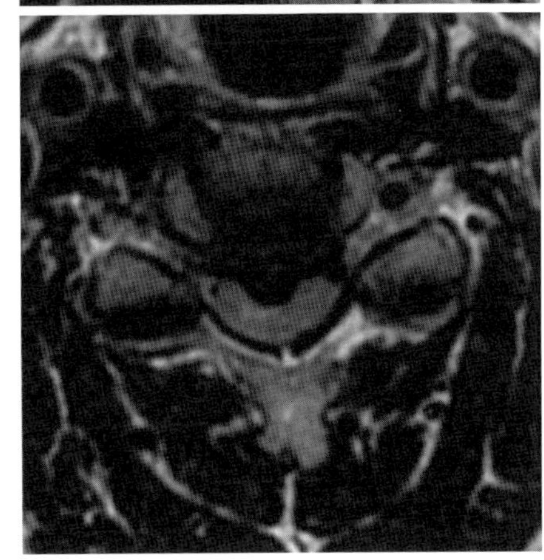

問 5-4-35／図 1

a 膝蓋腱反射の亢進
b 三角筋の筋力低下
c 上腕三頭筋反射の亢進
d 指離れ徴候 finger escape sign
e Hoffmann(ホフマン)反射陽性

問 5-4-36

関節リウマチによる環軸関節亜脱臼について誤っているのはどれか．

a 生物学的製剤の使用により発生頻度は低下している．
b 軸椎歯突起周囲に生じたパンヌスにより関節の破壊が進行する．
c 環椎横靱帯の弛緩が主因である．
d 診断には単純 X 線側面前後屈撮影が有用である．
e 手術治療では原則，環椎後弓切除を行う．

問 5-4-37

上位頚椎病変と関連する疾患の組み合わせで正しいのはどれか．3つ選べ．

a 環軸椎亜脱臼――関節リウマチ
b 環軸椎回旋位固定――上気道感染症
c 環椎頭蓋癒合症――軟骨無形成症
d Chiari 奇形――後縦靱帯骨化症
e 歯突起骨――Down 症候群

問 5-4-38

Brown-Séquard 症候群の脊髄障害側の所見について正しいのはどれか．3つ選べ．

a 運動麻痺
b 温覚低下
c 痛覚低下
d 位置覚低下
e 振動覚低下

問 5-4-39

C4/C5 高位椎間板ヘルニアによる椎間孔部狭窄によって生じる神経根障害でみられる一般的な所見はどれか．2つ選べ．

a　上腕二頭筋腱反射低下
b　上腕三頭筋腱反射低下
c　三角筋筋力低下
d　上腕三頭筋筋力低下
e　手指前腕橈側の感覚障害

問 5-4-40

脊柱靱帯骨化症の病態に関連があるのはどれか．2つ選べ．

a　肥満
b　悪性腫瘍
c　気管支喘息
d　糖代謝異常
e　鉄欠乏性貧血

問 5-4-41

破壊性脊椎関節症について正しいのはどれか．3つ選べ．

a　血液透析が関与する．
b　HLA-B27 陽性率が高い．
c　発生頻度は低下している．
d　リウマチ因子が陽性となる．
e　アミロイド沈着が病態に関与する．

問 5-4-42

関節リウマチに特徴的な頚椎単純 X 線所見はどれか．3つ選べ．

a　歯突起骨
b　階段状変形
c　頭蓋底嵌入
d　前縦靱帯骨化
e　環軸関節亜脱臼

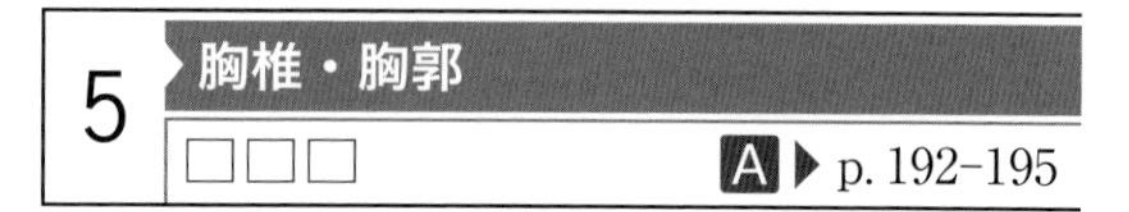

問 5-5-1

骨粗鬆症性椎体骨折について正しいのはどれか．3つ選べ．

a　middle column の損傷が主体である．
b　posterior column の損傷のため神経麻痺併発が多い．
c　胸腰椎移行部に生じることが多い．
d　椎体内の vacuum phenomenon は偽関節を示唆する．
e　椎体圧潰の進行による遅発性麻痺は不全麻痺が多い．

問 5-5-2

胸肋鎖骨肥厚症について誤っているのはどれか．

a　自己免疫性の慢性炎症性疾患である．
b　掌蹠嚢胞症性関節骨炎とも呼ばれる．
c　仙腸関節炎を呈することが多い．
d　病理組織学的には特異的な慢性炎症像を呈する．
e　扁桃摘出術により治療効果が期待できる．

問 5-5-3

思春期特発性側弯症について正しいのはどれか．3つ選べ．

a 発症に遺伝的要素が関与している．
b 腰背部痛が初発症状のことが多い．
c 肺活量の低下は脊髄障害の結果である．
d 胸椎側弯では右凸が多い．
e ダブルカーブでは変形が目立たないことが多い．

問 5-5-4

脊柱側弯症の発生頻度がもっとも低いのはどれか．

a 神経線維腫症
b Ehlers-Danlos 症候群
c Marfan 症候群
d 骨形成不全症
e 血友病

問 5-5-5

特発性側弯症について正しいのはどれか．3つ選べ．

a すべての側弯症の 70～80％を占める．
b 思春期側弯症がもっとも多い．
c 乳幼児側弯症は3歳頃から発症する．
d 若年性側弯症は急速に進行することが多い．
e 思春期側弯症は左凸胸椎側弯の頻度が高い．

問 5-5-6

脊柱側弯症の検診時の診断に役立つ所見で正しいのはどれか．3つ選べ．

a 両肩の高さの左右差
b 側弯凹側の肩甲骨の突出
c ウエストラインの左右非対称
d 前屈時に 1.5 cm 以上の左右差がある肋骨隆起
e 正中垂線(plumb line)の殿部正中裂通過

問 5-5-7

脊柱側弯症の単純 X 線像による評価法で正しいのはどれか．2つ選べ．

a 椎体回旋度を Nash & Moe 法により棘突起の位置で評価する．
b 終椎と頂椎のなす角度を Cobb 法で計測する．
c 骨成熟度を Risser 徴候による4段階分類で評価する．
d 側弯のカーブパターンを Lenke の6タイプに分類する．
e Mehta の評価方法で頂椎での椎体と肋骨のなす角度を計測する．

問 5-5-8

若年者の脊柱側弯症について正しいのはどれか．3つ選べ．

a 機能的側弯では椎体の回旋は伴わない．
b 疼痛性側弯は痛みがなくなれば消失する．
c 脳性麻痺に伴う側弯は機能的側弯である．
d 脚長差による側弯は補正すれば矯正される．

e 構築性側弯でもっとも多いのは症候性側弯である.

問 5-5-9

脊柱側弯症検診の診察において，着目すべき所見はどれか．3つ選べ.

a 肋骨の隆起
b 下肢伸展挙上制限
c 両肩の高さの左右差
d 側弯凹側の肩甲骨の突出
e ウエストラインの左右非対称

問 5-5-10

脊柱側弯を特徴とする疾患でないのはどれか.

a 脳性麻痺
b Marfan 症候群
c Scheuermann 病
d 筋ジストロフィー
e Ehlers-Danlos 症候群

問 5-5-11

特発性側弯症について誤っているのはどれか．2つ選べ.

a 思春期側弯症がもっとも多い.
b 乳幼児側弯症は男児に多い.
c 学童期側弯症は側弯が進行しにくい.
d 多くは成長完了とともに進行は停止する.
e 思春期側弯症は左凸胸椎側弯の頻度が高い.

問 5-5-12

胸椎椎間板ヘルニアについて誤っているのはどれか．2つ選べ.

a 中位胸椎部が好発部位である.
b 70 歳以上の高齢者に多い.
c 肋間神経痛の原因となる.
d 画像診断は MRI が有用である.
e 脊髄症状があれば，手術療法が適応となる.

6 腰椎・仙椎

□□□ A ▶ p. 195–203

問 5-6-1

椎間板狭小化について正しいのはどれか．2つ選べ.

a 変性側弯症では椎間板腔の非対称性の狭小により側弯を呈する.
b 化膿性脊椎炎では椎間板終板下海綿体に病巣を形成し狭小化する.
c 結核性脊椎炎では椎体終板血管叢に病巣を形成し狭小化する.
d 強直性脊椎炎では椎間板腔が狭小化する.
e 腰椎変性側弯症は加齢による椎間板変性を基盤に生じた Cobb 角 10° 以上の側弯変形である.

問 5-6-2

腰椎の筋群で脊柱起立筋はどれか．2つ選べ.

a 多裂筋
b 最長筋
c 腸肋筋
d 腰方形筋

e 横突間筋

問 5-6-3

腰椎椎間板ヘルニア発生への関与が指摘されている要因はどれか．3つ選べ．

a 重労働
b 喫煙
c スポーツ活動の種類
d 家族歴
e 人種

問 5-6-4

腰椎椎間板ヘルニアの自然経過と治療法の選択について正しいのはどれか．3つ選べ．

a 脱出ヘルニアは自然消失しにくい．
b 下肢伸展挙上テストの程度は予後を左右する．
c 急激に進行する運動麻痺は手術の適応である．
d 膀胱直腸障害を伴う場合は早急に手術を行うべきである．
e 腰下肢痛の長期成績では保存療法と手術療法はほとんど差がない．

問 5-6-5

腰椎椎間板ヘルニアにおいて Trendelenburg 歩行を生じる神経根はどれか．

a L2
b L3
c L4
d L5
e S1

問 5-6-6

腰椎椎間板ヘルニアについて正しいのはどれか．3つ選べ．

a MRI T2 強調像では椎間板変性の程度を評価可能である．
b 急性馬尾症候群では早期の手術が必要である．
c 若年者の特徴である緊張性ハムストリングは術後早期に改善する．
d L4/L5 間根直下ヘルニアでは母趾底屈力が低下する．
e L3/L4 間根直下ヘルニアでは大腿神経伸展テストが陽性となる．

問 5-6-7

L4/L5 間の外側型椎間板ヘルニアで，感覚鈍麻が出現しやすい部位はどれか．

a 鼡径部から大腿近位内側
b 大腿遠位外側から膝前面および下腿内側
c 大腿外側より下腿外側
d 大腿下外側より母趾内面
e 外果部から第5趾

問 5-6-8

L5/S1 椎間孔外ヘルニアについて正しいのはどれか．2つ選べ．

a アキレス腱反射の低下
b Babinski 反射陽性
c 下肢伸展挙上テスト陽性

d　腓腹筋筋力の低下
e　母趾背側の感覚障害

問 5-6-9

脊髄係留症候群について誤っているのはどれか．

a　皮膚陥凹
b　凹足
c　脊柱変形
d　下肢仮性肥大
e　夜尿

問 5-6-10

脊椎疾患における好発年齢について誤っているのはどれか．

a　腰椎椎間板ヘルニアは 20～40 歳台に多い．
b　腰椎分離症は青少年期での発症が多い．
c　変性腰椎すべり症は中高齢者に多い．
d　強直性脊椎炎の好発年齢は 60 歳台である．
e　馬尾腫瘍は 30～60 歳台に好発する．

問 5-6-11

成長期脊椎分離症の発症早期例について正しいのはどれか．3つ選べ．

a　早期の装具療法で分離部の癒合は可能である．
b　女性が男性より多い．
c　腰椎伸展時に腰痛を訴えることが多い．
d　腰椎単純 X 線像で診断は十分可能である．
e　MRI が初期診断に有用である．

問 5-6-12

脊椎分離すべり症について正しいのはどれか．3つ選べ．

a　基本的病態は，椎弓の関節突起間部の分離である．
b　分離症はほとんどが片側である．
c　一般に分離症の頻度は 6％前後である．
d　L5 の分離すべり症では触診上 L4/L5 棘突起間に段差を認める．
e　腰椎分離症での椎間板ヘルニアの合併する頻度は，分離すべり症に比べて低い．

問 5-6-13

腰椎分離症，すべり症について正しいのはどれか．3つ選べ．

a　早期の分離症では保存療法で分離部が骨癒合することがある．
b　分離症の約 60％が分離・すべり症へ移行する．
c　分離・すべりがあっても，脊椎の回旋不安定性は増大しない．
d　分離部位直上の椎間関節に関節症性変化を認めることが多い．
e　分離部には線維性あるいは軟骨性組織がみられる．

問 5-6-14

腰椎について正しいのはどれか．3つ選べ．

a 回旋可動域は胸椎に比し小さい．
b 前後屈可動域はL3/L4間が最大である．
c 側屈可動域はL4/L5間が最大である．
d L5/S1間の安定性は腸腰靱帯の存在による．
e 前縦靱帯は後屈を制御する．

問 5-6-15

腰椎椎間板ヘルニアについて正しいのはどれか．2つ選べ．

a 自然経過では吸収，消失しない．
b 脱出型ヘルニアは吸収されやすい．
c ヘルニア塊が小さいほど自然吸収されやすい．
d CRP値の低下とともにヘルニアは消失していく．
e Gd-DTPAで造影されるものは吸収される頻度が高い．

問 5-6-16

腰椎椎間板ヘルニアについて正しいのはどれか．3つ選べ．

a 発症には不安や抑うつなどの関与も指摘されている．
b 好発年齢は20～40歳台である．
c L5/S1椎間板にもっとも多い．
d 家族集積性は認められていない．
e 自然軽快することが多い．

問 5-6-17

腰部脊柱管狭窄症について誤っているのはどれか．2つ選べ．

a 間欠跛行には馬尾型，神経根型，脊髄型がある．
b 下肢の深部腱反射が亢進する．
c ABI(ankle brachial index)は末梢動脈疾患との鑑別に有用である．
d Lasègue徴候が陽性となることは少ない．
e 進行例では安静時の下肢のしびれを有することが多い．

問 5-6-18

馬尾症状を呈することがまれな疾患はどれか．

a 腰椎椎間板ヘルニア
b 腰部脊柱管狭窄症
c 腰椎変性すべり症
d 腰椎分離症
e 馬尾腫瘍

問 5-6-19

外傷後脊髄空洞症について正しいのはどれか．3つ選べ．

a 疼痛やしびれで発症する．
b 感覚解離がみられる．
c 不全脊髄損傷では合併しない．
d 手術はシャント術が行われる．
e 緩徐進行することはまれである．

問 5-6-20

L5/S1 間の経腹膜的前方固定術を行った際の合併症として考えられるのはどれか．3つ選べ．

a　下肢血栓性静脈炎
b　逆行性射精
c　勃起不全
d　腹壁ヘルニア
e　下肢発汗過多

問 5-6-21

腰部脊柱管狭窄の原因となる疾患はどれか．

a　Marfan 症候群
b　神経線維腫症
c　大理石骨病
d　骨形成不全症
e　軟骨無形成症

問 5-6-22

腰椎椎間板ヘルニアに対する手術療法について誤っているのはどれか．

a　保存療法と手術療法を比較すると，術後1年の臨床症状に関しては手術療法のほうが優れている．
b　保存療法と手術療法を比較すると，術後10年の臨床症状に関しては，同等の成績である．
c　若年者腰椎椎間板ヘルニアは手術療法を避け，保存療法に専念する．
d　重症の馬尾症候群を伴う場合には，早期に手術を行うことが望ましい．
e　固定術の併用に関しては一定の見解が得られていない．

問 5-6-23

下垂足をきたしやすい疾患として考えられるのはどれか．2つ選べ．

a　脛骨神経麻痺
b　総腓骨神経麻痺
c　糖尿病性末梢神経障害
d　L3/L4 間の外側ヘルニア
e　L5/S1 間の外側ヘルニア

問 5-6-24

腰痛診療ガイドライン（2019）において，腰痛を診察するうえで危険信号（red flags）に含まれないのはどれか．

a　発熱
b　胸部痛
c　体重減少
d　小学生以下の腰痛
e　前屈で増強される腰痛

問 5-6-25

発育期腰椎分離症について正しいのはどれか．3つ選べ．

a　片側性より両側性が多い．
b　疲労骨折と考えられている．
c　L5 に発生するものがもっとも多い．
d　多くは小学校低学年で発生する．
e　腰椎前屈時の腰痛が特徴的である．

問 5-6-26

脊椎手術の周術期管理と合併症について正しいのはどれか．3つ選べ．

a 深部静脈血栓の発生は5%以下である．
b 低アルブミン血症は褥創発生の危険因子である．
c ドレーンは術後血腫を予防する目的で使用される．
d 脊椎内固定術を行う際は抗菌薬の予防投与を2週間行う．
e 頚椎術後C5麻痺発生頻度は後方固定術で高い傾向にある．

問 5-6-27

腰痛診療のトリアージで正しいのはどれか．2つ選べ．

a 発熱はred flagsである．
b 中学生の腰痛はred flagsである．
c 急激な体重増加はred flagsである．
d 非特異的腰痛では下垂足を生じやすい．
e 非特異的腰痛は，画像診断でも原因が同定できない腰痛である．

問 5-6-28

腰椎分離症で正しいのはどれか．2つ選べ．

a 女子より男子に好発する．
b 両側例より片側例が多い．
c 小学生での発症がもっとも多い．
d 早期診断にはMRIが有用である．
e 椎間板変性のない青年期では椎間固定術が推奨される．

問 5-6-29

腰椎椎間板ヘルニアで正しいのはどれか．2つ選べ．

a 10歳台後半に好発する．
b 脱出髄核が硬膜を穿破することはない．
c 下肢痛は咳やくしゃみで増強する．
d myelographyでは造影剤の種類に注意する．
e 手術療法ではfull-endoscopic lumber discectomy(FELD)がもっとも多く行われている．

問 5-6-30

化膿性脊椎炎で正しいのはどれか．2つ選べ．

a 多くは血行性感染である．
b 頚椎が好発部位である．
c 起炎菌は黄色ブドウ球菌がもっとも多い．
d X線像上椎間板高は拡大することが多い．
e インストゥルメンテーション手術は禁忌である．

問 5-6-31

腰部脊柱管狭窄症について誤っているのはどれか．2つ選べ．

a 神経根型間欠跛行はL4/L5椎間例に多い．
b 自転車漕ぎによって症状が悪化する．
c SLRテストが陽性となる．
d Kemp signが陽性となる．
e アキレス腱反射が低下する．

問 5-6-32

腰痛について誤っているのはどれか.

a 薬物療法は疼痛軽減や機能改善に有用である.
b 喫煙は，発症のリスクとの関連が指摘されている.
c 腰椎から脳にいたるあらゆる部位で病態が関与している.
d 身体的・精神的に健康な生活習慣は，腰痛の予後に良い.
e 坐骨神経痛を伴う腰痛では，安静よりも活動性維持のほうが有用である.

問 5-6-33

化膿性脊椎炎について正しいのはどれか. 2つ選べ.

a 小児に好発する.
b 安静時痛がみられる.
c 脊椎後方部に好発する.
d 起因菌は黄色ブドウ球菌が多い.
e 椎間板腔の狭小化はみられない.

問 5-6-34

転移性脊椎腫瘍について誤っているのはどれか.

a リンパ性に転移する.
b 肝癌の転移は予後良好である.
c 組織型としては腺癌がもっとも多い.
d 放射線療法は疼痛軽減には有効である.
e 椎弓根消失像は特徴的な単純 X 線所見である.

7 脊椎・脊髄腫瘍

□□□ A ▶ p. 203-207

問 5-7-1

原発性脊髄腫瘍を疑わせる単純 X 線像はどれか. 3つ選べ.

a 椎体後縁の陥凹像
b 椎間孔の拡大
c 椎弓根陰影の消失
d 椎体後縁の骨棘
e 脊柱管内石灰化

問 5-7-2

類骨骨腫の特徴として正しいのはどれか. 3つ選べ.

a 脊髄圧迫により麻痺をきたす.
b 脊椎後方部に好発する.
c 10 歳台に好発する.
d 多発性である.
e 手術では nidus の摘出が必要である.

問 5-7-3

好酸球性肉芽腫について誤っているのはどれか.

a 10 歳以下に好発する.
b 椎体後方部に好発する.
c Calvé 扁平椎を呈する.
d 自然治癒傾向が高い.
e 年齢が低いほど急速に進行する.

問 5-7-4

脊髄硬膜内髄外腫瘍のうち頻度が高いのはどれか．2つ選べ．

a 神経鞘腫
b 髄膜腫
c 奇形腫
d 神経膠腫
e 脂肪腫

問 5-7-5

脊髄髄内腫瘍のうち頻度が高いのはどれか．2つ選べ．

a 上衣腫
b 血管芽腫
c 神経鞘腫
d 脂肪腫
e 星細胞腫

問 5-7-6

脊髄腫瘍について正しいのはどれか．3つ選べ．

a 砂時計腫は神経鞘腫が多い、
b 髄膜腫は男性に多い．
c 腫瘍内の石灰化は神経鞘腫の特徴である．
d 神経鞘腫は後根糸から発生することが多い．
e 硬膜外腫瘍では転移性腫瘍が多い．

問 5-7-7

原発性悪性脊椎腫瘍について正しいのはどれか．3つ選べ．

a 骨髄腫を除くと，軟骨肉腫，脊索腫の発生頻度が高い．
b 軟骨肉腫は化学療法や放射線療法の効果は低い．
c 脊索腫では半数以上が胸腰椎に発生する．
d 仙尾椎部脊索腫の術後再発率は低い．
e Ewing 肉腫は化学療法や放射線療法に対する感受性が高い．

問 5-7-8

原発性悪性脊椎腫瘍のうち，放射線療法への感受性が比較的低いのはどれか．3つ選べ．

a 骨肉腫
b Ewing 肉腫
c 骨髄腫
d 軟骨肉腫
e 脊索腫

問 5-7-9

原発性良性脊椎腫瘍の画像について正しいのはどれか．2つ選べ．

a 血管腫の単純 X 線像では，椎体が圧潰，扁平化した所見がみられる．
b 好酸球性肉芽腫の CT では，polka dot sign がみられる．
c 類骨骨腫の CT では，nidus が脊椎後方要素にみられる．
d 動脈瘤様骨嚢腫の単純 X 線像では，しばしば圧潰，楔状化がみられる．

e　骨巨細胞腫の単純X線像では，soap bubble appearanceがみられる．

問 5-7-10

脊髄腫瘍と鑑別すべき疾患について正しいのはどれか．

a　多発性硬化症の診断に，脳脊髄液検査は有用でない．
b　多発性硬化症では，脊髄の萎縮が特徴的である．
c　サルコイド脊髄症では，MRIにて造影効果がみられることが特徴である．
d　サルコイドーシス患者の半数以上で，サルコイド脊髄症を生じる．
e　放射線脊髄症は，放射線照射直後から生じる．

問 5-7-11

脊髄腫瘍について正しいのはどれか．3つ選べ．

a　硬膜外腫瘍は転移性腫瘍が多い．
b　神経鞘腫では後根発生例の割合が高い．
c　髄膜腫は男性に多い．
d　神経線維腫症2型では側弯症を認める．
e　成人の髄内腫瘍では上衣腫がもっとも頻度が高い．

問 5-7-12

脊髄腫瘍について誤っているのはどれか．2つ選べ．

a　神経鞘腫の発生頻度がもっとも高い．
b　神経鞘腫では腫瘍内石灰化がみられる．
c　髄膜腫では砂粒体が特徴的である．
d　上衣腫は砂時計腫の形態を呈することが多い．
e　上衣腫にはしばしば脊髄空洞症を合併する．

問 5-7-13

Chiari奇形に伴う脊髄空洞症に対して選択される術式はどれか．2つ選べ．

a　空洞・くも膜下腔シャント術
b　後頭骨頚椎後方固定術
c　後方進入椎体間固定術
d　椎弓形成術
e　大後頭孔拡大術

問 5-7-14

脊髄腫瘍の中で，生命予後がもっとも悪いのはどれか．

a　神経鞘腫
b　髄膜腫
c　星細胞腫
d　脂肪腫
e　上衣腫

問 5-7-15

脊髄腫瘍について正しいのはどれか．3つ選べ．

a　髄膜腫は男性に多い．
b　砂時計腫は神経鞘腫が多い．
c　硬膜外腫瘍は転移性腫瘍が多い．

d 腫瘍内石灰化は神経鞘腫の特徴である.

e 神経鞘腫の大多数は後根糸から発生する.

問 5-7-16

成人の脊髄腫瘍で正しいのはどれか. 2つ選べ.

a 硬膜外腫瘍では髄膜腫が多い.

b 髄内腫瘍では神経膠腫が多い.

c 硬膜内髄外腫瘍では転移性腫瘍が多い.

d 神経鞘腫は腫瘍による症状があれば手術適応である.

e 腫瘍が脊柱管内・外に発育したものを馬尾腫瘍と呼ぶ.

8 骨盤・股関節

□□□ A ▶ p. 207-219

1）小児股関節

問 5-8-1

大腿骨頭壊死を病態とするのはどれか. 3つ選べ.

a Perthes 病

b 発育性股関節形成不全整復後の Perthes 様変化

c クレチン病

d 特発性一過性大腿骨頭骨萎縮症

e 頚部骨折後の骨頭の陥没・圧潰

問 5-8-2

生後3～4カ月時の乳児股関節健診において重要でない項目はどれか.

a 女児

b 家族歴

c 開排制限

d 出産年齢

e 骨盤位分娩

問 5-8-3

大腿骨頭すべり症について正しいのはどれか. 3つ選べ.

a 保存的に治療可能なことが多い.

b 10歳台前半に多い.

c 骨端は前方へ転位する.

d 股関節を他動屈曲させると，同時に外転・外旋が生じる.

e 緩徐に発症する慢性型が多い.

問 5-8-4

大腿骨頭すべり症について誤っているのはどれか. 2つ選べ.

a 男児より女児に多い.

b 好発年齢は11～13歳である.

c 成長軟骨肥大細胞層ですべりを生じる.

d 仰臥位で股関節を屈曲していくと外転，外旋を伴う.

e 単純X線側面像では Trethowan 徴候に注意する.

問 5-8-5

大腿骨頭すべり症について誤っているのはどれか.

a　大腿骨骨端部が頚部に対し前下方へ転位する.
b　慢性型が 70〜80%を占める.
c　単純 X 線側面像では Capener 徴候に注意する.
d　慢性型での徒手整復は禁忌である.
e　合併症には骨頭壊死や軟骨溶解がある.

問 5-8-6

Perthes 病について誤っているのはどれか.

a　男児に多い.
b　片側性が多い.
c　膝関節痛を訴えることも多い.
d　containment(包み込み)療法が行われる.
e　年長発症者は年少発症者より予後がよい.

2）大腿骨頭壊死

問 5-8-7

大腿骨頭壊死症の基礎疾患として正しいのはどれか. 3つ選べ.

a　外傷性股関節脱臼
b　下腹部放射線照射
c　大腿骨骨幹部骨折
d　特発性一過性大腿骨頭骨萎縮症
e　潜水病

問 5-8-8

特発性大腿骨頭壊死症について正しいのはどれか. 3つ選べ.

a　ステロイド性は短期間で大量に投与された例で好発する.
b　基礎疾患としてはネフローゼ症候群が最多である.
c　骨盤部放射線治療も要因の1つである.
d　50〜60%で両側性に発生する.
e　飲酒の頻度, アルコール摂取量とも発生と正の相関がある.

問 5-8-9

大腿骨頭壊死症の病期分類について正しいのはどれか. 2つ選べ.

a　stage 1 では単純 X 線像では壊死の診断はできない.
b　stage 2 では単純 X 線像で帯状硬化と骨頭の 3 mm 未満の圧潰がみられる.
c　stage 3A では骨頭の 3 mm 以上の圧潰がみられる.
d　stage 4 では骨頭の圧潰が著明で, 関節裂隙が狭くなる.
e　単純 X 線像は正面のみで評価する.

問 5-8-10

大腿骨頭壊死症の診断基準について誤っているのはどれか. 2つ選べ.

a　単純 X 線像上, 関節裂隙の狭小化が認められる.
b　単純 X 線像上, 骨頭圧潰(軟骨下骨折を含む)が認められる.

c 骨生検標本で骨壊死像が認められる．

d MRIで骨頭内帯状低信号像が認められる．

e 骨シンチグラフィーで骨頭のhot in cold像が認められる．

問5-8-11

特発性大腿骨頭壊死症の病態について正しいのはどれか．2つ選べ．

a 骨壊死の範囲は経過とともに拡大することが多い．

b 発生初期から強い股関節痛が生じる．

c ステロイドのパルス療法で好発する．

d 骨頭栄養血管の血行障害が存在する．

e 骨壊死により早期から軟骨の変性，摩耗を生じる．

問5-8-12

特発性大腿骨頭壊死症について<u>誤っている</u>のはどれか．

a 喫煙は危険因子の1つである．

b ステロイド全身投与例に好発する．

c 壊死の発生とともに股関節痛が出現する．

d type Cではtype Bよりも骨頭圧潰のリスクが高い．

e 壊死が非荷重部に存在する例では保存療法で経過観察する．

問5-8-13

35歳の男性．1年2カ月前に登山中に転落した．受傷12時間後に搬送され，右股関節脱臼の診断で徒手整復術を受けた．受傷後6カ月時の単純X線像は正常で，正常歩行が可能となったため，以後の通院を怠っていた．受傷後1年を過ぎて右鼡径部から大腿にかけての疼痛が発症し，最近は歩行が困難となり再び整形外科を受診した．股関節の可動域は保たれている．
この症例の股関節画像診断で正しいのはどれか．3つ選べ．

a 単純X線像で関節裂隙の消失

b 単純X線像で寛骨臼の骨棘形成

c 単純X線像で骨頭内の帯状硬化像

d MRI T1強調像で骨頭内のlow band像

e 骨シンチグラムで大腿骨頭部のcold in hot像

問 5-8-14

38歳の男性．1カ月前より右股関節から大腿前面にかけての歩行時痛を自覚して受診した．約1年前にSLEに対するステロイドパルス療法を受けた既往がある．単純X線両股関節正面像(図1)を示す．
この症例と疾患について正しいのはどれか．2つ選べ．

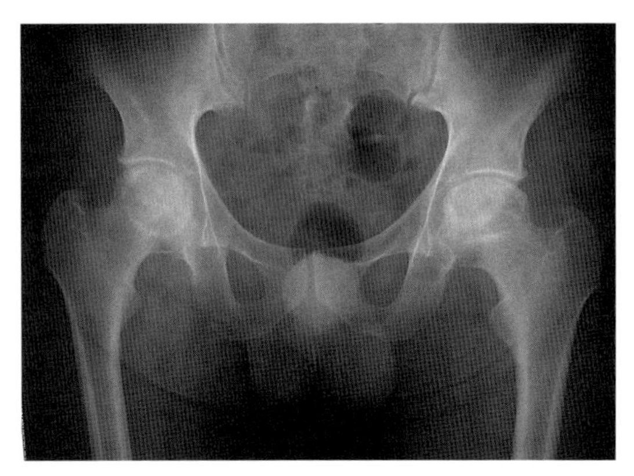

問 5-8-14／図1

a　右側の病型はtype Bである．
b　両側とも病期はstage 4である．
c　今後，病巣の拡大が予想される．
d　ステロイドパルス療法が原因である．
e　骨頭圧潰の発生により疼痛が生じる．

問 5-8-15

症候性大腿骨頭壊死症の原因として誤っているのはどれか．

a　潜函病
b　Gaucher病
c　鎌状赤血球症
d　下腹部放射線照射
e　特発性一過性大腿骨頭骨萎縮症

問 5-8-16

特発性大腿骨頭壊死症について正しいのはどれか．

a　60歳以上の女性に好発する．
b　糖尿病は発症の危険因子である．
c　単純X線像のcrescent signは壊死修復像である．
d　病期分類stage 2では骨頭に圧潰は発生していない．
e　病型分類type Bは骨頭壊死範囲が寛骨臼外側縁を越える．

3）OA，他

問 5-8-17

股関節の理学所見について誤っているのはどれか．

a　Thomasテストは，股関節の屈曲拘縮を検出する方法である．
b　Patrickテストは，股関節の疼痛誘発テストである．
c　股関節に外転拘縮があると，患側下肢は見かけ上短くみえる．
d　下肢長は，上前腸骨棘から足関節の内果までの距離を計測する．
e　大腿三角(Scarpa三角)は鼡径靱帯，縫工筋および長内転筋に囲まれた部分である．

問 5-8-18

股関節の診察・評価について誤っているのはどれか．

a　外転拘縮側の下肢は対側より長くみえる．
b　外転角度の計測で，移動軸は上前腸骨棘と膝蓋骨中心を結ぶ線である．

c Thomasテストでは反対側の股関節を伸展させる．

d 外転筋力が低下するとTrendelenburg徴候陽性となる．

e 日本整形外科学会の股関節機能判定基準では日常生活動作も評価する．

問 5-8-19

変形性股関節症の単純X線像において通常みられない所見はどれか．2つ選べ．

a 大腿骨頭の圧潰像

b 関節裂隙の狭小化

c 骨嚢胞形成

d 帯状硬化像

e 荷重部の骨硬化像

問 5-8-20

寛骨臼形成不全を伴う成人股関節の単純X線正面像評価について正しいのはどれか．3つ選べ．

a 両側の涙痕下端を結ぶ直線は計測の基準線である．

b CE(center-edge)角は正常より大きい．

c Sharp角は正常より小さい．

d AHI(acetabular head index)は正常より小さい．

e 大腿骨頭が外上方化すればShenton線に乱れが生じる．

問 5-8-21

一次性変形性股関節症について正しいのはどれか．3つ選べ．

a 日本の変形性股関節症の約60%を占める．

b 原因となる股関節疾患あるいは外傷の既往がない．

c 形態異常のない股関節に発症する．

d 単純X線像にて関節裂隙狭小化，骨棘，骨嚢胞がみられる．

e MRI(T1強調像)で骨頭内に帯状低信号域がみられる．

問 5-8-22

変形性股関節症について正しいのはどれか．3つ選べ．

a 日本では一次性と診断される症例は少ない．

b CE(center-edge)角と病期の進行とは関連性が低い．

c 病期は，主に単純X線像における亜脱臼の進行度によって評価される．

d 外転筋力訓練は保存療法の1つである．

e 棚形成術は，軽度臼蓋形成不全で前・初期股関節症の症例に適応がある．

問 5-8-23

変形性股関節症の保存療法について誤っているのはどれか．

a 疾患理解のための患者教育

b 体重コントロール

c 健側での杖使用

d 関節内注入療法
e 強力な疼痛コントロール下での運動療法

問 5-8-24

股関節への進入法について誤っているのはどれか．

a 前方進入法(Smith-Petersen 進入法)では外側大腿皮神経に注意する．
b Ollier 進入法では大腿深動脈を損傷しやすい．
c 後方進入法(Moore 進入法)では坐骨神経に注意する．
d 骨頭温存手術で大転子を骨切りする場合，頚部の支帯を通る血管に注意する．
e 寛骨臼前方に鉤を深くかけるときには，大腿神経に注意する．

問 5-8-25

大腿骨骨切り術について正しいのはどれか．3つ選べ．

a 外転時の関節求心性改善は内反骨切り術の適応条件である．
b 転子間彎曲内反骨切り術は転子下骨切り術に比して術後下肢が短縮する．
c 外反骨切り術の適応において術前可動域は関係ない．
d 外反骨切り術後に外転角度の改善が期待できる．
e 外反骨切り術後に関節裂隙開大が期待できる．

問 5-8-26

次の関節温存手術のうち，手技上いったん骨盤輪の連続性を断つ手術法はどれか．3つ選べ．

a Chiari 骨切り術
b Salter 骨切り術
c triple osteotomy(Steel 法)
d 棚形成術
e 寛骨臼回転骨切り術

問 5-8-27

股関節骨切り術において骨切り禁忌の部位はどれか．

a 大転子
b 小転子
c 転子間稜の内側
d 転子間稜の外側
e 転子下

問 5-8-28

寛骨臼回転骨切り術(寛骨臼移動術)について誤っているのはどれか．

a 前関節症や初期の症例がよい適応である．
b 関節軟骨を有する臼蓋が形成される．
c 関節外で骨切りする．
d 大半の症例では寛骨臼を後方・外側に回転させる．
e 小児期の寛骨臼形成不全は適応外である．

問 5-8-29

寛骨臼の関節軟骨で大腿骨頭を被覆する術式はどれか．3つ選べ．

a 棚形成術
b Chiari 骨盤骨切り術
c triple osteotomy
d 寛骨臼移動術
e 寛骨臼回転骨切り術

問 5-8-30

急速破壊型股関節症(rapidly destructive coxarthropathy：RDC)について正しいのはどれか．

a 男性に多い．
b 大半は両側例である．
c 可動域制限は軽度なことが多い．
d 高度の寛骨臼形成不全を伴う股関節に好発する．
e 骨頭，寛骨臼の骨増殖性変化が特徴的である．

問 5-8-31

先天性股関節脱臼(発育性股関節形成不全)の疫学について誤っているのはどれか．

a 日本では発生率が減少し 0.1～0.3％である．
b 右股より左股罹患が多い．
c 夏季に出生した児に多い．
d 家族歴のあるものでは発生率が増加する．
e 新生児期の持続的下肢伸展は脱臼の誘因となる．

問 5-8-32

乳児期の先天性股関節脱臼(発育性股関節形成不全)の診断に際して有用なのはどれか．3つ選べ．

a 股関節周囲の腫脹
b 開排制限
c Ortolani のクリック徴候
d Allis 徴候
e 膝関節の過伸展

問 5-8-33

先天性股関節脱臼(発育性股関節形成不全)の X 線診断法と関係がないのはどれか．

a 臼蓋角
b Calvé 線
c Shenton 線
d Trethowan 徴候
e Wollenberg(Hilgenreiner)線

問 5-8-34

Riemenbügel 治療に際して正しいのはどれか．2つ選べ．

a 胸バンドは乳頭と臍部との間に位置するよう装着する．
b 股関節の屈曲位は最初から 120° 以上を保つ．
c 開排が得られても，整復を示すものではない．
d 骨頭壊死が発生することがあるため必ずしも安全な治療法とはいえない
e 整復されなくても，最低 3 カ月程度は装着してみる．

問 5-8-35

大腿骨近位の発育および形態について正しいのはどれか．3つ選べ．

a　大転子部の骨化核は1歳前後で出現する．
b　先天性股関節脱臼(発育性股関節形成不全)では内反股で前捻が過小である．
c　外反股は脳性麻痺などの麻痺性疾患によくみられる．
d　大腿骨近位成長軟骨板は女子では14歳頃に閉鎖する．
e　先天性脊椎骨端異形成症では内反股を呈する．

問 5-8-36

麻痺による股関節障害について正しいのはどれか．

a　二分脊椎のうち，S1以下の麻痺では股関節の脱臼が発生しやすい．
b　二分脊椎のうち，股関節脱臼を有するものでは実用歩行は得られない．
c　麻痺性股関節では外反股を呈することが多い．
d　片麻痺型脳性麻痺は，両麻痺型に比べて股関節障害が発生しやすい．
e　脳性麻痺股での筋解離術がもっとも有用なのはアテトーゼ型である．

問 5-8-37

単純性股関節炎の特徴について正しいのはどれか．2つ選べ．

a　数週間で症状は消失する．
b　股関節は屈曲内旋位をとりやすい．
c　股関節単純X線像では多くが亜脱臼位にある．
d　MRIにより関節水症の診断が可能である．
e　半数程度がPerthes病に移行する．

問 5-8-38

高位脱臼股関節に対する人工股関節全置換術について誤っているのはどれか．

a　寛骨臼の骨欠損に対し大腿骨頭からの骨移植が有用である．
b　神経麻痺の発生に注意を要する．
c　高度な高位脱臼股関節では大腿骨短縮骨切り術が有用である．
d　高位脱臼股に対するTHAの成績は近年良好である．
e　寛骨臼ソケットは高位設置が望ましい．

問 5-8-39

わが国における変形性股関節症の疫学について誤っているのはどれか．

a　発症には遺伝の影響がある．
b　有病率は欧米より高い．
c　股関節痛は進行の予測因子である．
d　有病率は男性より女性で高い．
e　発症年齢は平均40〜50歳である．

問 5-8-40

発育性股関節形成不全に続発する二次性変形性股関節症のX線単純像で正しいのはどれか．2つ選べ．

a 骨頭は内上方化する．
b Sharp角は正常より小さい．
c CE(center-edge)角は正常より小さい．
d AHI(acetabular-head index)は正常より小さい．
e ARO(acetabular roof obliquity)は正常より小さい．

問 5-8-41

人工股関節全置換術(THA)について正しいのはどれか．2つ選べ．

a 初回THAの脱臼率は5～10％である．
b 術後深部感染の発生頻度は10～20％である．
c 32 mm径以上の骨頭の使用は脱臼率を減少させる効果がある．
d メタルオンメタルTHAは他の摺動面のTHAに比べ再置換率が低い．
e 高度架橋ポリエチレンは従来型(非架橋，低架橋)に比べ耐摩耗性が高い．

問 5-8-42

寛骨臼形成不全による変形性股関節症の特徴として誤っているのはどれか．

a 骨盤前傾の増強
b 腰椎後弯の増強
c 大腿骨頚部の短縮
d 大腿骨頚部前捻角が大きい．
e 寛骨臼前・後壁の低形成

問 5-8-43

変形性股関節症に関して誤っているのはどれか．

a 発症年齢は70歳台である．
b 発症には遺伝の影響がある．
c 有病率は男性より女性で高い．
d 萎縮型は進行の予測因子である．
e 重量物作業は発症の危険因子である．

問 5-8-44

人工股関節再置換術おいて荷重部の大きな骨欠損を有する例に対する再建方法として妥当性が低いのはどれか．2つ選べ．

a 塊状骨移植
b セメントの充填固定
c 大径セメントレスソケット
d インパクション同種骨移植
e 骨移植とサポートリングを併用するセメントソケット

問 5-8-45

急速破壊型股関節症について正しいのはどれか．2つ選べ．

a 女性に多い．
b 両側性が多い．
c 関節拘縮が軽度である．
d 高度の寛骨臼形成不全を伴う．
e 単純X線像では造骨性変化が特徴的である．

問 5-8-46

股関節骨切り術と適応条件の組み合わせで誤っているのはどれか．

a　大腿骨外反骨切り術——進行期～末期股関節症
b　大腿骨内反骨切り術——壊死巣が骨頭外側にある大腿骨頭壊死症
c　大腿骨頭前方回転骨切り術——壊死巣が骨頭前方にある大腿骨頭壊死症
d　寛骨臼移動術——寛骨臼形成不全による初期股関節症
e　臼蓋形成術——寛骨臼形成不全による初期股関節症

問 5-8-47

股関節の画像診断について正しいのはどれか．2つ選べ．

a　両股関節の前後像の撮影には，膝蓋骨を正面に向けた肢位で行う．
b　骨盤が前方に傾けば，閉鎖孔は大きく縦長となる．
c　股関節が外旋位で撮影されると小転子は小さくみえる．
d　大腿骨頭の骨端核は生後1カ月頃に出現する．
e　涙痕は，骨盤の基準点となる．

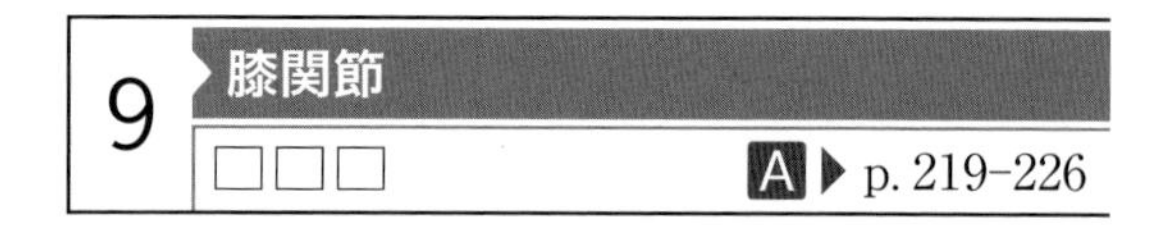

1）OA（保存，HTO，TKA）

問 5-9-1

変形性膝関節症で誤っているのはどれか．

a　肥満は本症の危険因子である．
b　日本では一次性の関節症が大部分を占める．
c　日本では大部分が内反変形を呈する内側型である．
d　わが国の有症状患者はおよそ800万人と見込まれている．
e　Rosenberg撮影は末期の病変をとらえるのに有用である．

問 5-9-2

外側型の変形性膝関節症で誤っているのはどれか．2つ選べ．

a　内側型に比べて肥満者は少ない．
b　外側円板状半月や骨系統疾患に続発することが多い．
c　大腿骨内側顆の低形成を呈することが多い．
d　高度な例では外側への横ぶれ（lateral thrust）が出現する．
e　大腿骨顆上部での内反骨切りが行われる．

問 5-9-3

変形性膝関節症のX線診断について正しいのはどれか．3つ選べ．

a 日本人成人の正常膝関節の立位大腿脛骨角は約180°である．
b 日本人成人の下肢機能軸は，正常では膝関節の外側を通過する．
c Rosenberg撮影は荷重部の軟骨変性を評価するのに有用である．
d 軟骨下骨嚢胞形成は変形性股関節症に比べて少ない．
e 関節軟骨の状態を正しく把握するためには，立位正面像が有用である．

問 5-9-4

変形性膝関節症の運動療法について正しいのはどれか．3つ選べ．

a 疼痛がある場合や高齢者では，等尺性筋力訓練が適している．
b 大腿四頭筋や股関節周囲筋の筋力訓練が重要である．
c ハムストリングのストレッチングは有用である．
d 運動療法単独での治療効果は少ない．
e 急性期症状が治まった後のウォーキングは疼痛を増悪させるので避ける．

問 5-9-5

膝蓋大腿関節症の治療法として正しいのはどれか．3つ選べ．

a 膝屈筋のストレッチ体操
b 消炎鎮痛薬の投与
c 人工膝単顆置換術(unicompartmental knee arthroplasty)
d 内側膝蓋大腿靱帯再建術
e 脛骨粗面前進術

問 5-9-6

変形性膝関節症の薬物療法について誤っているのはどれか．2つ選べ．

a 非ステロイド性抗炎症薬の坐剤でも副作用として胃腸障害がみられる．
b COX-1選択性の高い非ステロイド性抗炎症薬は，胃腸障害の発生頻度がより低い．
c 安静時痛がある例は経口副腎皮質ステロイドの適応である．
d 副腎皮質ステロイドの関節内注入では，ステロイド関節症の発症のリスクについて説明することが大切である．
e 進行した例ではヒアルロン酸関節内注入の有用性が低い．

問 5-9-7

変形性膝関節症の鏡視下デブリドマンについて誤っているのはどれか．2つ選べ．

a MRIで内側半月に水平断裂を認める例はよい適応である．
b 半月切除，遊離体摘出，骨棘や滑膜の切除などが行われる．
c 高度の関節症では症状の再発が起こりやすい．
d 効果は関節内の軟骨片や化学物質の洗浄による．
e 長期的に関節症の進行を抑制する効果が

ある．

問 5-9-8

人工膝関節全置換術後に膝蓋骨のトラッキングが不良となる原因はどれか．2つ選べ．

a 膝蓋骨コンポーネントの内側設置
b 大腿骨コンポーネントの外旋位設置
c 脛骨コンポーネントの内旋位設置
d joint line の高位
e 外側支帯の解離

問 5-9-9

人工膝関節全置換術後の深部感染症について誤っているのはどれか．3つ選べ．

a 抗菌薬の投与のみで沈静化するのは20％程度である．
b 起炎菌でもっとも多いのは緑膿菌である．
c 一期的再置換術より二期的再置換術を行うことが多い．
d 再置換時にコンポーネント固定用のセメントに抗菌薬を混入する際は，抗菌薬入りセメントスペーサーを作成するときよりも高濃度になるように抗菌薬の使用量を設定する．
e 二期的再置換の場合は，洗浄，抗菌薬入りセメントスペーサー留置などの初回手術ののち，2週間以内に再置換を行ったほうがよい．

問 5-9-10

人工膝関節全置換術の大腿骨コンポーネントの回旋アライメントについて正しいのはどれか．2つ選べ．

a 伸展位の靱帯バランスに影響する．
b 大腿骨の骨軸は指標の1つである．
c 後顆ラインから外旋させる角度は平均10°である．
d 膝蓋骨溝の最深点と顆間の中央部を結んだAP軸(Whiteside line)は指標の1つである．
e 外側上顆と内側上顆を結んだ線(上顆ライン)は指標の1つである．

問 5-9-11

人工膝単顆関節置換術について正しいのはどれか．2つ選べ．

a 特発性膝骨壊死は適応外である．
b 内側病変に対しては，術後軽度外反位になるように矯正する．
c 人工膝関節全置換術に比べ可動域が保たれる．
d 前十字靱帯は温存する．
e 一般に長期成績は人工膝関節全置換術よりも良好である．

問 5-9-12

神経病性膝関節症について誤っているのはどれか．2つ選べ．

a 強い疼痛を認める．
b 神経障害所見認める．
c 高度な関節変形を認める．

d　多量の関節液貯留を認める．
e　人工関節のよい適応である．

問 5-9-13

内側型変形性膝関節症について正しいのはどれか．2 つ選べ．

a　FTA が 175° 以下になる．
b　軟骨下骨が病変の主座である．
c　関節液は淡黄色透明，粘稠である．
d　進行すると大腿骨に対し脛骨は内旋する．
e　診断には臥位より立位単純 X 線が有用である．

問 5-9-14

人工膝関節全置換術について正しいのはどれか．

a　脛骨はできるだけ薄く切除する．
b　セメント使用は非使用に比べ再置換率が低い．
c　後十字靱帯温存型は切離型に比べ再置換率が高い．
d　大腿骨遠位の骨切りは骨幹部の長軸に対し垂直に行う．
e　脛骨コンポーネントの内旋位設置は膝蓋骨脱臼の原因となる．

2）骨壊死など

問 5-9-15

膝の特発性骨壊死で発生頻度がもっとも高い部位はどれか．

a　膝蓋骨
b　脛骨内側顆部
c　脛骨外側顆部
d　大腿骨内側顆部
e　大腿骨外側顆部

問 5-9-16

膝の特発性骨壊死で正しいのはどれか．2 つ選べ．

a　女性に多い．
b　若年発症が多い．
c　緩徐な発症が多い．
d　手術療法が第 1 選択である．
e　夜間痛が特徴的である．

問 5-9-17

特発性膝骨壊死について正しいのはどれか．3 つ選べ．

a　内側顆部に多い．
b　両側発症例が多い．
c　60 歳以上の男性に多い．
d　脆弱性骨折が要因である．
e　急激な疼痛が特徴的である．

3）その他

問 5-9-18

関節鏡について正しいのはどれか．3つ選べ．

a　本体は硬性鏡が主流である．
b　膝関節に使用するものの直径はおおよそ 4～5 mm である．
c　直視鏡が 30° 斜視鏡よりも多く使用される．

d 膝関節には外側膝蓋下穿刺がもっとも頻用される.

e 関節の感染症は適応でない.

問 5-9-19

膝関節で鏡視下手術の適応となる可能性が低いのはどれか. 2つ選べ.

a 滑膜骨軟骨腫症
b 特発性関節血症
c 間欠性関節水症
d 血友病性関節症
e 神経病性関節症

問 5-9-20

膝窩嚢胞について誤っているのはどれか.

a 中年以降の女性に多い.
b 変形性関節症や関節リウマチに合併して生じるものが多い.
c 嚢胞内には粘稠な黄色透明の関節液の貯留を認める.
d 膝窩嚢胞の約95%以上には関節腔との交通がみられる.
e 小児の膝窩嚢胞はしばしば自然治癒する.

問 5-9-21

膝関節周囲にみられる関節包, 滑液包の病態で正しいのはどれか.

a 膝窩嚢胞(Baker 嚢胞)——膝関節腔と交通することはまれである.
b 滑膜ひだ障害——高齢者に頻発する.
c 膝蓋前滑液包炎——ひざまずく動作を繰り返すと発生しやすい.
d 膝蓋下滑液包炎——Osgood-Schlatter 病に合併する.
e 鵞足滑液包炎——関節リウマチ患者で頻発する.

問 5-9-22

先天性膝関節脱臼について正しいのはどれか.

a 先天性股関節脱臼よりも頻度は高い.
b 頭位分娩に多くみられる.
c 膝関節は強く屈曲し, 伸展が不能である.
d 脛骨が大腿骨よりも後方に位置している.
e 保存療法が優先される.

問 5-9-23

分裂膝蓋骨について正しいのはどれか.

a 保存療法が優先される.
b 幼児期の外傷が原因である.
c 診断には MRI が有用である.
d 分裂部の骨癒合を得ることが必要である.
e 多くは Saupe 分類 type Ⅰ(下端が分離)である.

問 5-9-24

先天性多発性関節拘縮症について正しいのはどれか.

a 筋肉は正常である.
b 進行性の疾患である.
c 重度の知的発達遅延を伴う.
d 多発性の末梢神経麻痺を伴う.

e　先天性内反足は難治性である.

問 5-9-25

発育期の下肢アライメントについて病的なのはどれか. 2つ選べ.

a　立位開始時の外反扁平足
b　生後 12 カ月の下腿内捻
c　1 歳 6 カ月で 1 横指の内反膝
d　2 歳で脛骨の metaphyseal-diaphyseal angle 20°
e　4 歳で 4 横指の内反膝

問 5-10-1

足関節鏡について正しいのはどれか. 3つ選べ.

a　前外側穿刺では伏在神経損傷の危険がある.
b　前中央穿刺は前脛骨動脈損傷の危険がある.
c　前外側穿刺と後内側穿刺が広く用いられる.
d　距骨滑車骨軟骨損傷は鏡視下手術の適応となる.
e　2.7 mm もしくは 4.0 mm 径の斜視鏡が用いられる.

問 5-10-2

足関節・足の機能解剖について正しいのはどれか. 2つ選べ.

a　距骨下関節では, 主に背底屈の動きを行う.
b　中足趾節関節は, 伸展より屈曲方向の可動域が大きい
c　Chopart 関節は, 舟状骨と楔状骨, 踵骨と立方骨からなる.
d　足底腱膜は, 足アーチの巻き上げ機構(windlass mechanism)に関与する.
e　Lisfranc 関節は, 第 1〜3 中足骨と第 1〜3 楔状骨, 第 4, 5 中足骨と立方骨からなる.

問 5-10-3

足関節・足の解剖について正しいのはどれか. 2つ選べ.

a　項靱帯は距骨と舟状骨をつなぐ靱帯である.
b　三角靱帯は脛骨と腓骨をつなぐ靱帯である.
c　ばね靱帯は舟状骨と踵骨をつなぐ靱帯である.
d　二分靱帯は距骨と舟状骨・立方骨をつなぐ靱帯である.
e　リスフラン靱帯は第 1(内側)楔状骨と第 2 中足骨をつなぐ靱帯である.

問 5-10-4

深腓骨神経支配の筋で誤っているのはどれか．2つ選べ．

a 腓腹筋
b 前脛骨筋
c 長腓骨筋
d 長趾伸筋
e 長母趾伸筋

問 5-10-5

生下時にみられる足部変形について正しいのはどれか．2つ選べ．

a 多趾症は母趾列に多い．
b 先天性内反足は必ず尖足を伴う．
c 先天性垂直距骨では，後足部は尖足位となる．
d 先天性内転足は，保存療法が無効である．
e 先天性外反踵足に対しては，ギプス矯正が必要である．

問 5-10-6

先天性内反足にみられる骨形態・配列異常のうち，正しいのはどれか．3つ選べ．

a 踵骨の過形成
b 踵骨の roll in
c 舟状骨の外側偏位
d 距骨体部の低形成
e 距骨頚部の短縮・内反

問 5-10-7

先天性内反足について正しいのはどれか．3つ選べ．

a 2：1の割合で男児に多い．
b 片側例と両側例の頻度は同程度である．
c 尖足変形を有しない症例がある．
d Ponseti 法が標準的な治療法である．
e アキレス腱延長を行う時期は生後6カ月である．

問 5-10-8

母趾種子骨障害について正しいのはどれか．3つ選べ．

a 通常 MTP 関節に2個と IP 関節に1個種子骨がある．
b MTP 関節の種子骨は底側板(plantar plate)内にある．
c 障害は内側種子骨に多い．
d 母趾の屈曲強制により痛みが生じる．
e 手術療法が第1選択である．

問 5-10-9

足根管症候群について正しいのはどれか．3つ選べ．

a 足根管内で脛骨神経が絞扼されて起こる神経障害である．
b 原因を特定できない特発性のものが多い．
c 足底の感覚障害は，外側足底神経領域が侵されることが多い．
d 足関節内果の後下方に Tinel 様徴候を認める．
e 明らかな圧迫病変がある場合は手術を行

う．

問 5-10-10

外反母趾の解剖学的特徴について正しいのはどれか．3 つ選べ．

a 基節骨外反
b 母趾の回外
c 第 1 中足骨内反
d 種子骨内側偏位
e 母趾が第 2 趾と比較して長い．

問 5-10-11

Morton 病について正しいのはどれか．3 つ選べ．

a 中足骨頭間で発生する絞扼性神経障害である．
b 中年以降の女性に好発する．
c 第 4・5 趾間にもっとも多い．
d 足趾の感覚障害を生じることがある．
e 保存療法が無効なことが多い．

問 5-10-12

ハンマートウについて正しいのはどれか．3 つ選べ．

a 母趾中足趾節(MTP)関節の変形性関節症である．
b 近位趾節間(PIP)関節が伸展する．
c 外反母趾に合併する．
d 二分脊椎が原因となる．
e 靴により突出部が圧迫され有痛性胼胝を生じる．

問 5-10-13

足部の無腐性壊死について正しいのはどれか．2 つ選べ．

a Köhler 病は，足舟状骨に生じる．
b Köhler 病は女児に多い．
c Köhler 病の好発年齢は 5～6 歳である．
d Freiberg 病は男児に多い．
e Freiberg 病は第 3 中足骨に多い．

問 5-10-14

足根骨癒合症について誤っているのはどれか．

a 距・踵骨癒合は後距踵関節の外側に多い．
b 踵・舟状骨癒合は踵骨前方突起と舟状骨の間に起こる．
c 距・踵骨癒合の X 線診断には，足関節外旋斜位像が有用である．
d 踵・舟状骨癒合の X 線診断には，足部内旋斜位像が有用である．
e 癒合症に伴う腓骨筋痙性扁平足では，内がえしが制限される．

問 5-10-15

足関節の可動域を測定して次の結果を得た．

	背屈	底屈
自動運動	20°	不能
他動運動	20°	45°

考えられるのはどれか．

a 足関節拘縮
b 脛骨神経麻痺
c 総腓骨神経麻痺

d 前足根管症候群

e 新鮮アキレス腱断裂

問 5-10-16

荷重時単純X線像(図1)に示す疾患について誤っているのはどれか.

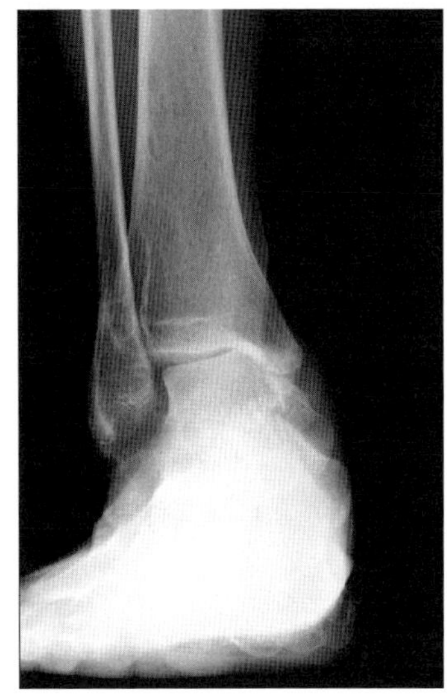

問 5-10-16／図 1

a 女性に多い.

b 中年以降に多い.

c 外反型より内反型が多い.

d 発症には関節不安定性が関与する.

e 内側楔のついた足底挿板が有効である.

問 5-10-17

足部疾患について正しいのはどれか. 2つ選べ.

a 内反小趾は男性に多い.

b 外反母趾では母趾は回内する.

c Morton 病は第 4・5 趾間に多い.

d 鉤爪趾変形では PIP 関節が伸展する.

e 強剛母趾では関節可動域が制限される.

問 5-10-18

足根骨癒合症について誤っているのはどれか. 2つ選べ.

a わが国では距踵骨癒合症が多い.

b 10 歳頃から癒合部の疼痛が出現する.

c 骨性癒合では疼痛が生じやすい.

d 腓骨筋痙性扁平足の原因となる.

e 足根管症候群は舟状楔状骨癒合症に好発する.

問 5-10-19

52 歳の女性. 1年前から誘因なく右足部痛と歩きにくさを自覚し来院. 患側の荷重時単純X線足部側面像(図 1)と MRI T2 強調像(図 2, 白矢頭は腱断裂をさす)を示す.
この症例の身体所見として誤っているのはどれか.

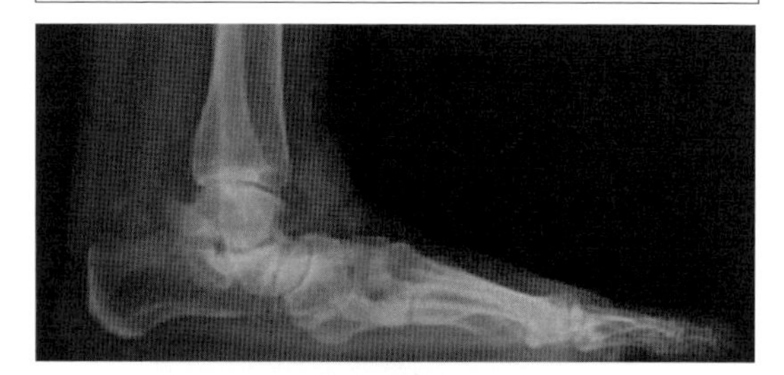

問 5-10-19／図 1

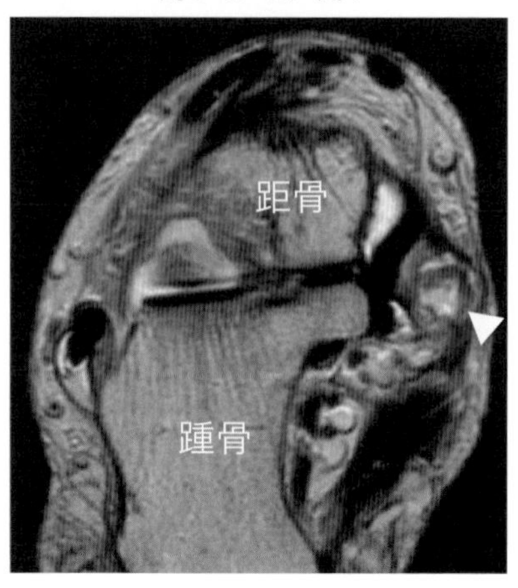

問 5-10-19／図 2

a　踵部の内反
b　内果周辺の疼痛
c　外果周辺の疼痛
d　too many toes sign 陽性
e　single heel rising test 陽性

問 5-10-20

78歳の男性．5年前からの右足関節痛を主訴に来院．荷重時単純X線足関節正面（図1）・側面像（図2）を示す．
この症例に対する治療として適切でないのはどれか．

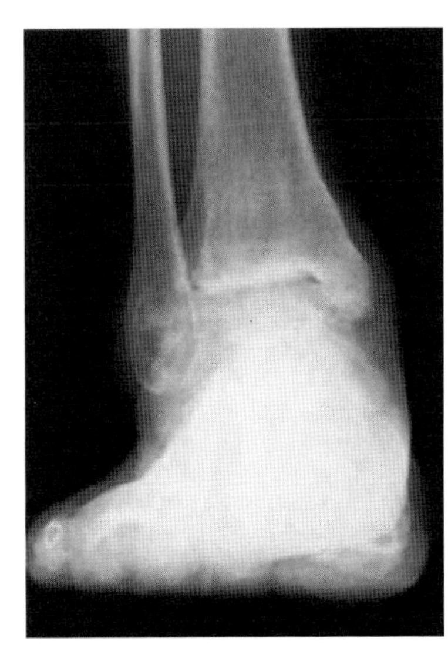

問 5-10-20／図1　荷重時正面像

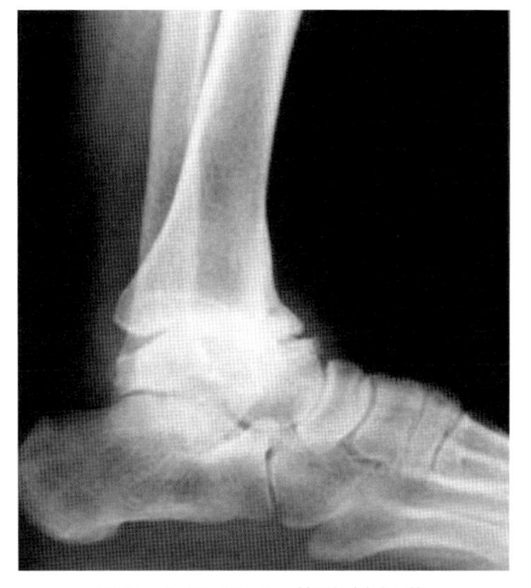

問 5-10-20／図2　荷重時側面像

a　温熱療法
b　副腎皮質ステロイドの関節内注射
c　下位脛骨骨切り術
d　関節固定術
c　人工足関節全置換術

問 5-10-21

足底腱膜炎について誤っているのはどれか．2つ選べ．

a　中年以降に好発する．
b　起床時第1歩目の疼痛が特徴的である．
c　踵骨の足底腱膜付着部外側に強い圧痛がある．
d　踵骨棘が症状と関連している．
e　足底腱膜のストレッチングが有効である．

問 5-10-22

外反母趾について正しいのはどれか．２つ選べ．

a　母趾は外反に伴い回外する．
b　２：１の割合で女性に好発する．
c　疼痛の程度は変形の重症度と相関する．
d　母趾背内側趾神経の圧迫は激痛の原因となる．
e　母趾が第２趾と比較して長いことが発症の要因となる．

問 5-10-23

強剛母趾について正しいのはどれか．３つ選べ．

a　母趾趾節間関節の変形性関節症である．
b　外傷が原因となりうる．
c　母趾の背屈制限を生じる．
d　第１中足骨頭内側の骨棘が特徴である．
e　初期では関節縁切除術を行う．

外　傷

6 外　傷

□
□
□

1 軟部組織損傷

□□□ A ▶ p. 234-241

問 6-1-1

スポーツによる肉ばなれについて正しいのはどれか．2つ選べ．

a　手術の適応はない．
b　神経損傷を合併する．
c　ハムストリングスの損傷がもっとも多い．
d　MRI T2 強調像で筋内に高信号領域を認める．
e　RICE(rest, ice, compression, elevation)は禁忌である．

問 6-1-2

挫滅(圧挫)症候群について誤っているのはどれか．

a　輸液はカリウムを含まないものを用いる．
b　区画症候群に対して緊急筋膜切開を行う．
c　ショック状態に対して速やかに全血輸血を行う．
d　腎尿細管壊死による急性腎不全は致命的な障害となる．
e　圧挫されて生じた大量のミオグロビンやカリウムが全身循環に放出される．

問 6-1-3

主幹動脈損傷の末梢症状について誤っているのはどれか．

a　腫脹
b　疼痛
c　感覚異常
d　運動障害
e　動脈拍動の消失

問 6-1-4

腱の皮下断裂について正しいのはどれか．2つ選べ．

a　骨の近傍で生ずる．
b　加齢による腱の変性が存在する．
c　保存療法が行われることはない．
d　術後の早期運動療法は禁忌である．
e　上腕二頭筋腱の断裂がもっとも多い．

問 6-1-5

区画症候群について正しいのはどれか．2つ選べ．

a　末梢部の動脈拍動が消失する．
b　スポーツ動作の反復運動は原因の1つである．
c　区画内圧が 25 mmHg の場合，ただちに筋膜切開を行う．

d 下腿の区画は，前方，後方，外側，内側の4つがある．

e Volkmann拘縮は，前腕の掌側区画症候群によるものである．

問6-1-6

肘関節の靱帯構造について正しいのはどれか．3つ選べ．

a 肘関節の安定性に関する靱帯は，内側側副靱帯，外側側副靱帯，輪状靱帯である．

b 内側側副靱帯は，肘関節の外反や前後方向の動揺性を防いでいる．

c 内側側副靱帯のうち，前斜走線維が安定性にもっとも重要である．

d 外側側副靱帯は，肘関節の内反や前腕の過回内を防ぐ働きがある．

e 輪状靱帯は，橈骨頭を上腕骨小頭につなぎ止める靱帯である．

問6-1-7

関節構成体について誤っているのはどれか．

a 靱帯は組織学的にII型コラーゲンが主である．

b 関節包内靱帯と関節包外靱帯を副靱帯という．

c 関節包は外層の線維層と内層の滑膜層からなる．

d 関節包靱帯は線維層の一部が索状に肥厚して形成される．

e 靱帯では，膠原線維が線維軟骨，および石灰化線維軟骨を経て骨に移行している．

問6-1-8

捻挫と靱帯損傷について正しいのはどれか．3つ選べ．

a 外傷直後では腫脹が軽度である．

b 捻挫の中に靱帯の完全断裂は含まれない．

c 関節血症を疑う場合には関節穿刺を行う．

d 靱帯損傷の程度により外固定の期間が異なる．

e O'Donoghue分類の第1度損傷では，ストレスX線撮影で関節裂隙の開大がみられる．

問6-1-9

手根不安定症について誤っているのはどれか．

a 近位手根列背側回転型手根不安定症(DISI)は舟状月状骨解離で生じる．

b 近位手根列掌側回転型手根不安定症(VISI)は月状骨が掌屈する．

c SLAC wristは手根不安定症の終末像の1つである．

d DISIでは単純X線側面像にて舟状骨月状骨角が減少する．

e DISIやVISIには腱移植による靱帯再建術が行われる．

問6-1-10

手根靱帯について誤っているのはどれか．

a 手根骨近位列は，豆状骨のみが腱付着部をもつ．

b 手根骨間の靱帯をintrinsic靱帯，橈骨と手根骨間の靱帯をextrinsic靱帯と呼ぶ．

c　SNAC wrist は舟状骨偽関節のために生じた変形性手関節症の総称である.
d　橈骨遠位端骨折の合併損傷の1つに舟状月状骨靱帯断裂がある.
e　手関節背側靱帯は掌側靱帯に比較して強い.

問 6-1-11

手の外傷について誤っているのはどれか.

a　三角線維軟骨複合体損傷は，手が過度に回内され受傷することが多い.
b　舟状月状骨解離では月状骨と舟状骨が掌屈する.
c　基節骨基部骨折では MP 関節屈曲位で整復固定を行う.
d　尺骨突き上げ症候群の治療法として尺骨短縮術がある.
e　母指 MP 関節橈側側副靱帯の損傷では MP 関節の掌側亜脱臼が生じる.

問 6-1-12

三角線維軟骨複合体について誤っているのはどれか．2つ選べ.

a　関節円板と掌側橈尺靱帯，尺側側副靱帯で構成される.
b　深層と浅層に分かれ，深層の役割が重要である.
c　転倒による軸圧で損傷される.
d　過度の回外で損傷される.
e　外傷性辺縁断裂では修復術が適応になる.

問 6-1-13

膝半月について正しいのはどれか．2つ選べ.

a　半月実質部外縁の約 50％には血行が認められる.
b　内側半月の前角と後角は，ほとんどが脛骨関節面に付着する.
c　内側半月の前節から後節は，冠靱帯を介して脛骨に付着する.
d　外側円板状半月の後角は脛骨に付着せず Wrisberg 靱帯を形成する.
e　外側半月の前節から後節は，膝窩筋腱溝を除き，冠靱帯を介して脛骨に付着する.

問 6-1-14

膝半月の機能として重要なのはどれか．3つ選べ.

a　荷重分散
b　関節潤滑
c　膝関節安定性への関与
d　関節可動域のコントロール
e　screw-home movement（ねじ込み運動）への関与

問 6-1-15

MRI による膝半月損傷の診断について正しいのはどれか．2つ選べ.

a　損傷部の診断には T2 強調像が有効である.
b　断裂部は T2 強調像で低信号に撮像される.
c　骨端線閉鎖前の小児半月内の高信号は損傷を示唆している.

d 外側半月縦断裂の診断では，膝窩筋腱溝との鑑別が重要である．

e 正常半月はT1強調像で低信号，T2強調像で高信号に撮像される．

問 6-1-16

McMurray テストの手技として正しいのはどれか．

a 膝90°屈曲位とし，脛骨近位部を後方へ押す．

b 膝軽度屈曲位とし，大腿遠位部を固定し脛骨近位部を前方に引く．

c 膝最大屈曲位とし，下腿回旋ストレスを加えながら膝を伸展させる．

d 膝蓋骨を外方へ押し，下腿を外旋した状態で膝を屈曲させようとする．

e 膝約40°屈曲位とし，膝外反・下腿内旋のストレスを加えながら伸展させる．

問 6-1-17

外側円板状半月に関して正しいのはどれか．2つ選べ．

a 小児半月損傷のもっとも多い原因である．

b 大腿骨外側顆の離断性骨軟骨炎の原因となる．

c 先天的な形態異常であり，全切除の適応である．

d 通常の半月損傷と異なりロッキングはきたさない．

e 切除後の予後は良好であり，関節症変化はきたさない．

問 6-1-18

膝半月損傷について正しいのはどれか．3つ選べ．

a 若年層では縦断裂が多い．

b 若年者の辺縁1/4縦断裂は，縫合術の適応である．

c 半月全切除は二次性変形性膝関節症の原因となる．

d 円板状半月の発生頻度は，日本人と外国人ではほぼ等しい．

e 前十字靱帯損傷における二次性半月損傷形態は，前節の縦断裂が多い．

問 6-1-19

膝半月損傷について誤っているのはどれか．

a 前節よりも中節から後節にかけての断裂が多い．

b 中高年では縦断裂よりも横断裂や水平断裂が多い．

c ロッキングをきたしやすい断裂形態は横断裂である．

d 前十字靱帯損傷陳旧例では，経過とともに内側半月損傷が増加する．

e 小児で明らかな外傷を伴わない場合，そのほとんどは円板状半月の水平断裂である．

問 6-1-20

足関節捻挫の際，断裂しやすい靱帯はどれか．2つ選べ．

a 三角靱帯

b 脛腓靱帯

c 前距腓靱帯
d 踵腓靱帯
e 後距腓靱帯

問 6-1-21

Lisfranc 靱帯損傷について誤っているのはどれか.

a Lisfranc 靱帯は第 2 中足骨基部と内側楔状骨を結ぶ靱帯である.
b 第 1・2 中足骨基部間にフレーク状の骨片を伴うことが多い.
c 足部への過底屈外力で生じることが多い.
d 内側・中間楔状骨間の解離を伴うことがある.
e Lisfranc 関節の全脱臼を伴う.

問 6-1-22

足部の靱帯損傷について正しいのはどれか. 3 つ選べ.

a 小児の内がえし損傷では外側靱帯の実質部断裂より腓骨付着部の裂離骨折が起こりやすい.
b 足関節底屈位で内がえし強制を受けると前距腓靱帯損傷が起こる.
c 足部への外がえし強制で二分靱帯損傷が起こる.
d 踵腓靱帯の単独損傷は少ない.
e 三角靱帯損傷は単独損傷として起こることが多い.

問 6-1-23

肉ばなれについて正しいのはどれか. 2つ選べ.

a 求心性筋収縮によって発生することが多い.
b 筋腱移行部の筋線維または筋膜が損傷される.
c ハムストリングスにもっとも多い.
d ハムストリングスの肉ばなれは, 陸上競技では短距離より長距離の選手に多い.
e テニス脚は大腿四頭筋に生じる.

問 6-1-24

壊死性筋膜炎で正しいのはどれか. 2つ選べ.

a 筋組織が侵される.
b 皮膚に水疱が発生する.
c 軟部組織の握雪感を触知する.
d 単純 X 線像での筋肉内ガス像を認める.
e 劇症型溶血性連鎖球菌感染症は保健所への届け出が義務づけられている.

問 6-1-25

破傷風について正しいのはどれか. 3つ選べ.

a 初発症状は開口障害である.
b 潜伏期が短いほど予後がよい.
c 破傷風菌の芽胞は動物の消化管に常在する.
d 破傷風菌の菌体外毒素が筋に直接作用する.
e 外傷直後のデブリドマンは発症予防に有効である.

問 6-1-26

下腿の区画(コンパートメント)症候群について正しいのはどれか．3つ選べ．

a　患肢の挙上は禁忌である．
b　他動伸展時痛が特徴的である．
c　後方区画の発生頻度がもっとも高い．
d　足部の動脈拍動は触知できない．
e　筋膜切開の適応決定には区画内圧測定が有用である．

2 骨折・脱臼総論

□□□ A ▶ p. 242-254

問 6-2-1

出血性ショックの重症度の判定に関連がないのはどれか．

a　尿量
b　疼痛
c　血圧
d　心拍数
e　意識状態

問 6-2-2

出血性ショックの症状と治療として正しいのはどれか．2つ選べ．

a　多尿に対する是正
b　徐脈に対する是正
c　代謝性アルカローシスの是正
d　呼吸管理による脳への酸素供給
e　輸液・輸血による循環血液量不足の是正

問 6-2-3

骨折で推定される出血量について正しいのはどれか．2つ選べ．

a　脛骨骨折では，500 mL の出血が推定される．
b　上腕骨骨折では，750 mL の出血が推定される．
c　骨盤骨折では，1,000～5,000 mL の出血が推定される．
d　大腿骨骨折では，1,000～2,000 mL の出血が推定される．
e　開放骨折では，皮下骨折の3倍程度の出血量を見込む必要がある．

問 6-2-4

脂肪塞栓症候群の臨床症状はどれか．3つ選べ．

a　低酸素血症
b　血小板の増加
c　多発性神経麻痺
d　血清リパーゼの上昇
e　皮膚・網膜の点状出血

問 6-2-5

Salter-Harris 分類でもっとも頻度の高い成長軟骨板損傷はどれか．

a

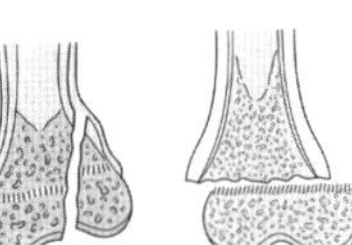

b

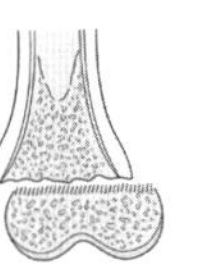

c

d

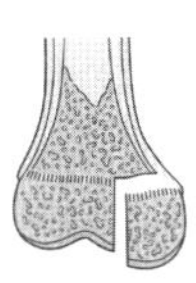

e

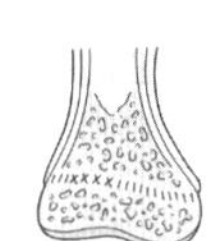

問 6-2-6

受傷後6時間以内の新鮮開放創に対する処置として適切でないのはどれか.

a 植皮
b 神経縫合
c デブリドマン
d 洗浄，デブリドマン後の一次的創閉鎖
e Gustilo 分類 type ⅢB 開放骨折に対する内固定

問 6-2-7

骨折の治癒過程について正しいのはどれか. 3つ選べ.

a 骨折端部の骨細胞は死滅する.
b 骨折部の血腫内に組織球，線維芽細胞が浸潤する.
c 軟性仮骨(soft callus)の主成分はⅡ型コラーゲンである.
d 仮骨の量は，骨折端同士の固定が強固であればあるほど多くなる.
e 線維性骨(woven bone)の仮骨による連結が生じても，力学的強度は不十分である.

問 6-2-8

外傷後に発生した関節周囲の異所性骨化について正しいのはどれか. 2つ選べ.

a 関節拘縮をきたさないよう可動域訓練を強化する.
b 骨化が増大する前の早期に摘出術を行う.
c 肘関節周辺骨折に合併することが多い.
d 局所熱感を伴うことが多い.
e 筋肉が骨化して生じる.

問 6-2-9

Volkmann 拘縮について正しいのはどれか. 2つ選べ.

a 疼痛は著明である.
b 手関節周辺骨折に合併しやすい.
c 区画内圧測定は診断価値がない.
d 筋膜切開は最小限にとどめるようにする.
e 定型的変形として，手関節掌屈や回内拘縮がある.

問 6-2-10

骨折の合併症について正しいのはどれか. 3つ選べ.

a 骨化性筋炎が発生したら，ただちに骨化部を切除する.
b 大腿骨頚部骨折の牽引中，患肢が外旋位にならないように注意する.
c Sudeck 骨萎縮に対する治療の原則は，患肢の免荷，安静，挙上である.
d 軟部組織の強い挫滅を伴う長管骨開放骨折では，関節拘縮をきたしやすい.
e ギプス固定中，しびれ，疼痛の増強がみられれば，ただちにギプスをカットする.

問 6-2-11

骨端線損傷について正しいのはどれか. 3つ選べ.

a 上腕骨近位骨端離開は，手術の適応にならないことが多い.

b 大腿骨近位骨端離開では，高頻度に大腿骨頭壊死が生じる．

c 骨端離開が生じるのは，成長軟骨板の中の増殖細胞層である．

d Salter-Harris 分類 type Ⅳは，成長軟骨板が圧挫されて生じる損傷である．

e 基節骨骨端線損傷では，回旋変形に注意しないと交差指(cross finger)となりやすい．

問 6-2-12

骨折治療の原則について誤っているのはどれか．

a 5歳以下の小児には，介達牽引法が選択される．

b 小児の骨幹部骨折では，回旋変形についても旺盛な自家矯正が期待できる．

c 創の汚染が強い開放骨折では，できるだけ早く洗浄とデブリドマンを行う．

d 土で汚染された開放骨折では，破傷風の可能性を念頭に置く．

e ギプス固定を行ったら，できるだけ早期からギプス内での等尺性訓練を行わせる．

問 6-2-13

遷延癒合および偽関節について誤っているのはどれか．

a 固定不良による遷延癒合は強固な固定によって骨癒合は進行する．

b 開放骨折は遷延癒合および偽関節の原因となる．

c 萎縮型偽関節では骨シンチグラフィーで強い集積を示す．

d 大きな欠損偽関節には血管柄付き骨移植術が有用である．

e 低出力超音波パルス治療の適応である．

問 6-2-14

小児の骨折の特徴について誤っているのはどれか．

a 脱臼や靱帯損傷を合併しやすい．

b 長管骨の骨折では，短縮して骨癒合しても，成長軟骨板で過成長が起こる．

c 急性塑性変形では骨折線が認められない．

d 成長軟骨板損傷は変形の原因となる．

e 若木骨折では骨折線が骨を横断しない．

問 6-2-15

開放骨折の Gustilo 分類について誤っているのはどれか．2つ選べ．

a type Ⅰには横骨折ないし短斜骨折が多い．

b type Ⅱの開放創は1 cm 以下である．

c type ⅢA では皮弁形成術を要する．

d type ⅢB では骨膜剥離を伴う．

e type ⅢC では動脈の修復を要する．

問 6-2-16

外傷性完全脱臼について正しいのはどれか．3つ選べ．

a 関節包外脱臼である．

b 脱臼の整復は24時間以内，かつ早期に行うのが望ましい．

c 陳旧例においても，関節造影法は先天性脱臼との鑑別に有用である.

d 外傷性脱臼の頻度は高い順に，肩関節，股関節，肘関節である.

e 外傷性脱臼は成人よりも小児に多い.

問 6-2-17

外傷性脱臼・骨折の所見について誤っているのはどれか.

a 肩鎖関節脱臼――piano key sign

b 上腕骨顆上骨折――脂肪体徴候(fat pad sign)

c 骨折のない外傷性橈骨頭脱臼――尺骨塑性変形

d 示指PIP関節背側脱臼――ボタン穴変形

e 大腿骨頚部骨折――股関節の伸展・外旋肢位

問 6-2-18

閉鎖性外傷性脱臼において手術療法の絶対的適応でないのはどれか.

a 徒手整復不能例

b 徒手整復後，安定した整復位が保持できない例

c 徒手整復後も整復前の循環動態が改善しない例

d 徒手整復後も神経麻痺が回復しない新鮮例

e 陳旧性脱臼例

問 6-2-19

外傷性脱臼・骨折の治療について誤っているのはどれか.

a 肩関節前方脱臼――腹臥位にて患側下垂，牽引

b Monteggia脱臼骨折――尺骨整復と橈骨頭整復

c 中手骨頚部骨折――MP関節の伸展位整復固定

d 踵骨関節内骨折――経皮鋼線(釘)やプレートによる整復固定

e 小児大腿骨骨折――股関節90°屈曲，膝関節90°屈曲での牽引

問 6-2-20

外傷性脱臼の治療法について正しいのはどれか.

a 母指MP関節背側脱臼は，牽引によって容易に整復される.

b 肩鎖関節脱臼では，Kenny-Howard装具が用いられる.

c 股関節中心性脱臼では，大腿骨顆上部と大転子からの直達牽引が有用である.

d 膝蓋骨脱臼の整復は，膝を屈曲しながら膝蓋骨を内方へ圧迫する.

e Lisfranc関節脱臼は，徒手整復および保持が容易である.

問 6-2-21

疲労骨折について誤っているのはどれか.

a 下肢疲労骨折で頻度の高い部分は中足骨と腓骨である.

b 腰椎分離症の原因は脊椎関節突起間部の疲労骨折である.

c 初期は単純 X 線像で所見を示さない場合もある.

d MRI は早期診断に有用で, STIR 法で周囲骨髄に比し高信号を呈する.

e 脛骨中央 1/3 部疲労骨折では手術的治療の適応がある.

問 6-2-22

疲労骨折について誤っているのはどれか. 2 つ選べ.

a 腕相撲中に発生する上腕骨骨折は疲労骨折である.

b 股関節強直患者では同側恥骨に発生する.

c 脛骨遠位 1/3 部では後内側に好発する.

d 高齢者の胸腰椎圧迫骨折は疲労骨折である.

e 治療の基本は安静である.

問 6-2-23

胸椎・腰椎損傷で過屈曲伸張が受傷機転であるのはどれか.

a 圧迫骨折

b 破裂骨折

c 屈曲回旋脱臼骨折

d 剪断脱臼骨折

e シートベルト損傷

問 6-2-24

開放骨折の治療法について正しいのはどれか. 3 つ選べ.

a 組織 1 g 当たり 10^5 個以上の細菌に汚染されると, 感染リスクが高くなる.

b 積極的に Esmarch 止血帯などを使用し, 近位部で止血を図る.

c 初期治療では壊死組織のデブリドマンと大量の洗浄が原則である.

d 治療計画を立てるうえで, 軟部組織損傷の評価が重要である.

e Gustilo type ⅢB では, 一期的に内固定術を行う.

問 6-2-25

疾患と治療法の組み合わせで誤っているのはどれか.

a 膝蓋骨骨折——引き寄せ鋼線締結法

b split depression type の脛骨プラトー骨折——支持プレート固定法

c 前腕骨骨幹部単純骨折——架橋プレート固定法

d 脛骨骨幹部中央横骨折——髄内釘固定法

e 開放骨折(Gustilo type ⅢB)——創外固定法

問 6-2-26

ギプスについて正しいのはどれか. 2つ選べ.

a 小児の矯正ギプスでは合成キャストを用いることが多い.

b 合成キャストは常温の水に浸けると数十秒で硬化する.

c 石膏ギプスには硫酸カルシウム粉末が用いられる.

d 骨折の場合，固定範囲は上下の関節を含める.

e 下巻きは，骨性隆起部には薄めに巻く.

問 6-2-27

新鮮下腿骨幹部骨折のキャスト(ギプス)固定について正しいのはどれか．2つ選べ.

a 固定力が増すので，下巻きには綿包帯を使用しないでストッキネットを用いるほうがよい.

b 受傷早期で腫脹の少ない時期に固く巻くと腫脹予防になる.

c ギプス内での等尺性運動は，深部静脈血栓の予防に有用である.

d 大腿遠位部から足部までを固定範囲に含める.

e 適合性を高めるためにキャスト材を十分に緊張させながら巻く.

問 6-2-28

合成キャスト(synthetic cast，プラスチックキャスト)について正しいのはどれか.

a 石膏ギプスより弛く巻く.

b 石膏ギプスより伸縮性は少ない.

c 十分に適合させるため素手で巻く.

d 石膏ギプスに比べて硬化時に高い熱が出る.

e 石膏ギプスに比べて耳(タック)がとりにくい.

問 6-2-29

hanging cast(吊り下げギプス包帯)について正しいのはどれか．2つ選べ.

a 遠位端は手指の MP 関節を越えなければならない.

b 夜間睡眠時は，半坐位として牽引力を持続させる.

c ギプスの近位端は骨折線を越えなければならない.

d 上腕骨顆上骨折はよい適応である.

e 肩関節の運動は早期から行うと転位するので，仮骨形成を待つ.

問 6-2-30

新鮮骨折の牽引療法について正しいのはどれか．2つ選べ.

a 大腿骨遠位端に Kirschner 鋼線を刺入する場合，内側からのほうが安全である.

b 頚椎の脱臼骨折の場合，Glisson 牽引は無効である.

c 介達牽引では通常 7〜8 kg の重量で牽引する.

d 介達牽引開始後，包帯を弛めてはいけない.

e 小児は理解力に乏しいので適応は少ない.

問 6-2-31

牽引について正しいのはどれか．2つ選べ.

a Dunlop 牽引は小児上腕骨顆上骨折に対して用いられる.

b Russel 牽引は成人大腿骨骨幹部骨折の保存療法の際に用いられる.

c　Glisson 係蹄を用いる頚椎牽引では，頚椎を後屈 10～30° で牽引する．
d　牽引療法は骨折脱臼の整復とその保持にのみ用いられる．
e　直達牽引は介達牽引に比して大きい牽引力がかけられるため，大腿骨骨折などの整復に適している．

問 6-2-32

牽引について正しいのはどれか．3つ選べ．

a　骨折の整復ための下肢牽引には，介達牽引が用いられる．
b　頚椎損傷の整復は，意識下に Crutchfield tongs を用いる頭蓋骨牽引がよい．
c　大腿骨骨折に対して直達牽引する場合には，脛骨近位または遠位に Kirschner 鋼線を刺入する．
d　介達牽引は直達牽引に比して小さな牽引力しかかけることができないが，感染の危険は少ない．
e　牽引療法は骨折脱臼の整復とその保持だけでなく，関節疾患に対する免荷・安静にも用いられる．

問 6-2-33

牽引について正しいのはどれか．3つ選べ．

a　牽引療法で骨折を整復保持する場合，徒手的整復操作を加えてはならない．
b　一般に下肢牽引では，骨折以外で安静目的の場合は介達牽引で十分である．
c　大腿骨遠位端に Kirschner 鋼線を刺入する場合，膝蓋上嚢および側副靱帯を傷害しない部位に刺入する．
d　乳幼児大腿骨骨幹部骨折の保存療法の際は Bryant 牽引を用いる．
e　Glisson 頚椎牽引では，頚椎後屈位で牽引を行う．

問 6-2-34

小児大腿骨骨幹部骨折の牽引療法について誤っているのはどれか．2つ選べ．

a　一次的な徒手整復をまず行う．
b　3～4 歳の症例では垂直介達牽引法が行われる．
c　5～10 歳の症例では 90°-90° 牽引法が行われる．
d　90°-90° 牽引法は回旋転位のコントロールに優れる．
e　90°-90° 牽引法は介達牽引である．

問 6-2-35

牽引療法の効果として誤っているのはどれか．2つ選べ．

a　炎症の沈静化
b　関節拘縮の除去
c　筋線維の肥大化
d　骨折の愛護的整復
e　椎間板内圧の上昇

問 6-2-36

小児の大腿骨骨幹部骨折の牽引療法について正しいのはどれか．

a　3～4 歳では 90°-90° 牽引を行う．
b　5～10 歳では Bryant 牽引を行う．

c　単純 X 線像で仮骨が確認できたら hip spica cast 固定を行う.

d　直達牽引を行う際には踵骨に Kirschner 鋼線を刺入する.

e　介達牽引では 8〜10 kg で牽引する.

問 6-2-37

脆弱性骨折について正しいのはどれか. 3つ選べ.

a　胸腰椎に好発する.

b　疲労骨折が含まれる.

c　軽微な外傷で発生する.

d　大腿骨転子下に好発する.

e　原因として骨粗鬆症が多い.

問 6-2-38

外傷性脱臼について正しいのはどれか. 3つ選べ.

a　高齢者に多い.

b　肩関節に好発する.

c　ばね様固定を呈する.

d　大部分は直達外力により発生する.

e　脱臼方向は遠位側の転位方向で表現する.

問 6-2-39

長管骨の骨折治癒過程について誤っているのはどれか.

a　初期仮骨は緻密骨である.

b　骨折端部の骨細胞は死滅する.

c　骨折部周囲に軟骨形成が起こる.

d　骨折部血腫内に線維芽細胞が浸潤する.

e　リモデリング期では骨髄腔の形成を認める.

問 6-2-40

成長軟骨板損傷について正しいのはどれか. 2つ選べ.

a　骨端離開は成長軟骨板の増殖軟骨細胞層で生じる.

b　Salter-Harris 分類 type Ⅳでは成長障害は起こりにくい.

c　上腕骨近位骨端離開では観血的整復が原則である.

d　大腿骨近位骨端離開では高頻度に大腿骨頭壊死が生じる.

e　大腿骨遠位の Salter-Harris 分類 type Ⅱでは後に内・外反変形を生じる.

問 6-2-41

開放骨折の初期治療として誤っているのはどれか. 2つ選べ.

a　皮膚は挫滅されていれば切除する.

b　腱断裂は二次縫合するのが原則である.

c　神経に挫滅があれば, その修復は二次的に行う.

d　Gustilo 分類Ⅲ-C では十分なデブリドマンの後, 創の一次閉鎖を行う.

e　Gustilo 分類Ⅲ-A で golden period 内に十分なデブリドマンができれば内固定を行う.

問 6-2-42

骨折の治癒過程について誤っているのはどれか.

a 骨折部位は低酸素状態となる.
b 骨再生能は加齢により低下する.
c 一次骨癒合では仮骨が形成される.
d 骨折部の血腫内では軟骨内骨化が生じる.
e リモデリング期には骨髄腔が形成される.

問 6-2-43

外傷後に生じる異所性骨化について誤っているのはどれか.

a 股関節周囲に好発する.
b 局所安静は骨化を助長する.
c 骨化の発生は外傷の大きさに関係する.
d 骨折・脱臼の愛護的整復操作が予防になる.
e エチドロネートの投与は骨化の抑制に効果がある.

問 6-2-44

FRAX®(fracture risk assessment tool)の骨折危険因子に含まれないのはどれか.

a 飲酒
b 喫煙
c 年齢
d 腰椎骨密度
e 関節リウマチ

3 骨折・脱臼各論

□□□ A ▶ p. 254-298

1) 脊椎・脊髄損傷

問 6-3-1

上位頚椎損傷について正しいのはどれか. 2つ選べ.

a 環椎破裂骨折は脊髄麻痺症状を伴うことが多い.
b 環椎歯突起間距離の正常範囲は, 成人で10 mm 以下である.
c ハングマン骨折は軸椎歯突起骨折のことである.
d 環軸関節回旋脱臼では脊柱管は通常狭窄されない.
e 頚椎単純 X 線像での後咽頭腔の拡大は, 骨折・脱臼などの重大な損傷を示唆する.

問 6-3-2

脊椎骨折とその受傷外力の組み合わせで誤っているのはどれか.

a Jefferson 骨折――軸方向圧迫力
b ハングマン骨折(type Ⅰ)――過伸展圧迫力
c Chance 骨折――屈曲圧迫力
d シャベル作業者骨折――棘突起への筋の牽引力
e スライス骨折――屈曲回旋力

問 6-3-3

小児の環軸関節回旋位固定について正しいのはどれか．3つ選べ．

a　交通事故などの強い外力が原因となることが多い．
b　首を側屈・屈曲・対側に回旋した cock robin position と呼ばれる斜頚位を呈する．
c　開口位単純 X 線正面像では異常を認めない．
d　診断には 3D-CT が有用である．
e　1 週間以上症状の改善がない場合は入院のうえ頚椎牽引治療が望ましい．

問 6-3-4

頚髄損傷において，機能レベルと日常生活動作の関係について正しいのはどれか．2つ選べ．

a　C4 では自分の手で電動車椅子を操作できる．
b　C5 では普通車椅子の操作ができる．
c　C6 ではベッドと車椅子の移乗ができる．
d　C7 では自助具なしで上肢の日常生活動作が自立できる．
e　C8 では床から車椅子の移乗ができる．

問 6-3-5

頚髄損傷において，麻痺高位を判断する key muscles とその高位の組み合わせで誤っているのはどれか．2つ選べ．

a　肘関節屈曲——C5
b　肘関節伸展——C6
c　中指屈曲——C8
d　膝関節伸展——L2
e　足関節背屈——L4

問 6-3-6

胸腰椎移行部(T11～L2)損傷について正しいのはどれか．

a　安定性に関する Denis 分類では anterior column がもっとも重要である．
b　下肢の麻痺症状に比べ仙髄神経領域の麻痺の回復は不良である．
c　破裂骨折においては前縦靱帯・後縦靱帯ともに断裂している可能性が高い．
d　シートベルト損傷の受傷機転は flexion-rotation 型である．
e　脱臼骨折のうち椎間関節の両側ロッキング例は脱臼位で比較的安定していることが多い．

問 6-3-7

胸椎以下の脊椎損傷について正しいのはどれか．3つ選べ．

a　胸椎の安定性には，肋椎関節の寄与は少ない．
b　胸腰椎移行部は，応力が集中しやすく損傷されやすい．
c　Chance 骨折は，シートベルト損傷や転落により，後方支柱に伸延力が作用して生じる．
d　胸椎は脊柱管が広く，血流も豊富なため，損傷による神経麻痺は発生しにくい．
e　破裂骨折では，後方靱帯要素の損傷が軽微で，明らかな神経障害がなければ，保存療法も適応となる.

問 6-3-8

胸腰椎部の脱臼骨折について誤っているのはどれか.2つ選べ.

a three column 損傷であり不安定型である.
b 複数の横突起骨折や肋骨骨折などを合併することが多い.
c スライス骨折は剪断力を機転とする.
d もっとも多いのは flexion-rotation 型である.
e 上・中位胸椎では椎間関節部が脱臼しロッキングを起こすことが多い.

問 6-3-9

上位頚椎損傷について誤っているのはどれか.

a 環椎破裂骨折を Jefferson 骨折という.
b 後頭環椎関節脱臼例は大部分が即死例である.
c 軸椎関節突起間骨折をハングマン骨折という.
d 歯突起骨折(Anderson 分類Ⅱ型)は骨癒合しやすい.
e 軸椎関節突起間骨折で 3 mm 以上の C2 すべりが生じた場合,手術が推奨される.

問 6-3-10

脊髄損傷の神経学的評価について誤っているのはどれか.

a 脊髄ショックでは痙性麻痺を呈する.
b 脊髄ショックの間は完全麻痺や不全麻痺の判断はできない.
c 脊髄ショック離脱後に肛門周囲の感覚回復と括約筋の収縮がみられない場合は完全麻痺と判断する.
d 脊髄障害の重症度評価には Frankel 分類による評価が用いられる.
e 麻痺高位の推察には ASIA(American Spinal Cord Injury Association)スコアリングシステムによる評価が有用である.

問 6-3-11

骨粗鬆症による脊椎骨折について正しいのはどれか.2つ選べ.

a 遅発性麻痺は生じない.
b 胸腰椎移行部に好発する.
c 中央支柱に損傷は及ばない.
d 多発性骨髄腫との鑑別が必要である.
e 椎体内の vacuum cleft は病的骨折を示唆する単純 X 線像である.

問 6-3-12

中心性脊髄損傷について正しいのはどれか.2つ選べ.

a 受傷機転として頚椎過伸展損傷が多い.
b 脊髄白質を中心とした損傷である.
c 運動麻痺は脊髄後索の障害が原因である.
d 運動麻痺は下肢に比較して上肢に強い.

e　手術療法が第１選択である.

問 6-3-13

脊髄損傷の神経学的評価法であるASIA (American Spinal Cord Injury Association) の key muscles で<u>誤っている</u>のはどれか.

a　C5――肘関節屈曲
b　C6――手関節屈曲
c　C7――肘関節伸展
d　C8――中指屈曲
e　T1――小指伸展

問 6-3-14

脊椎損傷について正しいのはどれか.

a　環軸椎前方脱臼では歯状靱帯の断裂を疑う.
b　シートベルト型損傷は屈曲回旋損傷である.
c　破裂骨折は three column すべての骨折である.
d　Anderson 分類Ⅲ型の軸椎歯突起骨折は手術適応となる.
e　Chance 骨折は棘突起, 椎弓根を含み椎体に及ぶ水平骨折である.

問 6-3-15

完全運動麻痺と不全感覚麻痺を呈した頚髄損傷患者が, 運動, 感覚とも正常に回復したが反射異常が残存した. この経過を Frankel 分類で表現すると正しいのはどれか.

a　A→D
b　A→E
c　B→D
d　B→E
e　C→E

問 6-3-16

78 歳の男性. 転倒後に頚部痛を訴えて受診した.
CT (図 1) に示す損傷について正しいのはどれか. ２つ選べ.

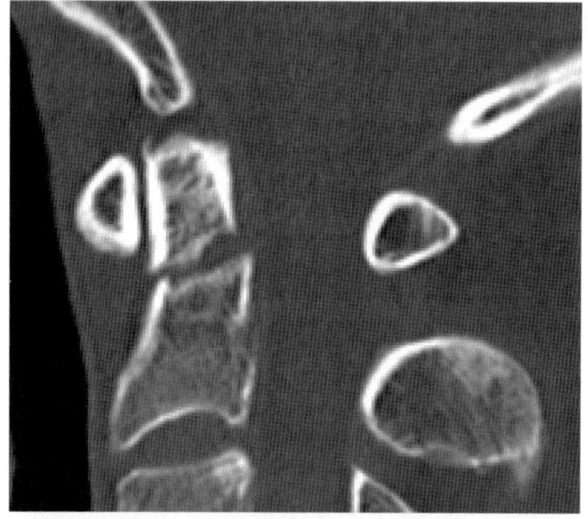
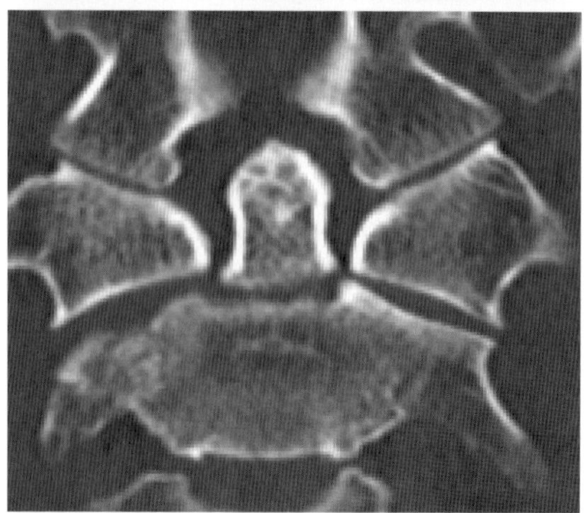

問 6-3-16／図 1

a　ハングマン骨折と呼ばれる.
b　保存治療では偽関節が多い.

c 頭部からの軸圧により発生する.
d 翼状靱帯付着部の裂離骨折である.
e Anderson 分類ではもっとも頻度の高い損傷型である.

問 6-3-17

胸腰椎損傷について誤っているのはどれか. 2つ選べ.

a 胸腰椎移行部にもっとも多い.
b 横突起骨折や肋骨骨折を合併する.
c 破裂骨折は three column 損傷である.
d 脱臼骨折は flexion-rotation 損傷がもっとも多い.
e three column theory の前方支柱には椎体全体が含まれる.

問 6-3-18

頚髄損傷急性期の随伴症状について誤っているのはどれか.

a 徐脈
b 尿閉
c 高血圧
d 無気肺
e 消化性潰瘍

2）肩甲帯～上腕

問 6-3-19

小児の上腕骨顆上骨折の徒手整復, ギプス固定後3時間で, 肘から手部に強い自発痛と手指伸展時の激痛, 知覚鈍麻が生じた. 誤っているのはどれか.

a ギプス包帯を除去する.
b 橈骨動脈の拍動をチェックする.
c 進行すると手指の屈曲拘縮を呈する.
d 前腕伸側よりも屈側の筋が損傷されやすい.
e 筋膜切開をする場合は, 上腕下部のみにとどめる.

問 6-3-20

肋骨骨折において緊急性が高いことを示す所見はどれか. 2つ選べ.

a 轢音
b 介達痛
c 皮下血腫
d 奇異性呼吸
e 胸部の握雪感

問 6-3-21

動揺胸郭を呈する肋骨骨折に対する初期治療として正しいのはどれか.

a 気管挿管による陽圧呼吸
b バストバンド固定
c 体幹ギプス固定
d 胸腔排液法
e 骨接合術

問 6-3-22

肩関節脱臼について誤っているのはどれか. 2つ選べ.

a 外傷性脱臼は後方脱臼が多い.
b 腱板断裂を伴うことがある.
c 腋窩神経損傷は，頻度の高い合併症の1つである.
d 脱臼整復後に転位が残った上腕骨大結節骨折は観血的骨接合術を行う.
e 高齢者では若年者と比べて反復性に移行する場合が多い.

問 6-3-23

肩関節の初回前方脱臼について正しいのはどれか.

a 初回脱臼ではHill-Sachs損傷がみられることは少ない.
b 20歳台と40歳台での初回脱臼後の再脱臼率は，ほぼ同等である.
c 3週間内旋位固定を行うと，固定をしない場合より再脱臼率が低くなる.
d 上腕骨大結節の骨折を伴った症例は，反復性に移行することが少ない.
e 完全な上腕骨外科頚骨折を伴う場合には早急に非観血的徒手整復を行う.

問 6-3-24

肩関節前方脱臼の整復法について誤っているのはどれか. 2つ選べ.

a Hippocrates法――術者の足を患者の腋窩部におき牽引する.
b Stimson法――手拭いなどを腋窩部に通し助手に反対側に牽引させ，上腕軸に平行にゆっくり牽引する.
c 牽引法――台上で腹臥位とし，患肢を台から下に下げ，錘りを手首に下げる.
d Milch法――仰臥位とし患肢を外転から挙上させ，反対の母指で骨頭を上方に押す.
e Kocher法――肘関節を90°屈曲し牽引後，最大外旋・内転・内旋の順に操作する.

問 6-3-25

高齢者の肩関節前方脱臼に合併する頻度が高いのはどれか. 2つ選べ.

a 肩峰骨折
b 腱板断裂
c 鎖骨骨折
d 三角筋断裂
e 腋窩神経損傷

問 6-3-26

肩関節前方脱臼に合併する骨損傷として，頻度の高いのはどれか. 3つ選べ.

a 解剖頚骨折
b 大結節骨折
c Hill-Sachs損傷
d 外科頚骨折
e 骨性Bankart損傷

問 6-3-27

反復性肩関節脱臼の手術法について正しい組み合わせはどれか．2つ選べ．

a Inferior capsular shift 法――関節包を縫縮して前方の不安定性を制動する方法
b Bristow 法――烏口突起を肩甲骨頚部前面にねかせスクリュー2本で固定する方法
c Latarjet 法――烏口突起を肩甲骨頚部前面に立ててスクリュー1本で固定する方法
d Oudard-神中法――烏口突起を筋腱につけたまま切離し，肩甲下筋の下を通して元の位置へ固定する方法
e Bankart 法――剥離した関節唇・関節上腕靱帯を関節窩前縁に縫着する方法

問 6-3-28

上腕骨近位端骨折について正しいのはどれか．2つ選べ．

a 小児では Salter-Harris 分類 type Ⅱが多い．
b 合併神経損傷では橈骨神経麻痺の頻度が高い．
c 高齢者に発生することは少ない．
d 遠位骨片は外方へ転位することが多い．
e 保存療法の1つに三角巾固定がある．

問 6-3-29

成人の上腕骨近位端骨折について正しいのはどれか．3つ選べ．

a 解剖頚骨折では上腕骨頭壊死を起こしやすい．
b 外科頚骨折では遠位骨片は後方に転位しやすい．
c 大結節骨折は上方ないし後方に転位しやすい．
d 小結節骨折は外側に転位しやすい．
e 小結節骨折は見逃されやすい．

問 6-3-30

上腕骨近位端骨折の AO 分類，Neer 新分類について正しいのはどれか．

a AO 分類で関節内骨折は type B である．
b AO 分類で大結節のみの骨折は Type A である．
c 骨片の転位が3 cm 未満で転位角度60°未満のものは，小転位型(minimal displacement)とする．
d 外反陥入骨折は3-part 骨折に分類され，骨頭血流がない可能性が高い．
e 4分節脱臼骨折(4-part fracture dislocation)は骨頭壊死の可能性は低い．

問 6-3-31

肩甲骨骨折について誤っているのはどれか．2つ選べ．

a 単独損傷骨折が多い．
b 体部骨折は機能障害を残すことが多い．
c 肩峰骨(os acromiale)は肩峰骨折との鑑別を要する．
d 肩甲棘基底部骨折に合併する神経損傷は，肩甲上神経が多い．
e 肩関節前方脱臼に合併する骨折は，関節窩前下縁に生じるものが多い．

問 6-3-32

肩鎖関節脱臼について正しいのはどれか．2つ選べ．

a 受傷原因として，ラグビー，柔道などのコンタクトスポーツが多い．
b 鎖骨遠位を頭側から圧迫すると容易に整復され，再転位することはない．
c 診断には，立位で両手に5 kgの重錘をつけてのX線撮影が有用である．
d 完全脱臼新鮮例に対する手術術式としては，鎖骨遠位端切除が第1選択である．
e 肩甲上神経麻痺を高頻度に合併する．

問 6-3-33

肩鎖関節脱臼について正しいのはどれか．2つ選べ．

a Rockwood 分類 type Ⅰ，Ⅱ，Ⅲ，Ⅳはすべて保存療法である．
b Rockwood 分類 type Ⅴでは piano key sign が陽性となることが多い．
c Rockwood 分類type Ⅵは，鎖骨遠位端が烏口突起の下方に転位したものである．
d 鎖骨遠位端は上方に転位し，後方に転位することはない．
e 新鮮例に保存療法は無効である．

問 6-3-34

外傷性胸鎖関節脱臼について正しいのはどれか．2つ選べ．

a 後方脱臼のほうが前方脱臼より発生頻度が高い．
b 前方脱臼では，頚部や上肢の静脈うっ滞，嗄声，呼吸困難，心血管損傷，気胸などをきたす．
c 診断にはX線撮影(40°仰角撮影)が有用である．
d 診断にはCTが有用である．
e 局所麻酔下に徒手整復を行う．

問 6-3-35

上腕骨骨幹部閉鎖骨折にもっとも多く合併する神経麻痺はどれか．

a 正中神経麻痺
b 尺骨神経麻痺
c 橈骨神経麻痺
d 腋窩神経麻痺
e 筋皮神経麻痺

問 6-3-36

上腕骨骨幹部骨折の絶対的手術適応として誤っているのはどれか．2つ選べ．

a 開放骨折
b 両側性骨折
c 血管損傷
d 肥満
e 螺旋骨折

問 6-3-37

外傷性肩関節脱臼の代表的な脱臼機序について正しいのはどれか．

a 後方から肩を強打し，上腕骨頭が前方に脱臼する．
b 前方から肩を強打し，上腕骨頭が後方に脱臼する.

c　肩の外転・外旋が強制され，上腕骨頭が前方に脱臼する.

d　上肢を下方に引っぱられて，上腕骨頭が下方に脱臼する.

e　上肢を振り上げたときに，上腕骨頭が上方に脱臼する.

問 6-3-38

外傷性肩関節脱臼について正しいのはどれか. 2つ選べ.

a　前方脱臼より後方脱臼が多い.

b　関節包断裂を大半に伴う.

c　Bankart 損傷の X 線診断には，正面像が有用である.

d　Hill-Sachs 損傷の X 線診断には，内旋正面像，関節窩軸射像や Stryker 撮影法が有用である.

e　後方脱臼は単純 X 線前後像では見逃される例も少なくない.

問 6-3-39

外傷性肩関節前方脱臼に合併する骨折部位として多いのはどれか. 2つ選べ.

a　肩甲骨関節窩前縁

b　上腕骨大結節

c　上腕骨外科頸

d　鎖骨

e　肩甲骨肩峰

問 6-3-40

外傷性肩関節前方脱臼の徒手整復法はどれか. 3つ選べ.

a　Hippocrates 法

b　Lorenz 法

c　Stimson 法

d　Bryant 法

e　Milch 法

問 6-3-41

外傷性肩関節後方脱臼に不適切な身体所見はどれか. 2つ選べ.

a　外旋は可能である.

b　上腕骨頭の前方膨隆が消失する.

c　烏口突起の前方突出が顕著になる.

d　肩後方の膨隆が顕著になる.

e　肩峰の隆起が顕著になる.

問 6-3-42

外傷性肩関節後方脱臼について正しいのはどれか. 3つ選べ.

a　交通外傷やてんかん発作などで発生する.

b　単純 X 線像で，vacant glenoid sign を認める.

c　単純 X 線像で，Hill-Sachs 損傷を認める.

d　大結節の骨折を合併しやすい.

e　外旋制限を認める.

問 6-3-43

若年者の反復性肩関節前方脱臼の病態に関係があるのはどれか．3つ選べ．

a Hill-Sachs 損傷
b 前方関節包の弛緩
c Bankart 損傷
d 大結節偽関節
e 腱板断裂

問 6-3-44

反復性肩関節前方脱臼の画像診断について正しいのはどれか．3つ選べ．

a 単純X線像でHill-Sachs損傷を描出するためにはStryker撮影が有用である．
b Bankart損傷をもっとも鮮明に描出できるのは関節造影後の造影MRIである．
c 肩関節造影では肩峰下滑液包への造影剤の漏出が特徴的である．
d 骨性Bankart損傷を描出するためにはCTがもっとも有用である．
e 挙上位単純X線像で上腕骨のスリッピングを認めるものが多い．

問 6-3-45

反復性肩関節前方脱臼で正しいのはどれか．2つ選べ．

a 高齢者の初回脱臼は80～90％反復性に移行する．
b 前方脱臼の原因はBankart損傷のみである．
c 肩関節外転・外旋肢位で脱臼不安感がみられる．
d 下上腕関節包靱帯の機能不全が本態である．
e 動揺性肩関節と同義語である．

問 6-3-46

習慣性肩関節後方脱臼について正しいのはどれか．2つ選べ．

a 肩の外傷後に発症するものが多い．
b 肩関節の特定の位置で不随意に脱臼または亜脱臼を起こす．
c 若年者に多い．
d 自然治癒が約半数に認められる．
e 脱臼または亜脱臼時に強い疼痛を伴う．

問 6-3-47

肩鎖関節脱臼の治療について誤っているのはどれか．2つ選べ．

a Rockwood分類type Ⅰ，Ⅱは保存治療が一般的である．
b Rockwood分類type Ⅴは手術適応である．
c Bosworth法は烏口突起と鎖骨をテープで固定する手術法である．
d Phemister法は肩鎖関節を一時的にワイヤーで仮固定する手術法である．
e Neviaser法は鎖骨と烏口突起に骨孔を作成し，烏口鎖骨靱帯を再建する方法である．

問 6-3-48

肩鎖関節脱臼の保存療法において留意すべきものはどれか．2つ選べ．

a 肩鎖関節脱臼の程度
b 患部の皮膚の状態
c sulcus sign の消退の有無
d 腕落下徴候の有無
e 脱臼不安感徴候の有無

問 6-3-49

外傷性肩関節脱臼について正しいのはどれか．2つ選べ．

a 後方脱臼がもっとも多い．
b しばしば腋窩神経麻痺を合併する．
c 高齢者は若年者に比べて反復性に移行しやすい．
d Hill-Sachs 損傷とは骨頭後外側の陥没骨折である．
e Bankart 損傷とは上腕二頭筋長頭腱付着部の剥離損傷である．

問 6-3-50

上腕骨近位端骨折について正しいのはどれか．2つ選べ．

a 若年者に好発する．
b 遠位骨片は内側に転位する．
c 大結節骨片は後上方に転位する．
d 2分節骨折(2-part fracture)には解剖頚骨折が多い．
e 4分節骨折(4-part fracture)では骨頭壊死の可能性は低い．

問 6-3-51

若年者の外傷性肩関節前方脱臼について正しいのはどれか．

a もっとも多いのは腋窩脱臼である．
b しばしば腱板断裂を合併する．
c しばしば上腕骨頭の後外側に陥没骨折を伴う．
d 神経の合併損傷としては橈骨神経麻痺がもっとも多い．
e およそ10%が再脱臼を起こして反復性脱臼となる．

問 6-3-52

20歳の男性．柔道の試合で投げられた際に右肩から畳に落ちて受傷した(図1)．
病態と治療について正しいのはどれか．

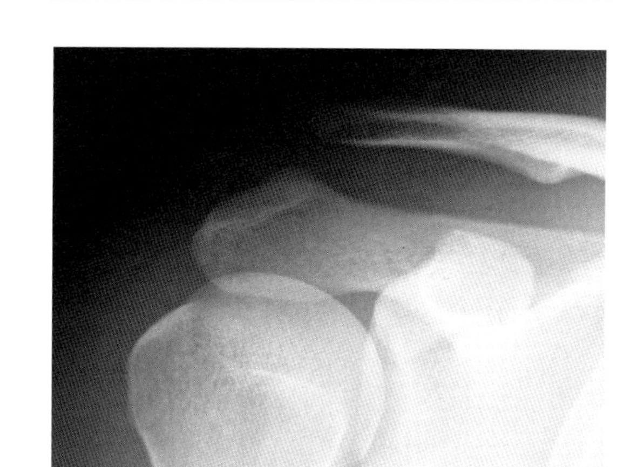

問 6-3-52／図1

a ポパイ徴候が陽性である．
b しばしば肩甲上神経麻痺を合併する．
c 肩鎖靱帯と烏口鎖骨靱帯がともに断裂している．
d 鎖骨遠位端を徒手的に整復すれば，再転位を起こすことはまれである.

e 早期に鎖骨遠位端切除術を行う.

問 6-3-53

85歳の女性. 階段より転落し受傷した. 単純X線像(図1)と3D-CT(図2)を示す.
病態と治療について正しいのはどれか.

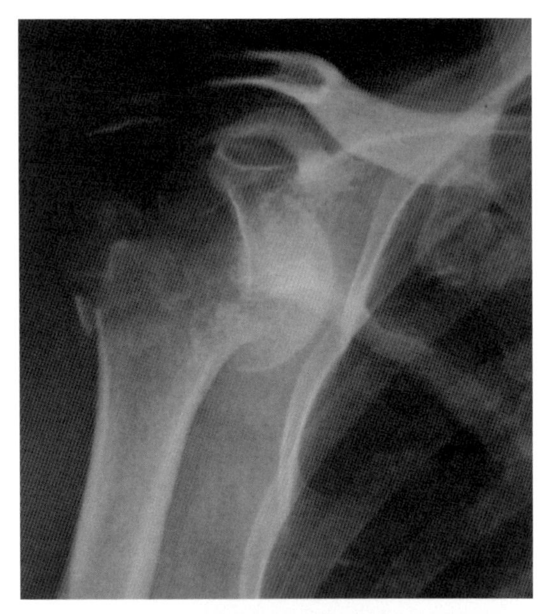

問 6-3-53／図1

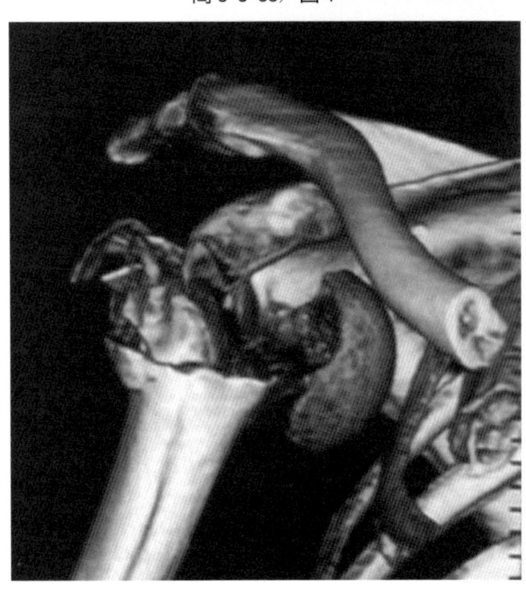

問 6-3-53／図2

a 肩甲背神経損傷を高率に合併する.

b 2-part fracture に分類される.

c 骨頭壊死を生じる可能性が高い.

d 保存治療が第1選択である.

e 反転型人工肩関節置換術は禁忌である.

問 6-3-54

肩甲骨骨折について誤っているのはどれか.
2つ選べ.

a 体部骨折は機能障害が少ない.

b 頚部骨折は直達外力によって生じる.

c 肩峰骨折は骨端癒合不全との鑑別を要する.

d 肩甲棘基底部骨折は腋窩神経損傷を合併する.

e 関節窩前下縁骨折は肩関節前方不安定性の原因になる.

問 6-3-55

初回の外傷性肩関節脱臼について正しいのはどれか. 3つ選べ.

a 前方脱臼の頻度が高い.

b 若年者では再脱臼率が高い.

c 上腕骨頭に Bankart 損傷を認める.

d 腋窩神経麻痺を合併していればただちに手術を行う.

e 外旋位固定は内旋位固定よりも再脱臼率が少ない.

3）肘～手関節・手

問 6-3-56

肘関節靱帯損傷について誤っているのはどれか．

a 橈骨頭・頚部骨折の5～10%に内側側副靱帯損傷を合併する．
b 野球の投球障害の原因として内側側副靱帯損傷がある．
c 反復性肘関節脱臼の最大の原因は内側側副靱帯損傷がもっとも多い．
d 肘関節脱臼骨折後には，側副靱帯周辺に異所性骨化をみることが多い．
e 関節の緩みの評価にはストレス下のX線撮影や超音波検査が用いられる．

問 6-3-57

上腕骨顆上骨折について誤っているのはどれか．

a 小児では遠位骨片は後方に転位しやすい．
b Hüter 三角が乱れる．
c 単純X線側面像での anterior spike は，内旋転位の矯正不足を示す．
d 小児では伸展損傷が，高齢者では屈曲損傷が多い．
e 整復位の確認は Baumann 角で行う．

問 6-3-58

小児の上腕骨顆上骨折による前腕区画症候群について正しいのはどれか．2つ選べ．

a 受傷時の上腕動脈損傷による血行途絶が主因である．
b 橈骨動脈拍動の触知不可は必発である．
c 筋膜腔内の内圧測定結果よりも，臨床症状を重視して筋膜切開の適否を決定する．
d 高度転位例では，骨片を早期に整復することが予防のために重要である．
e 神経麻痺症状は，手指の自動運動や知覚異常の有無を調べれば容易に診断できる．

問 6-3-59

小児の上腕骨外側顆骨折について正しいのはどれか．3つ選べ．

a 側方転位が5 mm 以下なら，保存療法の適応である．
b 骨片が回旋転位している場合は，手術療法の適応である．
c 転位が少ない場合でも，4～6週間の固定期間が必要である．
d 肘周辺の骨折では，上腕骨顆上骨折に次いで多い．
e 癒合不全や偽関節は内反肘変形の原因となる．

問 6-3-60

小児期の骨折による遅発性尺骨神経麻痺について誤っているのはどれか．

a 上腕骨顆上骨折よりも上腕骨外側顆骨折に多い．
b 肘部管における尺骨神経の牽引が原因である．
c 鉤爪変形は環指・小指に認める．
d 保存療法が第1選択である．
e 手術では尺骨神経の前方移行術（皮下，筋層下）を行う．

問 6-3-61

肘関節脱臼骨折の手術療法について正しいのはどれか．2つ選べ．

a 尺骨鉤状突起骨折は，骨片が大きい場合は整復・内固定が必要である．
b 尺骨鉤状突起骨折の整復・内固定にはプレートが適している．
c 橈骨頭骨折の診断では三次元再構成 CT が有用である．
d 橈骨頭骨折は整復困難な場合が多く，摘出術の適応となることが多い．
e 内側側副靱帯損傷は，修復を必要としないことが多い．

問 6-3-62

肘関節後方脱臼骨折整復後，早期に再脱臼が発生する原因として考えられるのはどれか．3つ選べ．

a Regan 分類 type Ⅲの尺骨鉤状突起骨折
b Mason-Morrey 分類 type Ⅰの橈骨頭骨折
c 上腕二頭筋腱断裂
d 外側側副靱帯複合体損傷
e 前腕屈筋群の損傷を伴う内側側副靱帯損傷

問 6-3-63

肘頭骨折について正しいのはどれか．2つ選べ．

a 肘頭部に外力が直接働くと，粉砕骨折の形をとることが多い．
b 骨片は円回内筋の作用により，近位側に転位する．
c 受傷時に転位がない場合，肘屈曲位でギプス固定を行う．
d 横骨折で転位が大きい場合は，引き寄せ鋼線締結法を行う．
e 合併症として，しばしば尺骨神経麻痺を伴う．

問 6-3-64

骨片を伴った槌指(新鮮例)について正しいのはどれか．3つ選べ．

a 大きな骨片を伴っている場合，その受傷原因は長軸方向の外力である．
b 骨片が大きいものでは DIP 関節の自動伸展は不可能である．
c 放置すると PIP 関節にボタン穴変形をきたす．
d DIP 関節に亜脱臼がない場合，装具あるいは経皮的に鋼線で固定する．
e 掌側亜脱臼を伴ったものは手術適応である．

問 6-3-65

基節骨の皮下骨折について誤っているのはどれか．2つ選べ．

a 牽引を加え，指伸展位に固定する．
b 指を屈曲して整復し，MP 関節を屈曲位に保持する．
c 安定型基節骨骨折では，隣接指とテープ固定して早期運動療法を行う．
d 不安定な基節骨骨折は，経皮的鋼線固定の適応となる．
e 回旋変形は自家矯正される．

問 6-3-66

指の基節骨骨折について正しいのはどれか．2つ選べ．

a 手の骨折中でもっとも多い．
b 背側凸の転位がみられるのが普通である．
c 変形が残存すると指節間関節の拘縮が生じる．
d 整復後はMP・PIP・DIP関節は伸展位で固定する．
e 各指の屈曲時の長軸が月状骨に集まれば，回旋変形はない．

問 6-3-67

橈骨遠位部骨折について正しいのはどれか．2つ選べ．

a Colles骨折の典型的な骨折線は，橈側遠位から斜めに尺側近位へと入ることが多い．
b 高齢者には起こりにくい．
c Smith骨折は，Colles骨折と比べて回内回外制限を生じやすい．
d Cotton-Loder肢位は，Colles骨折に対する有用な固定肢位である．
e 小児の若木骨折では，固定期間が短いと変形が再発しやすい．

問 6-3-68

橈骨遠位部骨折について正しいのはどれか．2つ選べ．

a Smith骨折では，遠位骨片が掌屈転位を生じる．
b 橈骨の関節内骨折で，遠位骨片が手根骨とともに掌・背側に転位しているものをBennett脱臼骨折という．
c Colles骨折は手関節掌屈位で転倒したときに生じる．
d Colles骨折の整復後のギプス固定は，母指を含んだthumb spicaギプス固定を行う．
e Colles骨折に対するintrafocal pinning法は経皮的固定法として有用である．

問 6-3-69

橈骨遠位部骨折に関連のある組み合わせで誤っているのはどれか．2つ選べ．

a Smith骨折——手関節掌屈位での転倒
b 運転手骨折(chauffeur骨折)——橈骨茎状突起骨折
c 内側楔状骨折——遠位骨片が掌側へ転位
d 背側Barton骨折——掌側手根靱帯の断裂
e 掌側Barton骨折——die-punch fragment

問 6-3-70

橈骨遠位部骨折に対する保存療法について正しいのはどれか．2つ選べ．

a Chinese finger trapを用いた整復が有用である．
b Colles骨折の固定肢位には，掌屈，尺屈を強制したCotton-Loder肢位が適している．
c Smith骨折では整復操作，固定肢位ともに背屈，回外位が適当である．
d 背側Barton骨折の整復法は，牽引を加え，手関節を屈曲させる．
- e 整復後のギプス固定は通常，肘下から手指までを行う．

問 6-3-71

桡骨遠位部骨折について正しいのはどれか．2 つ選べ．

- a 合併する神経損傷では，正中神経がもっとも多い．
- b 合併する腱損傷では，短母指伸筋腱がもっとも多い．
- c 三角線維軟骨複合体が損傷されやすい．
- d 背側 Barton 骨折では，整復位の保持は容易である．
- e Colles 骨折に対してギプス固定を行う場合，手関節の固定肢位は強い掌屈，尺屈位が推奨される．

問 6-3-72

Colles 骨折に起こりうる合併症として誤っているのはどれか．2 つ選べ．

- a 尺骨突き上げ症候群
- b 尺骨神経管症候群
- c 長母指伸筋腱皮下断裂
- d Volkmann 拘縮
- e 反射性交感神経性ジストロフィー

問 6-3-73

尺骨突き上げ症候群について誤っているのはどれか．

- a 桡骨遠位端骨折後の桡骨短縮で生じる．
- b 前腕回旋，手関節尺屈で疼痛が生じる．
- c 三角線維軟骨複合体と三角骨に尺骨頭が衝突する．
- d 尺骨短縮術を行う．
- e 遠位桡尺関節症があれば桡骨矯正骨切り術を行う．

問 6-3-74

手根骨の骨折と脱臼について正しいのはどれか．

- a 月状骨脱臼は，手関節が掌屈位で遠位方向から強い力が働くことにより生じる．
- b 有鉤骨鉤骨折は手根管撮影が有用である．
- c 月状骨脱臼は徒手整復できない．
- d 月状骨周囲脱臼は徒手整復できない．
- e 舟状骨骨折に対してギプス固定をする場合は，前腕から母指中手骨まで固定する．

問 6-3-75

舟状骨骨折について誤っているのはどれか．

- a 初期の単純 X 線像では骨折線が不明瞭なことが多く，見逃されやすい．
- b 手関節の過伸展外傷で発生しやすい．
- c 嗅ぎタバコ窩に圧痛がある．
- d 骨折線が近位にあるほど，骨癒合に長期間を要する．
- e 観血的整復固定術が第 1 選択である．

問 6-3-76

成人の Monteggia 脱臼骨折について誤っているのはどれか．2つ選べ．

a Bado分類type Ⅰがもっとも頻度が高い．
b 後骨間神経麻痺の合併はBado分類type Ⅱに多い．
c Bado分類type Ⅲは橈骨頭が後方に脱臼するものである．
d プレートによる手術療法の適応である．
e 合併症として，しばしば尺骨神経麻痺がみられる．

問 6-3-77

Galeazzi 脱臼骨折について正しいのはどれか．2つ選べ．

a 尺骨の骨幹部骨折に遠位橈尺関節脱臼を合併したものである．
b 通常は骨折部が整復されても脱臼は整復されない．
c 遠位橈尺関節の脱臼に対しては靱帯形成術が適応である．
d 骨折部の不安定性のあるものはプレートにて固定する．
e 遠位橈尺関節の脱臼が整復されない場合は，尺側手根伸筋腱が嵌入している可能性がある．

問 6-3-78

前腕骨骨幹部骨折について誤っているのはどれか．2つ選べ．

a 橈骨近位1/3の骨折に対して保存療法を行うときは，ギプス固定は前腕回内位で固定する．
b 橈骨遠位1/3の骨折に対して保存療法を行うときは，ギプス固定は前腕中間位で固定する．
c 成人で10°以上の屈曲転位例は，手術療法の適応である．
d 粉砕骨折では，髄内釘固定が第1選択である．
e プレートを長期に残すと，抜釘後再骨折をきたしやすい．

問 6-3-79

小児の橈骨頚部骨折に合併しやすい肘関節損傷はどれか．3つ選べ．

a 内側側副靱帯損傷
b 外側側副靱帯損傷
c 輪状靱帯損傷
d 肘頭骨折
e 上腕骨内側上顆骨折

問 6-3-80

転位のある小児橈骨頚部骨折の治療について正しいのはどれか．2つ選べ．

a 転位のあるものは観血的整復を行ったほうがよい．
b 骨頭が完全に転位したものは，骨頭を切除したほうがよい．
c 転位の多少にかかわらず，回旋制限や肘外反動揺性を認めた場合はできるだけ整復する．
d 観血的整復の合併症として橈尺骨癒合症がある．
e 橈骨頭関節面の傾斜が60°未満であれ

ば，成長に伴う自然修復を期待して放置してよい．

問 6-3-81

転位のある小児橈骨頚部骨折の橈骨頭関節面の傾斜に対する整復法として誤っているのはどれか．

a 長軸方向に牽引する．
b 橈骨頭を指で圧迫して徒手整復する．
c 小切開で小エレバトリウムなどを挿入して，愛護的に整復する．
d 小切開で骨折部周囲を十分剥離して整復する．
e 橈骨遠位部より骨髄内に鋼線を挿入して整復する．

問 6-3-82

成人橈骨頭骨折の治療について正しいのはどれか．3つ選べ．

a 徒手整復が原則である．
b 骨片は可動域制限を生ずるので，切除したほうがよい．
c 変形治癒は運動制限や変形性関節症の原因となるので，できるだけ整復する．
d 顕著な外反動揺性を認める場合は，内側側副靱帯の修復も考慮する．
e 粉砕骨折では骨頭の全切除もやむをえないが，人工骨頭置換術を考慮すべきである．

問 6-3-83

肘関節脱臼について誤っているのはどれか．

a 肘関節脱臼の好発年齢は10歳台である．
b 橈・尺骨後方脱臼がもっとも高頻度である．
c 脱臼方向によって，前方，後方，側方，分散に分類される．
d 後方脱臼の受傷機転は，手をつき，肘関節の過伸展の強制と考えられている．
e 合併する骨折は，肘頭骨折が尺骨鉤状突起骨折よりも多い．

問 6-3-84

肘関節脱臼について誤っているのはどれか．

a 後外側回旋不安定性の原因は，外側靱帯複合体の損傷である．
b 成人では外側上顆骨折がもっとも合併しやすい．
c 内側上顆骨折を合併した場合は，骨片が腕尺関節内に陥頓することがある．
d 整復後に肘関節を鋭角屈曲位に保持しないと再脱臼する場合は，手術を要する．
e 外傷性肘関節脱臼は肩関節脱臼の次に多い．

問 6-3-85

月状骨周囲脱臼について誤っているのはどれか．2つ選べ．

a 手関節背屈位で強い外力が加わって発生する．
b 徒手整復例は手根不安定症にならない．
c 月状三角骨靱帯は残存する．

d 関節症変化が進行するとSLAC(scapholunate advanced collapse) wristになる.

e 舟状骨骨折をしばしば合併する.

問6-3-86

外傷性手根不安定症について誤っているのはどれか.

a 舟状月状骨解離は近位手根列掌側回転型手根不安定症(VISI)を引き起こす.

b 舟状月状骨解離でcortical ring signがみられる.

c 月状骨周囲脱臼では，脱臼整復後に近位手根列背側回転型手根不安定症(DISI)を引き起こす.

d 月状三角骨解離はVISIを引き起こす.

e 月状三角骨解離は，単純X線正面像で近位関節面のアーチに段差を認める.

問6-3-87

指関節脱臼で観血的整復術が必要なのはどれか. 3つ選べ.

a 母指MP関節背側脱臼

b 母指IP関節掌側脱臼

c 示指MP関節背側脱臼

d 示指PIP関節掌側脱臼

e 示指DIP関節掌側脱臼

問6-3-88

小児の上腕骨顆上骨折について正しいのはどれか. 2つ選べ.

a 単純X線像で骨折線が見えない場合，骨折はないと判断する.

b 整復後のBauman角は10°以上を目標とする.

c 回旋転位は整復の適応となる.

d 内反変形はよく自家矯正される.

e 遅発性尺骨神経麻痺は生じない.

問6-3-89

橈骨遠位端骨折に対する掌側プレート固定後，断裂の合併率が高い腱はどれか. 3つ選べ.

a 浅指屈筋腱

b 深指屈筋腱

c 長母指屈筋腱

d 長母指伸筋腱

e 橈側手根屈筋腱

問6-3-90

小児の上腕骨顆上骨折について正しいのはどれか. 2つ選べ.

a 屈曲型損傷が多い.

b 単純X線正面像で脂肪体徴候(fat pad sign)を認める.

c 神経麻痺を合併する場合は神経剥離術を行う.

d 整復位の確認にBaumann角が有用である.

e 単純X線側面像でanterior spikeは内旋転位の矯正不足を示す.

問 6-3-91

小児の Monteggia 骨折について正しいのはどれか．2つ選べ．

a Bado 分類 type Ⅰがもっとも多い．
b 尺骨の若木骨折では生じない．
c 尺骨の急性塑性変形では整復が容易である．
d 神経合併症としては前骨間神経麻痺が多い．
e 新鮮例では徒手整復と外固定で良好な結果を得られることが多い．

4）骨盤・下肢

問 6-3-92

骨盤裂離骨折の発症に寄与しない筋肉はどれか．

a 腸腰筋
b 大腿直筋
c 縫工筋
d 中殿筋
e 大腿二頭筋

問 6-3-93

骨盤骨折のうち骨盤輪の破綻をきたすのはどれか．3つ選べ．

a Malgaigne 骨折
b 前上腸骨棘裂離骨折
c Duverney 骨折
d open book 型骨折
e 跨座(straddle)骨折

問 6-3-94

骨盤骨折について正しいのはどれか．

a 仙腸関節に損傷のない骨盤輪骨折は安定型である．
b 坐骨棘の裂離骨折を伴う骨盤輪骨折は安定型である．
c Malgaigne 骨折の受傷機転は外側圧迫型である．
d 跨座(straddle)骨折の受傷機転は前後圧迫型である．
e 仙骨骨折を伴う骨盤輪骨折では，仙骨孔部での骨折の場合に神経損傷の合併がもっとも多い．

問 6-3-95

骨盤骨折について正しいのはどれか．2つ選べ．

a 骨盤輪後方部の骨折では腰仙神経叢の損傷を合併しやすい．
b L5 横突起骨折の合併は，不安定性を示す所見である．
c 尿道損傷の合併は女性に多い．
d 骨盤骨折時に損傷されやすい血管は外腸骨動脈である．
e 後腹膜腔出血が著しい場合は，救命のため手術的止血を行う．

問 6-3-96

寛骨臼骨折の AO 分類で，完全関節内骨折はどれか．

a 前柱骨折
b 前壁骨折

c　後壁骨折
d　両柱骨折
e　T 字状骨折

問 6-3-97

骨盤骨折の治療について正しいのはどれか. 3つ選べ.

a　尿道口から出血している場合は，まず尿道造影を行う.
b　後腹膜出血が著しい場合は，動脈塞栓術を行う.
c　open book 型骨折では簡易骨盤骨折固定ベルトは無意味である.
d　跨座(straddle)骨折ではCクランプを用いて整復する.
e　Malgaigne 骨折では下肢の直達牽引を行う.

問 6-3-98

骨盤骨折において出血性ショックの原因となる主たる動脈はどれか.

a　総腸骨動脈
b　外腸骨動脈
c　大腿動脈
d　内腸骨動脈
e　正中仙骨動脈

問 6-3-99

寛骨臼骨折および大腿骨頭骨折について正しいのはどれか. 2つ選べ.

a　Letournel 分類では前柱，前壁，後柱，後壁の4つの基本骨折として分類している.
b　寛骨臼骨折で転位がある場合，まず大腿骨遠位部または脛骨近位部で直達牽引を行う.
c　寛骨臼骨折は後方アプローチにより，すべての骨折に対応が可能である.
d　大腿骨頭骨折は股関節前方脱臼によって生じることが多い.
e　大腿骨頭骨折の Pipkin 分類 type Ⅰでは，脱臼が整復されれば骨片は放置してよい.

問 6-3-100

高所からの転落で下肢から衝突した場合に起こりやすい骨盤輪骨折はどれか. 2つ選べ.

a　open book 型骨折
b　Duverney 骨折
c　Malgaigne 骨折
d　寛骨臼骨折
e　跨座(straddle)骨折

問 6-3-101

寛骨臼骨折について正しいのはどれか. 3つ選べ.

a　下肢骨折を合併することが多い.
b　後壁骨折には坐骨神経麻痺を合併しやすい.
c　股関節脱臼は迅速に整復する必要がある.
d　創外固定にて治療することが多い.
e　骨粗鬆症が高度な場合，観血的内固定を原則とする.

問 6-3-102

大腿骨頚部の構築について誤っているのはどれか.

a 大腿骨頚部内下方の骨皮質は発達していて，これを Adams 弓と呼ぶ.
b 主引っぱり骨梁の走行は大転子下部から弓状に骨頭下部に向かう.
c 副引っぱり骨梁の走行は大転子下部から小転子に向かう.
d 主圧迫骨梁の走行は骨頭の下内部より Adams 弓に向かう.
e 副圧迫骨梁の走行は小転子側から大転子側に向かう.

問 6-3-103

高齢者の大腿骨頚部骨折について誤っているのはどれか.

a 広範な腫脹，および皮下出血を生ずる.
b 骨粗鬆症を基盤として発症する.
c 歩行中骨折を生じ，転倒することもある.
d 骨折時の股関節肢位は内転・外旋位をとりやすい.
e Garden 分類 stage Ⅰ，Ⅱでは股関節自動運動が可能な場合もある.

問 6-3-104

大腿骨頚部骨折の Garden 分類について正しいのはどれか．3 つ選べ.

a Stage Ⅰでは頚部内側に骨性連続がある.
b Stage Ⅱは嵌合した不完全骨折である.
c Stage Ⅱは大腿骨頭壊死を生じない.
d Stage Ⅲでは頚部前面から骨頭への血流がある.
e Stage Ⅳでは支帯の連続性が断たれている.

問 6-3-105

大腿骨近位部骨折の危険因子としてもっとも重要な疾患はどれか.

a 1 型糖尿病
b 2 型糖尿病
c 脂質異常症
d 高血圧
e 虚血性心疾患

問 6-3-106

大腿骨転子部骨折について誤っているのはどれか.

a 頚部骨折に比べ受傷時に受けた外力は大きい.
b 頚部骨折に比べ，発生年齢は高い.
c 海綿骨部の骨折であり，骨癒合しやすい.
d 高齢者では大腿骨頭壊死が起こりやすい.
e 骨折形態の複雑なものが多い.

問 6-3-107

大腿骨転子部骨折の Evans 分類について正しいのはどれか．3 つ選べ.

a 骨折線が上外側(大転子)から下内側(小転子)方向に向かうものを type Ⅰとする.
b 安定型とは受傷時に骨折部の転位がないものをいう.
c type Ⅱはすべて不安定型に分類される.

d 小転子が裂離し転位しているものは不安定型に分類される.

e type Ⅰの骨折で転位が整復できないものは不安定型に分類される.

問 6-3-108

不安定型の大腿骨転子部骨折に対する内固定材料として適当なのはどれか. 3つ選べ.

a sliding hip screw system

b sliding hip screw + buttress plate

c sliding hip screw + cannulated cancellous screw

d つば付き sliding hip screw

e short femoral nail

問 6-3-109

成人の大腿骨骨幹部骨折について誤っているのはどれか. 2つ選べ.

a 皮下骨折では低容量性ショックにならない.

b 受傷直後では徒手整復し, 外固定による保存療法を行う.

c 髄内釘固定を行う.

d locking compression plate (LCP) を使用する.

e 開放骨折や多発外傷での合併では創外固定法を選択する.

問 6-3-110

大腿骨骨幹部骨折の治療において, プレート固定に比べての閉鎖性髄内釘固定の利点はどれか. 2つ選べ.

a 全身状態が極めて悪い患者にも行える.

b 術中の X 線透視装置が不要である.

c 回旋に対する固定性が優れている.

d 内固定材に対する力学的負荷が少ない.

e 抜釘後の再骨折が少ない.

問 6-3-111

大腿骨骨幹部骨折について誤っているのはどれか.

a 3〜4 歳までの例では両股関節を 90° 屈曲, 膝関節伸展位とし 3〜5 kg で介達牽引を行う.

b 成人例では髄内釘による手術治療がもっともよい適応である.

c 注意すべき重篤な合併症は出血性ショックと脂肪塞栓症候群である.

d 変形癒合例でも 10 歳くらいまでであれば, 15° 以内の回旋変形は矯正される.

e 成人の変形癒合では 15° 以上の内反変形は矯正骨切り術の適応がある.

問 6-3-112

大腿骨骨幹部骨折に対して横止め髄内釘法で手術を行う際, static locking が必要となる頻度が高い骨折型はどれか. 3つ選べ.

a 螺旋骨折

b 中央部横骨折

c 粉砕骨折

d 近位部横骨折
e 遠位部斜骨折

問 6-3-113

小児の大腿骨骨幹部骨折について誤っているのはどれか．

a 屈曲転位はもっともよく矯正される．
b 回旋転位はほとんど自家矯正されない．
c 年少児ほど自家矯正能力は旺盛である．
d 短縮転位は骨折後の過成長により矯正される．
e 骨幹部は骨幹端部よりも自家矯正されやすい．

問 6-3-114

大腿骨顆上骨折の合併症として，もっとも緊急を要する合併症はどれか．

a 大腿四頭筋損傷
b 膝蓋骨骨折
c 腓骨神経麻痺
d 脛骨神経麻痺
e 膝窩動脈損傷

問 6-3-115

大腿骨転子下骨折について誤っているのはどれか．2つ選べ．

a 若年者に多い．
b 近位骨片は外旋する．
c 遠位骨片は内転する．
d Seinsheimer 分類の type Ⅲは4つ以上に粉砕されている．
e Seinsheimer 分類の type Ⅳは骨折線が転子部に及ぶ．

問 6-3-116

膝蓋骨骨折について誤っているのはどれか．

a 膝蓋骨骨折では関節内血腫を認める．
b 転位のない横骨折では保存的加療を行う．
c 小児の膝蓋骨下端剥離骨折では膝蓋骨低位となる．
d 横骨折がもっとも多く，次に粉砕骨折，縦骨折の順になる．
e 直達外力による骨折は膝蓋支帯の損傷は少なく，転位は小さい．

問 6-3-117

膝蓋骨骨折について正しいのはどれか．2つ選べ．

a 転位のない横骨折は経過観察のみでよい．
b 関節面の転位は5 mm 以下なら許容範囲である．
c 縦骨折では引き寄せ鋼線締結法の適応は少ない．
d 膝蓋骨骨折の治療では，関節面の整復が重要である．
e 引き寄せ鋼線締結法では，骨癒合するまで外固定を要する．

問 6-3-118

膝蓋骨骨軟骨骨折について正しいのはどれか．2つ選べ．

a 10～20 歳台に好発する．

b　手術適応になることは少ない．
c　関節血症を伴うことは少ない．
d　外側関節面に生じることが多い．
e　膝蓋骨脱臼に合併することが多い．

問 6-3-119

脛骨顆間隆起骨折について正しいのはどれか．

a　30 歳台に多い．
b　膝関節血症を伴うことはまれである．
c　転位が軽度でも手術療法が必要となる．
d　膝関節は伸展位をとり，屈曲が障害される．
e　前十字靱帯に加わった外力により牽引され，骨折が発生する．

問 6-3-120

脛骨プラトー骨折について正しいのはどれか．2つ選べ．

a　割裂骨折は若年者に多い．
b　局所的陥没骨折は高齢者に多い．
c　直達外力により生じることが多い．
d　内側顆骨折が外側顆骨折より多い．
e　Bumper fracture は介達外力による．

問 6-3-121

下腿骨骨折に合併した前脛骨筋症候群で障害されることが多いのはどれか．2つ選べ．

a　後脛骨筋
b　長趾屈筋
c　脛骨神経
d　長母趾伸筋
e　深腓骨神経

問 6-3-122

Gustilo type Ⅱの下腿骨骨幹部骨折の患者が，受傷後 10 時間経過後に搬送された．開放創のデブリドマンに引き続いて行われる処置として正しいのはどれか．2つ選べ．

a　創外固定
b　創の開放
c　髄内釘固定
d　プレート固定
e　局所皮弁形成

問 6-3-123

脛骨骨幹部中下 1/3 部骨折は偽関節が好発する．その理由として誤っているのはどれか．

a　螺旋骨折が多い．
b　開放骨折が多い．
c　栄養血管網が乏しい．
d　骨周辺軟部組織が脆弱である．
e　広範囲に海綿骨が欠如している．

問 6-3-124

脛骨骨幹部骨折について正しいのはどれか．

a　横骨折は主に介達外力による．
b　螺旋骨折は主に直達外力による．
c　脛骨の単独骨膜下骨折は高齢者に多い．
d　内旋骨折では脛骨近位骨片尖部は内側にある．
e　脛骨と腓骨の骨折線が同じ高さであれば

直達外力による.

問 6-3-125

遠位脛腓関節離開で正しいのはどれか. 3つ選べ.

a 足関節の正面・側面のX線撮影で診断する.
b 脛腓関節の完全離開は, 螺子で固定すれば早期より荷重歩行ができる.
c 腓骨下端から6〜7 cm近位部の骨折例は, 遠位脛腓関節離開を疑う.
d サッカーやラグビーのプレー中に, 荷重状態で下腿外側からのタックルを受けて発生する.
e 三角靱帯損傷を伴うことが多い.

問 6-3-126

捻転外力による足関節外傷症例で, 単純X線正面像で内果に垂直に近い斜骨折がみつかった. 他にどの部位の損傷が疑われるか. 2つ選べ.

a 前下脛腓靱帯
b 三角靱帯
c 外側靱帯
d 腓骨遠位部骨折
e 腓骨近位部骨折

問 6-3-127

荷重状態の足部への外旋外力によって生じた重症足関節果部骨折の病態として適切なのはどれか. 3つ選べ.

a 脛骨骨幹部骨折と内果骨折
b 腓骨の下端より3〜5 cm近位の短斜骨折
c 内果骨折または三角靱帯断裂
d 前下脛腓靱帯断裂による遠位脛腓関節離開
e 後果骨折または後下脛腓靱帯断裂

問 6-3-128

距骨骨折および脱臼について誤っているのはどれか.

a 足関節の過底屈強制で頚部骨折が発生する.
b 後方突起骨折は脛骨後果後縁との衝突により発生する.
c 果部骨折を合併することがある.
d 頚部骨折では, 時に距骨体部の後方脱臼を合併する.
e 距骨下脱臼は, 足部の内反・内転・底屈が強制されて起きる内方脱臼が多い.

問 6-3-129

距骨頚部骨折後の壊死について正しいのはどれか. 2つ選べ.

a 壊死の発生は栄養血管の損傷による.
b 壊死の早期診断にMRIが有用である.
c 距骨頚部骨折では, 体部の壊死より頭部の壊死が多い.
d Hawkins徴候は受傷後約1年でみられる

骨萎縮をいう.

e　距踵関節固定術を行うと，壊死の発生を予防することができる.

問 6-3-130

踵骨骨折について誤っているのはどれか．2つ選べ.

a　舌状型骨折(Essex-Lopresti 分類の tongue type)は関節外骨折である.
b　受傷後早期から高度な腫脹が出現する.
c　両側性の踵骨骨折にはしばしば他部位の骨折が合併する.
d　Anthonsen 撮影は，後距踵関節面の適合状態をみるための撮影法である.
e　CT 画像の三次元再構成画像が診断・治療に有用である.

問 6-3-131

踵骨骨折の合併症としてもっともまれなのはどれか.

a　距踵関節不適合
b　腓骨筋腱腱鞘炎
c　外傷性扁平足
d　Sudeck 骨萎縮
e　踵骨偽関節

問 6-3-132

Lisfranc 関節損傷について誤っているのはどれか.

a　脱臼骨折は，主に高所からの転落や交通事故など高エネルギー外傷時に発生する.
b　Lisfranc 関節以遠の前足部は上外側へ転位することが多い.
c　Lisfranc 靱帯損傷では第 1～第 2 中足骨間の離開がみられる.
d　麻酔下での前足部牽引で容易に整復される.
e　開放性損傷の場合を除いて緊急手術の適応はない.

問 6-3-133

中足骨骨折について誤っているのはどれか．2つ選べ.

a　長距離ランナーの疲労骨折の好発部位は，第 1 中足骨骨頚部である.
b　第 5 中足骨基部骨折は，足関節外側靱帯損傷と類似した受傷機転で発生する.
c　第 5 中足骨近位骨幹端部の疲労骨折は難治性である.
d　外側趾骨幹部の新鮮斜骨折は，骨折線の離開が明確であれば基本的に手術適応となる.
e　転位のある中足骨頭骨折は手術適応である.

問 6-3-134

外傷性股関節脱臼について正しいのはどれか．3つ選べ.

a　前方脱臼，後方脱臼，側方脱臼，中心性脱臼の 4 つの型に分類される.
b　外傷機転の問診と下肢の肢位により，前方脱臼か後方脱臼か判断できることが多い.
c　ダッシュボード損傷では，股関節のみでなく膝・大腿のX線撮影を行うべきである．

d　前方脱臼と後方脱臼の頻度はほぼ同数である．

e　後方脱臼では，半数以上に寛骨臼，大腿骨頭，大腿骨頸部などの骨折を合併する．

問 6-3-135

外傷性股関節前方脱臼について正しいのはどれか．

a　内転を強制されて生じる．

b　後方脱臼と同等の頻度である．

c　閉鎖孔脱臼では内旋・外転位をとる．

d　恥骨上脱臼では屈曲位をとる．

e　腸骨部脱臼では伸展位をとる．

問 6-3-136

外傷性膝関節前方脱臼について誤っているのはどれか．2つ選べ．

a　外傷性膝関節脱臼でもっとも多い．

b　膝関節過伸展で起こる．

c　前十字靱帯は断裂している．

d　膝関節を屈曲して整復する．

e　整復位の保持は容易である．

問 6-3-137

膝蓋骨脱臼について誤っているのはどれか．

a　膝関節外反不安定性を認める．

b　非接触損傷で生じることが多い．

c　内側膝蓋大腿靱帯の再建術が行われる．

d　膝蓋骨の apprehension sign（不安徴候）がある．

e　剪断性骨軟骨骨折（tangential osteochondral fracture）を合併する．

問 6-3-138

膝蓋骨脱臼・亜脱臼の内因因子として重要なのはどれか．3つ選べ．

a　O脚

b　脛骨の外捻

c　膝蓋骨高位

d　外側広筋の形成不全

e　大腿骨膝蓋面の形成不全

問 6-3-139

膝蓋骨脱臼・亜脱臼の画像所見として正しいのはどれか．3つ選べ．

a　膝蓋骨低位（patella baja）

b　滑車形成不全（trochlea dysplasia）

c　脛骨外側顆剥離骨折（Segond fracture）

d　膝蓋骨厚のみかけ上の増大（thick patella）

e　膝蓋骨の外側偏位（lateral shift of patella）

問 6-3-140

外傷性膝関節脱臼について誤っているのはどれか．

a　自然整復例がある．

b　合併症に下垂足がある．

c　損傷した靱帯をすべて修復する．

d　足背動脈触知不能な場合はただちに血管

造影を行う.

e 足背動脈の触知が可能であっても血管損傷を否定できない.

問 6-3-141

非定型大腿骨骨折について誤っているのはどれか. 2つ選べ.

a 軽微な外傷で発生する.
b 骨折線は螺旋骨折である.
c 遷延癒合をきたしやすい.
d 約 80%が両側性に発生する.
e ビスフォスフォネート製剤服用との関連がある.

問 6-3-142

小児の大腿骨骨幹部骨折について誤っているのはどれか. 2つ選べ.

a 屈曲転位はよく自家矯正される.
b 回旋転位はよく自家矯正される.
c 年少児ほど自家矯正能力は旺盛である.
d 骨幹部は骨幹端部より自家矯正されやすい.
e 短縮転位は骨折後の過成長により自家矯正される.

問 6-3-143

膝蓋骨骨軟骨骨折について正しいのはどれか. 2つ選べ.

a 膝蓋骨脱臼に合併する.
b 10～20 歳台に好発する.
c 膝蓋骨外側関節面に生じる.
d 手術を要することは少ない.
e 膝関節血症を伴うことは少ない.

問 6-3-144

足部の骨折, 脱臼で誤っているのはどれか. 3つ選べ.

a 距骨頚部骨折後に Hawkins sign を認めれば距骨壊死を疑う.
b 踵骨体部骨折では Böhler(ベーラー)角は減少する.
c Chopart 関節脱臼骨折は高エネルギー外傷で生じる.
d Lisfranc 関節脱臼骨折の整復位の保持は容易である.
e 第 5 中足骨基部の裂離骨折は長腓骨筋腱の牽引力で生じる.

問 6-3-145

60 歳の男性. 運転中, 交通事故にて受傷. 右股関節脱臼をただちに整復した. 整復後の CT 横断像(図 1)を示す.
正しいのはどれか. 2つ選べ.

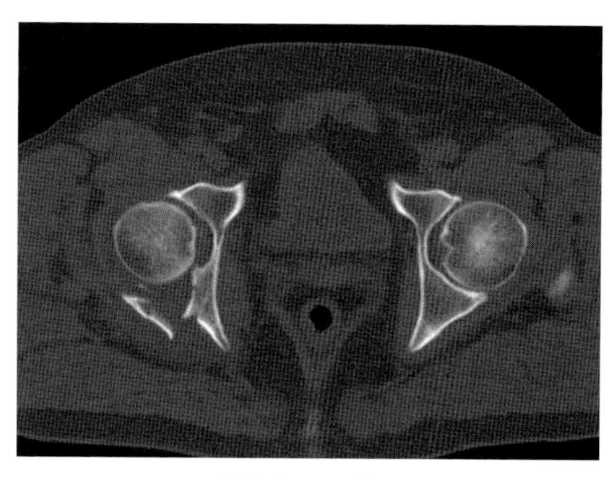

問 6-3-145／図 1

a 寛骨臼後壁に骨折を認める.
b 関節に陥没骨折を認める.
c 牽引による保存療法が原則である.
d 坐骨神経損傷の合併は5%以下である.
e 術後異所性骨化の合併は1%以下である.

問 6-3-146

高齢者の大腿骨頚部骨折について正しいのはどれか. 2つ選べ.

a 外反陥入型骨折は非転位型骨折に含まれる.
b 診療ガイドラインでは非転位型骨折に骨接合術が推奨されている.
c 人工骨頭置換術は骨接合術に比べて再手術を必要とする頻度が高い.
d 診療ガイドラインでは受傷後24時間以内の緊急手術が推奨されている.
e 中間部剪断型骨折(Pauwels Ⅲ型)はスクリュー固定のよい適応である.

問 6-3-147

外傷性膝関節脱臼について正しいのはどれか.

a 後方脱臼が多い.
b 自然整復されない.
c 合併症に下垂足がある.
d 損傷した靱帯をすべて一次修復する.
e 足背動脈が触知できれば血管損傷はない.

問 6-3-148

距骨頚部骨折後の骨壊死について<u>誤っている</u>のはどれか. 2つ選べ.

a 骨頭部に好発する.
b MRI T1強調像で壊死部は高信号となる.
c 足根洞部で栄養血管が損傷されて生じる.
d Hawkins 徴候は単純X線像でみられる軟骨下骨萎縮をいう.
e 距踵関節固定術を行っても発生を予防することは困難である.

問 6-3-149

大腿骨骨折について正しいのはどれか. 2つ選べ.

a 骨頭骨折 Pipkin type Ⅱでは骨片を摘出する.
b わが国における高齢者大腿骨近位部骨折の受傷後1年以内死亡率は10%以上である.
c 大腿骨転子下骨折では近位骨片は内転する.
d 髄内釘後の偽関節に対する髄内釘入れ換え手術では, 同径の髄内釘を使用する.
e 顆上骨折では骨折部に後方凸変形を生じる.

問 6-3-150

67 歳の男性．転倒し受傷した（図 1）．
この症例について誤っているのはどれか．2 つ選べ．

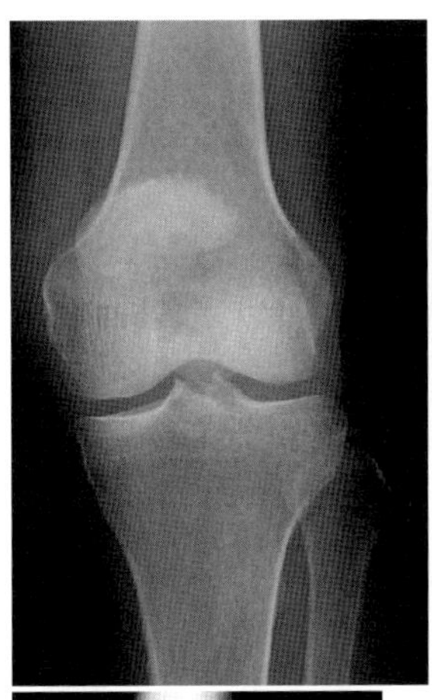
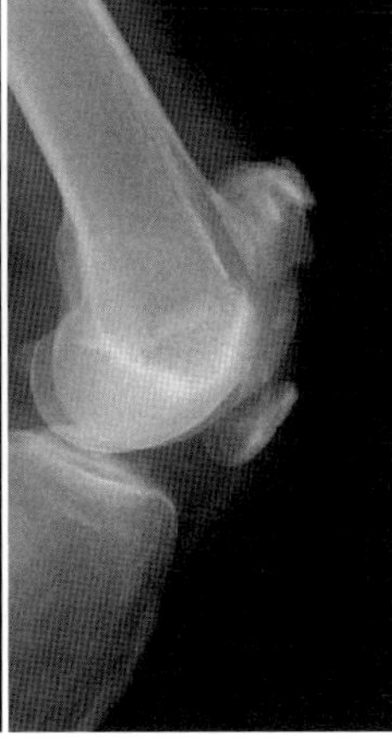
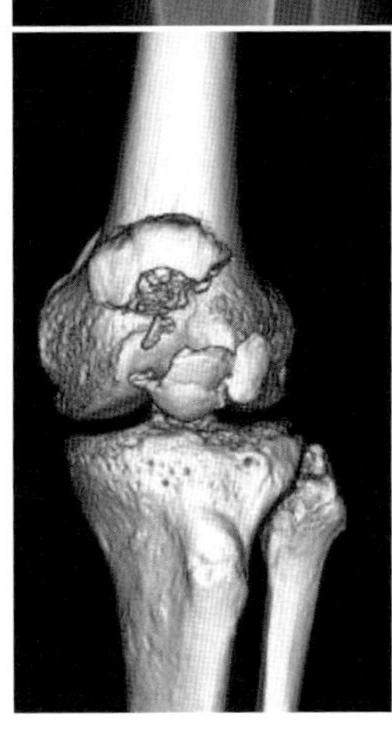

問 6-3-150／図 1

a 直達外力による骨折である．
b 膝蓋支帯の損傷がある．
c 粉砕が強く引き寄せ鋼線締結法に環状鋼線締結法を併用する．
d 関節面の転位は 5 mm 以下なら許容範囲である．
e 術後は骨癒合するまで外固定を要する．

4 末梢神経損傷

□□□ A ▶ p. 298-301

問 6-4-1

神経修復術の予後について正しいのはどれか．2 つ選べ．

a 50 歳以降の神経修復術の治療成績は良好である．
b 損傷高位が高いほど治療成績は良好である．
c 運動神経の単独損傷は運動・感覚混合神経損傷に比べ治療成績がよい．
d 神経断裂は少なくとも 3 カ月以内に神経修復を行うべきである．
e 小児の神経断裂では受傷後 3 年まで修復術の適応がある．

問 6-4-2

深腓骨神経麻痺で障害される筋はどれか．2 つ選べ．

a 長腓骨筋
b 前脛骨筋
c 後脛骨筋
d 長母趾伸筋
e 母趾外転筋

問 6-4-3

総腓骨神経麻痺に関して正しいのはどれか．3 つ選べ．

a 外傷性膝関節脱臼には約 30% に合併する．
b 下腿後方から足底にかけての感覚障害が

生じる.

c 高度の麻痺では下垂足を生じる.

d 人工膝関節置換術において注意すべき術中合併症である.

e 大腿骨骨幹部骨折の治療時には合併しない.

問 6-4-4

上肢の外傷と神経麻痺の組み合せで，誤っているのはどれか.

a 肩関節脱臼——腋窩神経麻痺

b 上腕骨外側顆骨折——尺骨神経麻痺

c 上腕骨顆上骨折——正中神経麻痺

d 上腕骨骨幹部骨折——橈骨神経麻痺

e Monteggia 骨折——前骨間神経麻痺

問 6-4-5

副神経麻痺について誤っているのはどれか. 2つ選べ.

a 医原性が多い.

b 翼状肩甲を呈する.

c 肩甲挙筋が麻痺する.

d sulcus sign が陽性になる.

e 肩関節の外転障害が出現する.

問 6-4-6

筋の脱神経徴候とされる筋電図所見はどれか. 2つ選べ.

a 巨大電位(giant potential)

b 陽性鋭波(positive sharp wave)

c 急降下爆撃音(dive bomber sound)

d 線維自発電位(fibrillation potential)

e 多相活動電位(polyphasic action potential)

問 6-4-7

末梢神経損傷について正しいのはどれか.

a 軸索断裂(axonotmesis)では再生軸索の過誤支配が生じる.

b 一過性神経伝導障害(neurapraxia)では回復時に Tinel 徴候がみられる.

c 一過性神経伝導障害(neurapraxia)では軸索断裂を伴う.

d 神経断裂(neurotmesis)では自然回復が期待できる.

e 神経断裂(neurotmesis)では損傷部以遠に Waller 変性が生じる.

問 6-4-8

45 歳の女性. 前医で左側頚部の皮下腫瘍切除を受けたのち，左肩の重苦感，肩関節挙上障害が生じた. 3カ月間経過観察したが，症状の回復を認めない. 肩をすくめた際の後方からの外観写真(図 1)を示す.
正しいのはどれか. 3つ選べ.

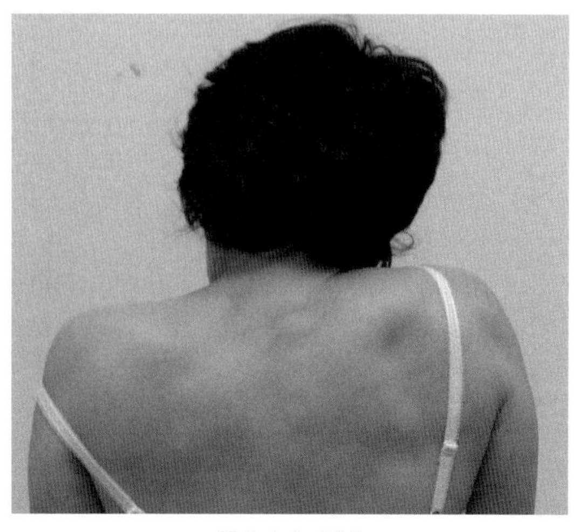

問 6-4-8／図 1

a　僧帽筋の萎縮がみられる．
b　頚椎の単純X線撮影が診断に有効である．
c　筋電図が診断に有効である．
d　さらに3カ月間の経過観察を行う．
e　神経移植術の適応となる．

1）上　肢

問 6-5-1

投球障害肩のうち，主にフォロースルー期に痛みがみられるのはどれか．

a　肩関節前方不安定症
b　肩峰下インピンジメント
c　腱板断裂
d　SLAP 損傷
e　Bennett 損傷

問 6-5-2

肩周囲のスポーツ外傷について誤っているのはどれか．2つ選べ．

a　鎖骨骨折の好発部位は中1/3部である．
b　鎖骨外側骨折は手術適応となりやすい．
c　肩鎖関節脱臼の徒手整復後には再脱臼は起こりにくい．
d　陳旧性肩鎖関節亜脱臼で運動時痛があれば鎖骨遠位端切除術を行う．
e　胸鎖関節脱臼は後方脱臼が多い．

問 6-5-3

野球による肩および上肢の障害について正しいのはどれか．3つ選べ．

a　Bennett 損傷――肩甲骨関節窩後縁の骨性増殖
b　SLAP 損傷――上方関節唇損傷
c　肩峰下インピンジメント――加速期
d　投球骨折――上腕骨上中1/3の横骨折
e　Little Leaguer's shoulder――骨膜反応なし

問 6-5-4

正しいのはどれか．2つ選べ．

a　Little Leaguer's shoulder は肩甲上神経障害が主因である．
b　関節内インピンジメントはコッキングから加速期における衝突が主因である．
c　内側型野球肘は上腕骨小頭と橈骨頭間の圧迫ストレスによって発症する．
d　テニス肘はフォアハンドストロークの繰り返しで生じる．
e　ジャージ損傷は環指に多い．

問 6-5-5

上腕骨外側上顆炎について正しいのはどれか．2つ選べ．

a　発育期の障害である．
b　多くの例で上腕骨外側上顆部の筋の走行に一致して石灰化像をみる．
c　治療は安静やサポーター装着，副腎皮質ステロイドの局所注入などで，手術は行われない．

d バックハンドストロークの繰り返しで生じる.

e 疼痛誘発テストとして Thomsen テストがある.

問 6-5-6

上腕骨外側上顆炎について誤っているのはどれか. 2つ選べ.

a 20 歳台に多い.

b テニスのフォアハンドストローク時に疼痛が生じる.

c 短橈側手根伸筋腱起始部の腱付着部炎である.

d MRI では T2 強調像で, 上腕骨外側上顆に起始する外側支持機構の高信号がみられる.

e 手術では変性部の切除が行われる.

問 6-5-7

肘の上腕骨小頭離断性骨軟骨炎について正しいのはどれか. 3つ選べ.

a 15 歳以上で発生する.

b 小頭軟骨下骨の壊死が, 軟骨の亀裂に先行する.

c 初期例の 80% 以上に疼痛の訴えがある.

d X 線撮影では, 45° 屈曲位正面像が有用である.

e 保存療法で病巣修復が得られるまでに, 初期では平均 1 年以上を要する.

問 6-5-8

上腕骨小頭離断性骨軟骨炎の画像検査所見について誤っているのはどれか.

a 単純 X 線像の初期では, 透亮像は小頭の内側にみられる.

b 典型的な修復例では, 単純 X 線像で外側から中央に修復が進む.

c 遊離体の診断では CT が有用である.

d 早期には MRI の T1 強調像で低～等信号領域が出現する.

e 超音波検査は早期発見に有用である.

問 6-5-9

肘周辺のスポーツ障害について誤っているのはどれか.

a 肘離断性骨軟骨炎は投手に好発する.

b 単純 X 線像で骨折を認めない肘頭疲労骨折がある.

c 上腕骨外側上顆炎ではステロイド注射の長期成績は経過観察よりも優れている.

d 上腕骨外側上顆炎の難治例には関節鏡視下デブリドマンが有効である.

e 尺骨神経障害はスポーツ選手の肘関節内側痛の原因となる.

問 6-5-10

スポーツによる手指外傷について正しいのはどれか.

a 槌指は母指・示指に多い.

b 槌指を放置するとボタン穴変形に移行する.

c skier's thumb は母指 MP 関節の尺側側

副靱帯の損傷である．

d　skier's thumb では完全断裂でも保存療法が原則である．

e　ボクサー骨折では基節骨頚部が掌側に変位する．

問 6-5-11

スポーツによる手・手関節の骨折について正しいのはどれか．

a　青壮年の橈骨遠位端骨折は，ほとんどが関節外骨折である．

b　舟状骨骨折の診断には手根管撮影が有用である．

c　月状骨骨折は，手根骨骨折の中でもっとも発生頻度が高い．

d　有鉤骨鉤骨折は，ボクシング，空手などに発生頻度が高い．

e　中手骨頚部骨折は，ボクサーでは第2・3中手骨に発生することが多い．

問 6-5-12

有鉤骨鉤骨折について正しいのはどれか．

a　テニスではバックハンドストロークで起こりやすい．

b　野球の右打者では左手に起こりやすい．

c　ゴルフでは1回の衝撃によるものがほとんどである．

d　ボクシングや空手などで発生することがもっとも多い．

e　プロスポーツ選手では早期復帰のため正確な骨接合術が原則である．

問 6-5-13

スポーツによる骨折について正しいのはどれか．2つ選べ．

a　有鉤骨鉤骨折では手術療法が行われることはまれである．

b　肩甲骨骨折では手術療法が行われることはまれである．

c　肋骨疲労骨折はラグビーや柔道などで発生することが多い．

d　投球動作による上腕骨骨折は骨折線が螺旋状になることが多い．

e　尺骨疲労骨折は野球の投手に発生することが多い．

問 6-5-14

Bennett 脱臼骨折について正しいのはどれか．3つ選べ．

a　受傷機転は母指に対する長軸方向の外力である．

b　母指中手骨近位端の関節内骨折である．

c　関節内 Y 骨折である．

d　遠位骨片は外転位をとる．

e　徒手整復ギプス固定では再転位が多い．

問 6-5-15

スポーツ種目と好発する外傷・障害の組み合わせで誤っているのはどれか．2つ選べ．

a　野球――有鉤骨鉤骨折

b　スキー――中手骨頚部骨折

c　テニス――上腕骨外側上顆炎

d　ラグビー――深指屈筋腱の末節骨付着部断裂

e　ボクシング——母指 MP 関節尺側側副靱帯損傷

問 6-5-16

テニス肘について正しいのはどれか．3つ選べ．

a　長橈側手根伸筋起始部の変性が原因である．
b　バックハンドストロークの繰り返しで生じる．
c　滑膜ひだによる関節内病変が関与する．
d　難治例では橈骨神経の圧迫病変が関与する．
e　Chair test は前腕回外位で行う．

問 6-5-17

スポーツ障害・外傷と種目の組み合わせで誤っているのはどれか．

a　バーナー症候群——ラグビー
b　Bennett 損傷——野球
c　有鉤骨鉤骨折——バスケットボール
d　母指 MP 関節尺側靱帯損傷——スキー
e　槌指——バレーボール

問 6-5-18

上肢のスポーツ損傷と発生部位の組み合わせで誤っているのはどれか．2つ選べ．

a　baseball finger——中指末節骨遠位端
b　boxer's fracture——小指中手骨頚部
c　skier's thumb——母指 MP 関節尺側
d　tennis elbow——上腕骨内側上顆
e　throwing fracture——上腕骨骨幹部

問 6-5-19

投球による肩の損傷のうち，コッキング期に生じるのはどれか．3つ選べ．

a　腱板断裂
b　SLAP 損傷
c　Bennett 損傷
d　肩甲上神経麻痺
e　上腕二頭筋長頭腱炎

問 6-5-20

手指のスポーツ外傷について正しいのはどれか．3つ選べ．

a　有鉤骨鉤骨折の診断には手根管撮影が有用である．
b　スキーヤー母指は MP 関節尺側側副靱帯損傷である．
c　ボクサー骨折は基節骨頚部に発生する．
d　槌指は DIP 関節の伸展機構損傷である．
e　ラガージャージ損傷は伸筋腱付着部断裂である．

問 6-5-21

上腕骨離断性骨軟骨炎について正しいのはどれか．2つ選べ．

a　好発年齢は 10 歳以下である．
b　成長期の野球肘でもっとも頻度が高い．
c　投球動作中の牽引力によって生じる．
d　tangential view が診断に有用である．
e　透亮期では投球禁止により治癒が期待で

きる.

2）股関節・大腿

問 6-5-22

スポーツ障害・外傷の発生頻度が低い骨盤部位はどれか.

a　恥骨
b　仙骨
c　坐骨結節
d　上前腸骨棘
e　下前腸骨棘

問 6-5-23

スポーツ損傷について正しい組み合わせはどれか. 2つ選べ.

a　投球骨折――上腕骨骨幹部
b　Sinding Larsen-Johansson病――脛骨粗面
c　バーナー症候群――坐骨神経
d　ボクサーズナックル――手指MP関節
e　ラガージャージ損傷――浅指屈筋腱

問 6-5-24

骨盤裂離骨折を生じる部位と原因筋の組み合わせで誤っているのはどれか. 2つ選べ.

a　上前腸骨棘――縫工筋
b　上前腸骨棘――大腿直筋
c　下前腸骨棘――大腿筋膜張筋
d　坐骨結節――大腿二頭筋
e　坐骨結節――半膜様筋

問 6-5-25

スポーツによる骨盤周囲の裂離骨折の好発部位として正しいのはどれか. 3つ選べ.

a　坐骨結節
b　恥骨結節
c　腸恥隆起
d　下前腸骨棘
e　上前腸骨棘

問 6-5-26

スポーツによる骨盤周囲の疲労骨折の好発部位として正しいのはどれか. 2つ選べ.

a　坐骨
b　仙骨
c　恥骨
d　腸骨
e　寛骨臼

問 6-5-27

肉ばなれについて正しいのはどれか. 3つ選べ.

a　二関節筋に多く発生する.
b　テニスレッグは大腿四頭筋に発生する.
c　筋腱移行部の筋線維や筋膜が損傷される.
d　遠心性筋収縮によって発生することが多い.
e　陸上競技では短距離より長距離の選手に多い.

問 6-5-28

大腿骨寛骨臼インピンジメント(FAI)について誤っているのはどれか．2つ選べ．

a しゃがみ込みなどが多い．
b 寛骨臼縁の関節唇・軟骨損傷である．
c 他動的な股関節屈曲・外旋で疼痛が誘発される．
d 単純X線像のα角50°以下は特徴的所見である．
e 形態異常が寛骨臼側にあるものをpincer typeと呼ぶ．

3）膝関節

問 6-5-29

膝靱帯損傷について正しいのはどれか．3つ選べ．

a 前十字靱帯の前内側線維束は，膝伸展位でより緊張する．
b 新鮮前十字靱帯損傷には外側半月損傷の合併する頻度が高い．
c 前十字靱帯損傷があると，経年的に内側半月損傷の合併頻度が高くなる．
d 後十字靱帯損傷があると，関節鏡視で前十字靱帯が弛んでみえることがある．
e スポーツによる膝関節血症の原因でもっとも頻度の高いのは，内側側副靱帯損傷である．

問 6-5-30

前十字靱帯損傷の治療について誤っているのはどれか．2つ選べ．

a スポーツ活動を望む患者には再建術が行われる．
b 再建術には自家膝蓋腱や屈筋腱が主に用いられる．
c 再建術後6カ月以内にスポーツ完全復帰可能である．
d 新鮮例で骨片の剥離を伴っている場合は一次修復を行う．
e 治療方針決定のために診断的関節鏡検査を要することが多い．

問 6-5-31

後十字靱帯損傷について正しいのはどれか．2つ選べ．

a 陳旧例では伸展位で不安定感を訴える．
b 半月や軟骨損傷などの二次的損傷はきたさない．
c 単独損傷新鮮例に対して一般に保存療法が行われる．
d 受傷機序としてスポーツ外傷と比べ交通外傷はまれである．
e 新鮮例で脛骨に後方ストレスを加えると膝窩部に疼痛を生じる．

問 6-5-32

膝周辺のスポーツ障害について正しいのはどれか．2つ選べ．

a 腸脛靱帯炎では尻上がり現象が陽性である．
b ジャンパー膝は膝関節外側の疼痛が特徴的である．
c ランナー膝では疼痛部位が限局しないことが多い．
d Osgood-Schlatter病は脛骨粗面部の裂

離骨折である．

e Sinding-Larsen-Johansson 病は膝蓋骨下端に小骨片や亀裂様陰影を呈する．

問 6-5-33

有痛性分裂膝蓋骨について正しいのはどれか．2つ選べ．

a 手術療法では骨接合術が一般的である．
b 大腿四頭筋を急激に収縮する競技と関係が深い．
c Saupe 分類 type Ⅲは内上方に発生したものである．
d growth spurt と関連があり 10～15 歳の女子に多い．
e 膝蓋骨の外側広筋付着部に発症するものがもっとも多い．

問 6-5-34

スポーツによる新鮮前十字靱帯損傷について正しいのはどれか．3つ選べ．

a pivot shift test や N test が陽性である．
b 大腿骨外側顆関節荷重面の陥凹(notch sign)を認める．
c 前方引き出しテストは Lachman テストより信頼性が高い．
d 膝関節における靱帯損傷の中では，手術頻度がもっとも高い．
e ノンコンタクトスポーツよりもコンタクトスポーツでの受傷が多い．

問 6-5-35

後十字靱帯損傷について誤っているのはどれか．

a 脛骨後方落ち込み徴候が観察される．
b 後外側回旋不安定性を認める場合には手術適応である．
c 受傷直後でもスポーツ活動を継続できるものがある．
d 単独損傷に対する保存療法後のスポーツ復帰は困難である．
e 単独損傷では誤って後方引き出しテスト陰性と判定しやすい．

問 6-5-36

内側側副靱帯損傷について誤っているのはどれか．

a 膝に外反力が加わって発生する．
b 不安定性の検査は 30° 屈曲位で行う．
c 新鮮損傷では修復術が第 1 選択である．
d 膝靱帯損傷の中でもっとも頻度が高い．
e 完全伸展位での外反ストレステストが陽性なら前十字靱帯損傷を疑う．

問 6-5-37

膝伸展機構障害について正しいのはどれか．2つ選べ．

a 有痛性分裂膝蓋骨では関節内血腫を伴う．
b Sinding Larsen-Johansson 病はジャンパー膝の 1 つである．
c ジャンパー膝におけるもっとも多い圧痛部位は膝蓋骨近位部である．
d 有痛性分裂膝蓋骨の中でもっとも多いの

は Saupe 分類 type Ⅱである.

e Osgood-Schlatter 病の難治例には，成長終了後に骨片を外科的に摘出する.

問 6-5-38

Osgood-Schlatter 病について正しいのはどれか．3 つ選べ.

a 10 歳以下に多い.
b 安静時痛はほとんどない.
c ストレッチングは無効である.
d 大腿四頭筋の過度な牽引により生じる.
e 脛骨粗面は隆起したまま治癒することが多い.

問 6-5-39

膝蓋骨脱臼を生じる解剖学的要因として正しいのはどれか．3 つ選べ.

a 大腿骨頚部外反変形
b 大腿骨顆部形成不全
c 膝蓋骨高位
d 脛骨粗面外方偏位
e 脛骨内反変形

問 6-5-40

スポーツによる新鮮膝前十字靱帯損傷について正しいのはどれか．2 つ選べ.

a 膝関節外反位での受傷が多い.
b 脛骨内側裂離骨折の合併頻度が高い.
c 外側半月板後節損傷の合併頻度が高い.
d 後外側回旋不安定性を生じる頻度が高い.
e 大腿骨内側顆部軟骨損傷の合併頻度が高い.

問 6-5-41

16 歳の女子.
主訴：右膝関節痛.
現病歴：体育の授業で持久走中に右膝関節痛が出現した.
1 年前転倒した際に右膝関節痛が出現し，自宅近くの医療機関でサポーター装着による治療を受けた．来院時，右膝関節に腫脹を認め，疼痛が強く屈曲が困難であった．膝関節の X 線軸射像(図 1)と CT(図 2)および MRI(図 3)を示す.
今後の治療において行われる適切な治療法がどれか．2 つ選べ.

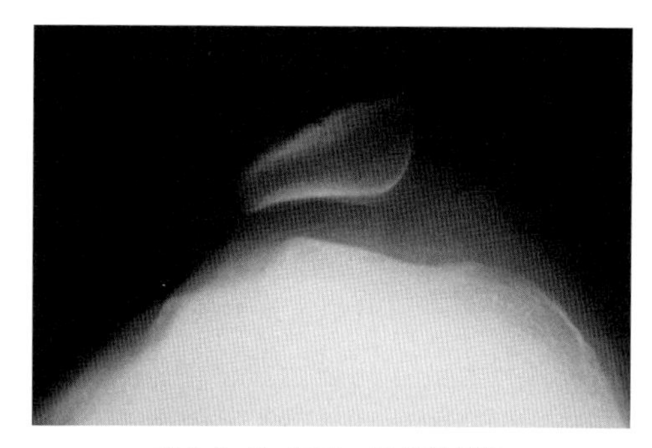

問 6-5-41／図 1　X 線軸射像

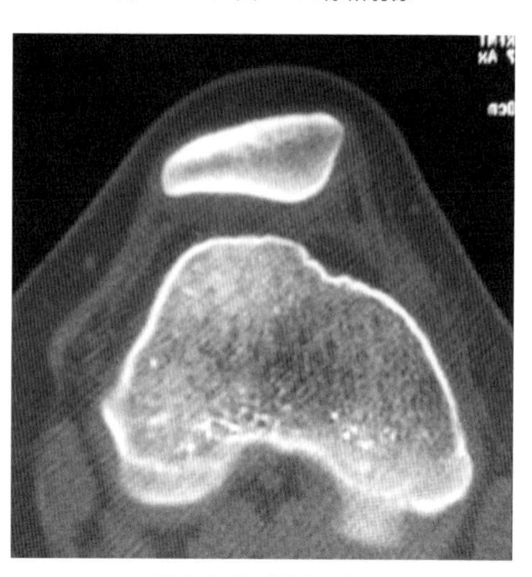

問 6-5-41／図 2　CT

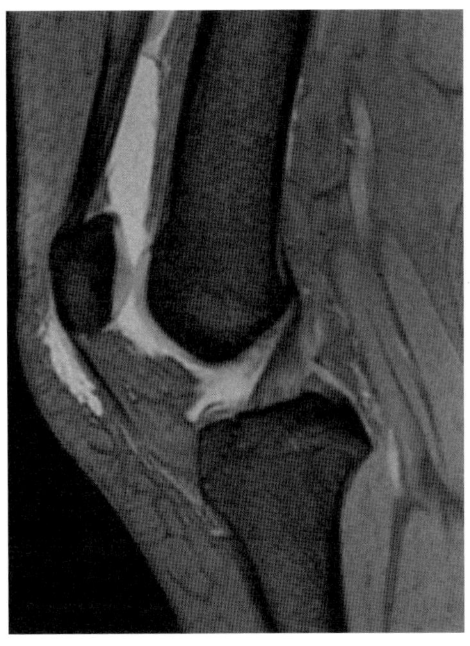

問 6-5-41／図 3　MRI

a　半月板縫合術
b　前十字靱帯再建術
c　後十字靱帯再建術
d　脛骨粗面内方移行術
e　内側膝蓋大腿靱帯再建術

問 6-5-42

12 歳の女児.
主訴：右膝関節部痛
現病歴：体育の授業で持久走中に右膝関節部痛が出現した.
既往歴：1 年前，転倒した際に右膝関節部痛が出現し，近医でサポーター装着による治療を受けた.
現症：右膝関節に腫脹を認め，疼痛が強く屈曲が困難であった．徒手検査では McMurray test 陰性，Lachman test 陰性，posterior drawer test 陰性，patella apprehension test 陽性であった.
本症例で今後治療として行われる可能性が高いのはどれか．2 つ選べ.

a　半月板縫合術
b　外側支帯解離術
c　前十字靱帯再建術
d　後十字靱帯再建術
e　内側膝蓋大腿靱帯再建術

問 6-5-43

新鮮膝前十字靱帯損傷について正しいのはどれか．2 つ選べ.

a　膝関節外反位での受傷が多い.
b　後外側不安定性を生じる頻度が高い.
c　脛骨内側裂離骨折の合併頻度が高い.
d　外側半月板後節損傷の合併頻度が高い.
e　大腿骨内側顆部骨挫傷の合併頻度が高い.

問 6-5-44

10 歳の男児．2 年前より，サッカークラブに所属し，週 3 回毎回 2 時間練習している．1 カ月前より，右膝痛を生じた．安静時痛はないが，運動後に疼痛がある．単純 X 線像には異常を認めなかった．MRI（図 1，2）を示す．本症例の治療として正しいのはどれか．

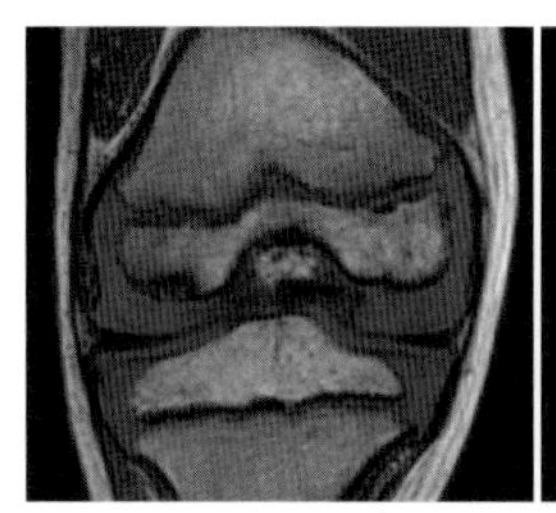
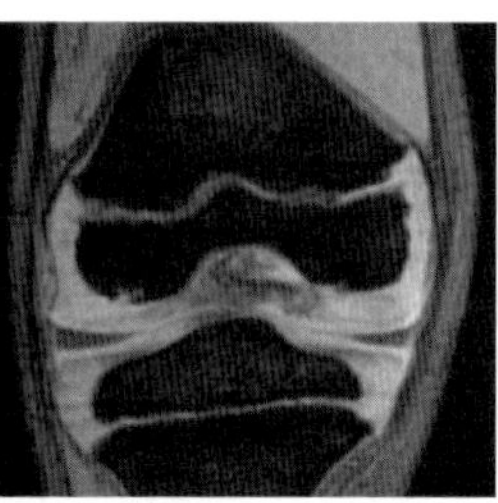

問 6-5-44／図 1　冠状断像

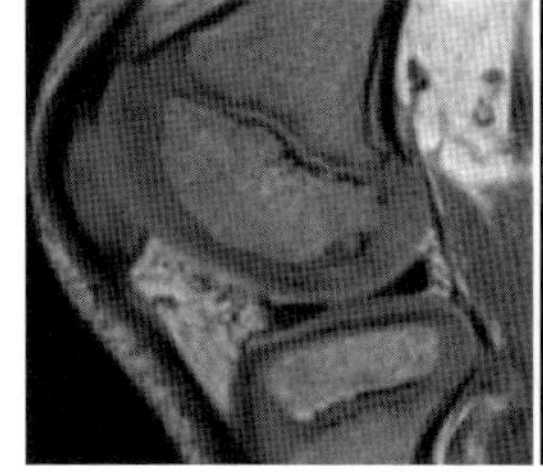
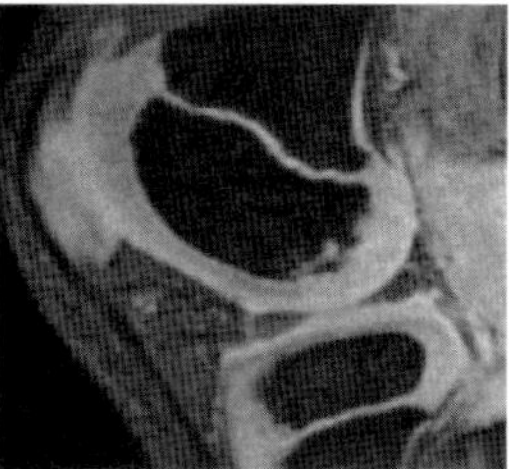

問 6-5-44／図 2　矢状断像

a　ギプス固定
b　骨軟骨移植術
c　半月板部分切除術
d　ステロイド関節内投与
e　3 カ月のスポーツ活動禁止

問 6-5-45

膝のスポーツ障害と圧痛部位の組み合わせで誤っているのはどれか．2 つ選べ．

a　鵞足付着部炎――脛骨近位外側部
b　膝窩筋腱炎――膝関節外側部
c　腸脛靱帯炎――大腿骨外上顆部
d　有痛性分裂膝蓋骨――膝蓋骨上内側部
e　Osgood-Schlatter 病――脛骨粗面

問 6-5-46

脛骨顆間隆起骨折について正しいのはどれか．2 つ選べ．

a　30 歳台に多い．
b　膝関節血腫を伴う疼痛がある．
c　転位が軽度でも手術療法が必要となる．
d　膝関節は伸展位をとり，屈曲が障害される．
e　治療方針決定には Meyers-McKeever 分類が用いられる．

4）足部，足関節

問 6-5-47

アキレス腱断裂について正しいのはどれか．3 つ選べ．

a　好発年齢は 30～40 歳台である．
b　踵骨停止部で断裂することが多い．
c　断裂部に陥凹を触知する．
d　Thompson テスト陽性となる．
e　保存療法の成績は不良で手術を要する．

問 6-5-48

シンスプリントについて誤っているのはどれか．2 つ選べ．

a　使いすぎによるスポーツ障害である．
b　回外足が危険因子である．
c　運動時に脛骨外側面の疼痛を訴える．
d　早期診断には MRI が有用である．
e　ストレッチによる保存治療を行う．

問 6-5-49

慢性労作性下腿区画症候群について誤っているのはどれか.

a 30 歳未満に好発する.
b 50～70%が両側性である.
c 後方区画の発生頻度が高い.
d 休息により軽快する.
e 筋膜切開の適応がある.

問 6-5-50

新鮮アキレス腱断裂について正しいのはどれか.

a 20 歳台に好発する.
b アキレス腱の肥厚は危険因子である.
c Simmonds test は仰臥位で実施する.
d Thompson test が陰性であれば断裂を疑う.
e 腓腹神経損傷は直視下縫合術に発生しやすい.

問 6-5-51

下肢の難治性疲労骨折として正しいのはどれか. 3つ選べ.

a 脛骨骨幹中央部前方
b 腓骨
c 踵骨
d 舟状骨
e 第 5 中足骨近位骨幹部

問 6-5-52

41 歳の男性. 階段から転落し受傷した. 受傷直後の右足部の腫脹は軽度であったが，来院時には疼痛・腫脹が高度となり，足趾の自動運動は微弱であった. 単純 X 線像(図 1)を示す.
正しいのはどれか.

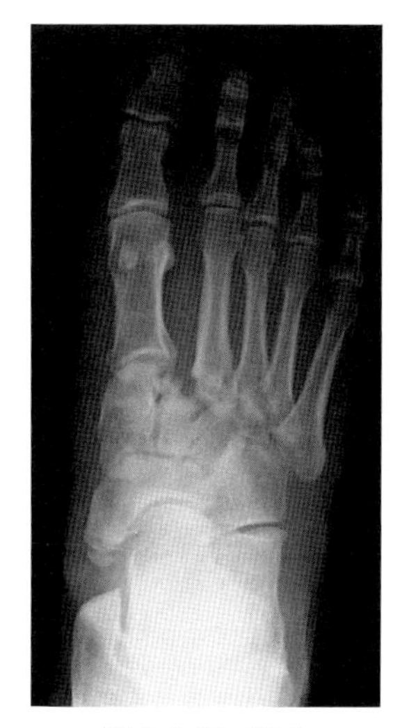

問 6-5-52／図 1

a 骨折が明らかであるため，CT 検査は不要である.
b 腫脹の軽減を得るため，早期に整復を行う.
c 緊急減張切開は禁忌である.
d 良好な内固定が得られれば，早期から積極的な荷重を許可する.
e 整復不良であっても骨折の癒合が得られれば，機能予後は良好である.

6 その他

□□□ A ▶ p. 316-318

問 6-6-1

汚染した挫滅創の初期治療として誤っているのはどれか.

a 創の大きさによって一次閉鎖するか否かを決める.
b 砂や泥などは流水下に洗い流す.
c 油類の汚れはベンジンで落とす.
d 骨折がある場合, 開放創から離れた部位にピンを刺入して創外固定を行う.
e 広範囲スペクトルの抗菌薬を静脈内投与する.

問 6-6-2

脂肪塞栓症候群の臨床診断基準(Gurd)のうち, 大基準はどれか. 3つ選べ.

a 点状出血斑
b 網膜変化(脂肪滴または出血斑)
c 喀痰中の脂肪滴
d 呼吸困難と単純X線像上の両肺野の吹雪様陰影
e 頭部外傷や他の原因によらない脳神経症状

問 6-6-3

Volkmann拘縮について誤っているのはどれか. 2つ選べ.

a 前腕は回外位をとる.
b 手関節は屈曲位をとる.
c 母指は内転位をとる.
d 中手指節関節は屈曲位をとる.
e 近位指節間関節は屈曲位をとる.

問 6-6-4

集団災害時の対応について正しいのはどれか. 2つ選べ.

a 集団災害時には3T's が必要とされているが, これはトリアージ(triage), 搬送(transportation), 輸液(transfusion)のことである.
b 損傷はあるが, 歩行ができる受傷者には, トリアージで緑色のタグをつける.
c 受傷者が多いので, トリアージは1回行う.
d capillary refill time が2秒の場合, ショックと判断する.
e 近くにある大病院にできるだけ多くの患者を搬送する.

問 6-6-5

災害現場における傷病者の治療優先順位について, 優先順位の高いものから順に並べた組み合わせで正しいのはどれか.

a (1), (3), (4), (2)
b (3), (4), (1), (2)
c (3), (4), (2), (1)
d (4), (3), (1), (2)
e (4), (3), (2), (1)

(1) 死亡, あるいは生命徴候のないもの
(2) 四肢単純骨折, 打撲, 捻挫, 軽度熱傷
(3) 呼吸困難, 意識障害, 多発外傷, 血気胸, 腹腔内出血
(4) 脊髄損傷, 頭部外傷

問 6-6-6

集団災害において5人の救護にあたった．最初に医療機関に搬送すべき人はどれか．2つ選べ．

a 意識はなく，瞳孔は散大し，自発呼吸がない．
b 意識はあるが，頭部に挫創があり，外耳孔から出血している．
c 意識はあるが，四肢を動かせず，肩をわずかに外転できるだけである．
d 胸部に木の枝が刺さり，呼吸苦を訴え，チアノーゼがある．
e 右下腿に開放骨折があって痛みを訴えており，足背動脈の脈拍は触れない．

問 6-6-7

挫滅(圧挫)症候群について正しいのはどれか．3つ選べ．

a 壊死に陥った筋肉組織から大量のミオグロビンが血中に放出される．
b 電解質補正のため，カリウムを含む輸液をただちに行う．
c 腎尿細管壊死による急性腎不全を生じることがある．
d 無酸素状態の組織では，血管透過性が低下することによって血漿成分は血管内に貯留する．
e 破壊された組織から放出された乳酸塩やリン酸塩によって，尿は酸性に傾く．

問 6-6-8

挫滅(圧挫)症候群に対する治療として誤っているのはどれか．

a カリウムを含む輸液
b 筋膜切開
c 血液透析
d 患肢切断
e 炭酸水素ナトリウム投与

問 6-6-9

救急患者の初期治療について正しいのはどれか．

a 救命救急処置の部位別優先順位は，① 頭部，② 胸部，③ 腹部，④ 骨盤部，⑤ 四肢である．
b 心タンポナーデの3徴候は，低血圧，頸静脈虚脱，奇脈である．
c 前胸部に外傷のある低血圧患者で，輸液を行っても状態が悪化する場合は，心タンポナーデを考える．
d 腹部外傷における管腔臓器損傷でもっとも頻度が高いのは胃である．
e 動揺胸郭では，呼気時に胸壁が陥没し，吸気時に外方に突出する．

リハビリテーション

リハビリテーション

□
□
□

1 理学療法，作業療法，運動療法

□□□ A ▶ p. 320-323

問 7-1-1

温熱療法について正しいのはどれか．3つ選べ．

a 含水量の高い組織のほうが熱伝導速度は遅い．
b 末梢神経損傷などで皮膚感覚障害がある場合は禁忌である．
c パラフィン浴はアレルギー性の皮疹がある場合は禁忌である．
d パラフィン浴は熱傷が起こりにくい．
e 極超短波療法は金属が挿入されている部位にも使用できる．

問 7-1-2

温熱療法の効果として誤っているのはどれか．2つ選べ．

a 疼痛閾値の上昇
b コラーゲンの伸張性改善
c 痙縮の改善
d 急性炎症の改善
e 毛細血管の透過性低下

問 7-1-3

水治療法について誤っているのはどれか．2つ選べ．

a 身体には水深1mで約0.1気圧の静水圧がかかる．
b 臍まで浸かると股関節は約40%の免荷が得られる．
c 水中関節運動は空中よりも弱い筋力で可能である．
d 脊髄損傷患者の水中訓練は禁忌である．
e 水中歩行時の酸素摂取量は，陸上よりも大きい．

問 7-1-4

斜面台による立位訓練の目的として誤っているのはどれか．

a 尖足の矯正
b 下肢抗重力筋筋緊張の維持
c 骨萎縮の予防
d 下肢循環の促進
e 起立性低血圧の改善

問 7-1-5

理学療法と作業療法について正しいのはどれか．3つ選べ．

a 理学療法は患者の基本的精神能力の改善

を図る．

b 理学療法を大別すると運動療法と物理療法に分けられる．

c 作業療法は家事・生活動作訓練を行う．

d 作業療法では余暇活動，教育参加を扱う．

e 精神科疾患は，多くで作業療法の適応にならない．

問 7-1-6

歩行について正しいのはどれか．

a Charcot-Marie-Tooth 病では鶏歩が生じる．

b 筋ジストロフィー症では，はさみ脚歩行がみられる．

c 疼痛回避歩行では患肢の遊脚期を短縮しようとする．

d 大殿筋の筋力低下によって Trendelenburg 歩行が生じる．

e 正常歩行周期では遊脚期と立脚期の比はおよそ 3：2 である．

問 7-1-7

運動療法について正しいのはどれか．

a 等張性運動はギプス内でも行える．

b 自動介助運動は MMT3 以上の場合に行われる．

c 片脚立ち訓練は高齢者には危険であり禁忌である．

d 等尺性運動では心疾患がある場合は注意を要する．

e 等張性運動より等尺性運動のほうが筋持久力の向上に有効である．

問 7-1-8

日常生活動作訓練に関し正しいのはどれか．3 つ選べ．

a 片麻痺患者では前開きシャツは健側上肢から袖を通す．

b 脳卒中では上肢機能は下肢機能よりも改善を得られにくい．

c 上肢の機能障害があるときに作業療法士が作製した自助具が役立つ．

d T 字杖を使った階段の昇り方は，患側の下肢と杖を先に上の段に載せる．

e 両松葉杖を使った階段の降り方は，患側下肢と両松葉杖を先に下の段に降ろす．

問 7-1-9

日常生活活動（ADL）の評価尺度の組み合わせで正しいのはどれか．3 つ選べ．

a 基本的 ADL——Barthel 指数

b 拡大 ADL——基本的 ADL と手段的 ADL を合わせたもの

c 手段的 ADL——Health Assessment Questionnaire（HAQ）

d 高齢者の ADL——認知症高齢者の日常生活自立度判定基準

e 手段的 ADL——機能的自立度評価法（functional independence measure；FIM）

問 7-1-10

物理療法について正しいのはどれか．2 つ選べ．

a 化膿性脊椎炎に牽引法は禁忌である．

b 温熱療法は成長期骨端部に行うことができる.

c 温熱療法は意識障害がある患者にも適応がある.

d マイクロ波はペースメーカ装置装着者も対象となる.

e 電気刺激療法は深部静脈血栓のある肢には禁忌である.

問 7-1-11

筋力訓練について誤っているのはどれか.

a 心肺機能に障害があるときには等尺性収縮運動が適する.

b 鞄を手に提げているとき手指屈筋群は等尺性収縮をしている.

c 発揮できる筋力は求心性より遠心性収縮のときのほうが大きい.

d 腕立て伏せのとき上腕三頭筋は遠心性収縮と求心性収縮を繰り返す.

e ギプス固定下における筋萎縮予防のためには等尺性収縮運動を行う.

問 7-1-12

作業療法士の役割について誤っているのはどれか.

a 移乗動作訓練を行う.

b 利き手交換訓練を行う.

c 義手の適合判定を行う.

d 福祉用具の選定を行う.

e 寝返り動作の訓練を行う.

2 装具療法

□□□ A ▶ p. 323-328

問 7-2-1

杖を用いた安全な階段昇降について誤っているのはどれか. 2つ選べ.

a T 字杖での昇り方は, 患側の下肢と杖を段の上に乗せてから健側下肢を段の上に載せる.

b 両松葉杖での降り方は, 患側下肢と両松葉を先に下の段に降ろしてから健側下肢を降ろす.

c 階段を降りるとき, 体幹を前傾させて降りたほうが安全である.

d 対麻痺患者の階段昇降は, 後ろ向きで昇降するほうが安全な場合が多い.

e 片麻痺患者の昇り方は, 手すりを用いる場合, 麻痺側を先に上の段に乗せる.

問 7-2-2

歩行補助杖について正しいのはどれか. 3つ選べ.

a 健側に使用したほうが効果的である.

b 反対側股関節の外転モーメントを減弱する.

c 肘 30° 屈曲位で自然にグリップが把持できる長さがよい.

d 関節リウマチではアンダーアームクラッチは適応外である.

e 多点杖は身体障害者手帳により支給されない.

問 7-2-3

胸腰椎移行部の骨折に対して処方される装具はどれか．

a Jewett 型装具
b Knight 型装具
c Milwaukee 型装具
d Boston 型装具
e Williams 型装具

問 7-2-4

頚椎装具について誤っているのはどれか．

a ヘイロー装具は側屈，前後屈，回旋を制御できる．
b SOMI 装具では開口制限に注意する．
c Philadelphia カラーにはポリエチレンフォームが使用されている．
d 頚椎カラーでは回旋は制限されない．
e Philadelphia カラーの頚椎固定性は頚椎カラーより低い．

問 7-2-5

長下肢装具について誤っているのはどれか．2つ選べ．

a 内側支柱の上端は会陰部より 2～3 cm 下である．
b カフ（半月）は大腿部と下腿部の中央に各々 1 カ所付ける．
c 膝継手の高さは脛骨顆部のもっとも幅の広いところである．
d 足継手の高さは内果の下端と外果の中央を結ぶ線上にある．
e 膝屈曲拘縮がある場合には，膝当てを用いる．

問 7-2-6

靴型装具について誤っているのはどれか．

a トウスプリングは踏み返しに影響する．
b ヒールの高さは矢状面の下肢アライメントに影響する．
c ふまずしんは内側縦アーチを支持する．
d 中足パッドは中足骨頭への荷重を減じる．
e ロッカーソール（舟底靴）は足関節可動域制限患者の踏み返しを容易にする．

問 7-2-7

手動車椅子について誤っているのはどれか．

a 普通型車椅子は後輪に自在輪がつく．
b 片手駆動式車椅子は同側の 2 本のハンドリムを同時に操作する．
c リクライニング式車椅子は起立性低血圧のある障害者に処方される．
d 介助用車椅子にはハンドリムがない．
e リフト式車椅子は座面の高さを変えられる．

問 7-2-8

車椅子の寸法について正しいのはどれか．

a 座幅――殿部幅に 8 cm 加えた値
b フットレストの高さ――床面から 3 cm 以上
c 座奥行――殿部～膝窩までの距離から 5 cm 減じた値
d 背もたれの高さ――腋窩より 2 cm 減じ

た値

e 座面の高さ——下腿長より5 cm減じた値

問7-2-9

電動車椅子について正しいのはどれか．2つ選べ．

a 簡易型電動車椅子は普通型電動車椅子よりも重い．
b 最高速度は6 km/時以下である．
c 電動車椅子は介護保険のレンタル対象にはならない．
d 道路交通法上では歩行者である．
e 身体障害者福祉法による耐用年数は4年である．

問7-2-10

脳性麻痺の装具療法について誤っているのはどれか．

a 変形および拘縮の予防・矯正のために適応がある．
b 不随意運動を抑制し，運動をコントロールする効果がある．
c 歩行用下肢装具は支持性を高めるために用いられる．
d 反張膝変形には，足関節背屈制限を加えた短下肢装具が効果的である．
e 外反扁平足では，内側長軸アーチを支える足底挿板とThomas踵が適応される．

問7-2-11

対麻痺患者に処方する車椅子について正しいのはどれか．

a 駆動輪を前方に付けた普通型車椅子を用いる．
b ハンドリムに摩擦抵抗を大きくするためゴムバンドを巻く．
c 駆動輪の直径は，なるべく小さな20 inch（約50 cm）程度が多く処方される．
d 座幅は，大転子の外側に10 cm程度の余裕があるようにする．
e 障害者総合支援法で支給対象となる．

問7-2-12

手・手関節装具で考慮すべきことはどれか．2つ選べ．

a 母指を対立位に保持する．
b 母指の外転運動を可能にする．
c 手関節は掌屈・背屈0°にする．
d 脱着が簡単にできない構造にする．
e できるだけ手掌をおおう構造にする．

問7-2-13

疾患と装具の組み合わせで正しいのはどれか．3つ選べ．

a 恥坐骨骨折——坐骨支持式免荷装具
b Perthes病——Riemenbügel装具
c 下腿骨骨折——Patellar tendon bearing（PTB）装具
d 下垂足——シューホーン型短下肢装具
e 内反足——Denis Browne副子

問 7-2-14

装具療法について，正しい組み合わせはどれか．2つ選べ．

a シューホーン型短下肢装具——外反母趾
b balanced forearm orthosis——前腕骨折
c 人工股関節置換術後——股関節外転装具
d カックアップスプリント——正中神経麻痺
e knee ankle foot orthosis（KAFO）——脳卒中による下肢麻痺

問 7-2-15

装具療法について正しいのはどれか．2つ選べ．

a クレンザック継手は膝関節の継手に用いられる．
b Boston 型装具は腰部脊柱管狭窄症に処方される．
c ナックルベンダはMP関節の伸展拘縮に処方される．
d functional brace は関節近傍の骨折の治療に用いられる．
e Denis Browne 副子は内反足の矯正位保持を目的に処方される．

問 7-2-16

組み合わせで誤っているのはどれか．3つ選べ．

a 橈骨神経麻痺——手関節駆動式把持装具
b 正中神経低位麻痺——短対立装具
c 尺骨神経麻痺——手関節背屈装具
d 腓骨神経麻痺——短靴
e 痙直型両麻痺——短下肢装具

3 切断，義肢

□□□ A ▶ p. 328-331

問 7-3-1

切断術について誤っているのはどれか．

a 皮膚切開は魚口状皮切が用いられる．
b 下肢切断で循環障害があると後方皮膚弁延長法が用いられる．
c 神経切断端は筋肉内に埋没する．
d 骨膜は長めに残して骨断端をおおう．
e 筋断端同士の縫合は筋固定術と呼ばれる．

問 7-3-2

切断手技について正しいのはどれか．2つ選べ．

a 血流障害例の下腿切断では長後方皮弁を用いる．
b 主要な動静脈は分離せず結紮する．
c 神経は骨断端高位で結紮する．
d 骨膜を断端から1 cm剝離して切除する．
e 筋肉は骨断端部をおおうよう縫合する．

問 7-3-3

切断端の術後管理で誤っているのはどれか．

a soft dressing 法では，近位から遠位に向けて一定の圧がかかるよう圧迫する．
b rigid dressing 法では，soft dressing 法より幻肢痛の出現頻度が低い．
c 下腿切断では膝伸展位で固定する．
d 前腕切断では肘関節屈曲90°に固定する．

e　semi-rigid dressing 法では創の観察が可能で，浮腫が生じにくい．

問 7-3-4

足部切断について正しいのはどれか．2つ選べ．

a　Syme 切断では，義足なしの歩行は不可能である．
b　Syme 切断は整容面の問題から女性では特に慎重に選択する．
c　Chopart 関節離断では外反尖足が起こりやすい．
d　中足骨切断では歩行上問題になることはない．
e　足底皮弁を長く残して縫合する．

問 7-3-5

大腿義足歩行における体幹の側屈と関係が深いのはどれか．3つ選べ．

a　股関節内転筋力の低下
b　ソケットの初期内転角の不足
c　ソケットの不適合
d　ソケットの初期屈曲角の不足
e　義足長の不足

問 7-3-6

大腿義足アライメントについて誤っているのはどれか．

a　大腿義足のアライメントでは膝継手と足部との位置関係が重要である．
b　ソケット後壁には初期屈曲角をつける．
c　断端を軽度外転位に保持するために初期外転角をつける．
d　膝継手軸は進行方向に対して直角で床面に対して水平に設置する．
e　下腿軸は床面に対して直角とする．

問 7-3-7

大腿義足の膝折れの原因はどれか．3つ選べ．

a　膝継手の遊脚相制御の不良
b　膝継手軸の位置が後方すぎる．
c　股関節の伸展筋力の低下
d　ソケットの初期屈曲角が不足
e　足継手後方バンパーが硬すぎる．

問 7-3-8

義足のソケットについて正しいのはどれか．3つ選べ．

a　片側骨盤切除では第 10 肋骨まで延長したソケットを用いる．
b　大腿切断では坐骨収納型ソケットを用いることが多い．
c　ソケットは，ソフトライナーを使用する二重ソケットが一般的となっている．
d　差し込みソケットには自己懸垂作用がある．
e　四辺形ソケットは大腿骨の内転を保持しやすい．

問 7-3-9

PTB 義足について誤っているのはどれか．

a　義足長の適否は左右腸骨稜の高さで確認

する.

b 硬すぎる踵クッションは踵接地期に足部の外旋を起こす.

c 初期屈曲角不足は膝折れを起こす.

d ソケットの初期内転角不足はソケット内壁の圧迫を起こす.

e 膝関節を60°以上屈曲すると膝カフは弛む必要がある.

問 7-3-10

切断術後の患肢機能について誤っているのはどれか．2つ選べ.

a 下腿切断術後には膝関節は屈曲拘縮をきたしやすい.

b 大腿切断術後には股関節は屈曲，内転，内旋拘縮をきたしやすい.

c Lisfranc 関節離断では足部の尖足をきたしやすい.

d 前腕切断では回内外可動域の獲得に断端長が関連する.

e 手指切断の際，第2中手骨の温存は手機能の獲得に有利である.

問 7-3-11

切断について正しいのはどれか．2つ選べ.

a 幻肢痛は下肢に多い.

b 神経は鋭利に切断する.

c Syme 切断術は前足部切断術である.

d 幻肢痛が改善するまで義肢を装着しない.

e Lisfranc 切断では尖足変形をきたしやすい.

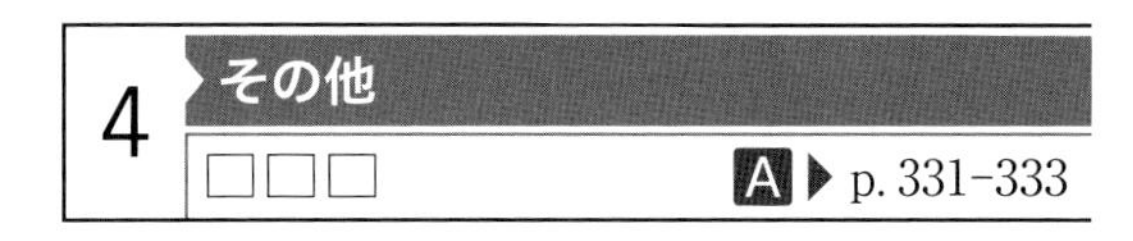

問 7-4-1

頚髄損傷急性期における呼吸病態・管理について誤っているのはどれか．2つ選べ.

a 呼吸器系は交感神経支配優位になっている.

b 気道粘膜が充血し，分泌物産生が旺盛である.

c 呼息筋の機能が保たれているので，分泌物喀出は容易である.

d 間欠的陽圧呼吸(IPPB)は肺胞拡張と吸入療法を行うのに有用である.

e 気管支洗浄，気管支ファイバースコープは分泌物除去に有効である.

問 7-4-2

慢性期脊髄損傷者の病態として正しいのはどれか．3つ選べ.

a 麻痺域の大関節周囲の異所性骨化のため関節可動域制限をきたす.

b 麻痺域の骨は，負担が増えるため，皮質が肥厚する.

c 痙縮が日常生活の動作制限となることがある.

d 不適切な四肢の管理や筋力の不均衡によって関節拘縮が生じる.

e 女性では妊娠が不可能となる.

問 7-4-3

脊髄損傷者の自律神経過反射について正しいのはどれか. 3つ選べ.

a T5 髄節高位以上の脊髄損傷者にみられることが多い.
b 急激に血圧低下をきたす.
c 急激に頻脈となる.
d 膀胱充満や便秘が誘因となることが多い.
e 発症時は衣類をゆるめる, カテーテルを確認するなどの処理を必要とする.

問 7-4-4

脊髄損傷の排尿について誤っているのはどれか.

a 受傷早期(脊髄ショック期)に排尿反射は消失し完全尿閉となり, 導尿が必要である.
b 受傷後 1〜4 週に膀胱内圧測定で排尿筋の収縮がみられれば, カテーテルを抜去して排尿訓練を行う.
c 受傷後 2〜6 カ月の慢性期の核上型膀胱では皮膚-膀胱反射を利用し, 誘発点を刺激して排尿する.
d 手圧・腹圧を加えて排尿は禁忌とされている.
e 不随意性の膀胱反射収縮や外尿道括約筋の痙攣のため, 排尿困難な例では持続カテーテル留置が原則である.

問 7-4-5

頚髄完全損傷の急性期の全身症状として誤っているのはどれか.

a 低血圧
b 頻脈
c 奇異性呼吸
d 麻痺性イレウス
e 尿閉

問 7-4-6

C7 完全損傷(C7 まで機能残存)患者で機能しないのはどれか. 2つ選べ.

a 深指屈筋(flexor digitorum profundus)
b 総指伸筋(extensor digitorum communis)
c 長橈側手根伸筋(extensor carpi radialis longus)
d 短母指伸筋(extensor pollicis brevis)
e 背側骨間筋(interosseous dorsalis)

問 7-4-7

脊髄損傷の慢性期合併症として誤っているのはどれか.

a 関節拘縮
b 石灰沈着症
c 起立性低血圧
d 褥瘡
e 自律神経過反射

問 7-4-8

頚髄完全損傷慢性期患者について正しいのはどれか.

a 損傷高位以下の発汗増加
b 排尿反射消失
c 下肢腱反射消失
d 腹壁反射消失
e 球海綿体筋反射消失

問 7-4-9

評価法とその対象の組み合わせで正しいのはどれか.

a Brunnstrom ステージ分類――脳性麻痺
b 粗大運動能力尺度――脳血管疾患
c ASIA impairment scale――脊髄損傷
d SF-36――ADL
e FIM――QOL

問 7-4-10

歩行の時間因子について誤っているのはどれか. 2つ選べ.

a 立脚期には両脚支持期と単脚支持期がある.
b 趾離地は立脚期と遊脚期の区切りとなる.
c 歩行周期は, 一側下肢の遊脚期時間と立脚期時間を加えた値に等しい.
d 歩行周期は, 踵接地から同じ下肢の趾離地までの経過時間である.
e 歩調とは一定時間に歩いた距離である.

関係法規・産業医・医療安全

1

2

3

4

5

6

7

8

8 関係法規・産業医・医療安全

A ▶ p. 336-348

問 8-1

医師の行政上の責任について正しいのはどれか．3つ選べ．

a 行政処分として多いのは罰金である．
b 厚生労働大臣は独断で行政処分を行うことができる．
c 医道審議会は刑事裁判の判決を待たずに行政処分を決定することがある．
d 行政処分の対象となるものには，強制わいせつ，道路交通法違反，覚せい剤・麻薬取締法違反も含まれる．
e 医師が医師法第4条に抵触したとき，および医師としての品位を損するような行為があったときに責任が問われる．

問 8-2

医療関係法規において正しいのはどれか．2つ選べ．

a 看護師はX線撮影を行えない．
b 保健師は傷病者に対する診療の補助はできない．
c 保険医は，処方箋の交付に関し，特定の保険薬局において調剤を受けるべき旨の指示を行うことができる．
d 医師は，患者または現に看護にあたっている者から薬剤の交付を希望された場合，自己の処方箋により自ら調剤することができる．
e 保険医療機関は，担当した療養給付に関わる患者の疾病または負傷に関し，他の医療機関から照会があった場合，対応する義務はない．

問 8-3

医師の診療に伴って発生する下記業務の中で，法律の規定に反するのはどれか．

a 診療をしたときに診療録を記載すること
b 自ら死体を検案し死体検案書を作成すること
c 保健向上に必要な措置を講ずること
d 本人または保護者に対し治療法の説明を行うこと
e 原因が明らかでない死体を検案したときは，48時間以内に所轄の警察署に届け出ること

問 8-4

医療従事者に対するX線被曝の健康診断で，省略することができない項目はどれか．

a 皮膚の検査
b 白内障に関する目の検査
c 被曝歴の有無の調査およびその評価
d 白血球数および白血球百分率の検査

e 赤血球数および血色素量（またはヘマトクリット値）の検査

問 8-5

医師法で誤っているのはどれか．2つ選べ．

a 臨床研修が規定されている．
b 医師以外の医業は禁じられている．
c 死体検案書を代理で書くことができる．
d 医師免許の取り消しは厚生労働大臣が行う．
e 医師免許の取り消し後，5年を経過し再申請すれば医籍は回復できる．

問 8-6

医師でなくても対応可能な業務について正しいのはどれか．3つ選べ．

a 看護師の静脈注射は法的には認められていない．
b 在宅看護にあたる看護師は，医師の指示の範囲内で薬剤の投与量を調整できる．
c 医師が行うべき治療方針や病状の説明を看護師が行うことは法的に可能である．
d 診断書，診療録および処方箋は医師が最終的に確認することで事務職員が代行できる．
e 医師との協力・連携がなくても，事務職員はオーダリングシステムへの入力を代行してよい．

問 8-7

医師が診療録に記載すべき事項として誤っているのはどれか．

a 処方箋の発行年月日
b 病名および主要症状
c 診療を受けた者の年齢
d 治療方法（処方および処置）
e 診療を受けた者の住所と氏名

問 8-8

保険診療に関する各種書類，関連記録の保存期間で誤っているのはどれか．

a 処方箋――3年
b X線写真――2年
c 手術記録――3年
d 診療録（カルテ）――5年
e 療養の給付（治療費）に関する帳簿類――3年

問 8-9

診療録に関して正しいのはどれか．2つ選べ．

a 保存期間は3年である．
b 診療録には「診療録」という表題をつける必要がある．
c 保存期間の起算日は，一連の診療が終了した日と解されている．
d 医師のメモ書きとして解されるので，医療裁判においての証拠価値は少ない．
e 電子カルテは，真正性，見読性，保存性の3条件を満たすことが必要である．

問 8-10

医事訴訟における鑑定について正しいのはどれか．3つ選べ．

a 鑑定では口頭鑑定は認められない．
b 鑑定にあたっては診療録の証拠価値は高い．
c 鑑定は裁判官の判断能力の補充に資するものである．
d 虚偽の鑑定を行った場合には虚偽鑑定罪(刑法第171条)に問われることがある．
e 刑事責任も問われている場合の鑑定は，民事責任においても同様に評価される．

問 8-11

医療事故が民事上紛争(損害賠償)となった場合，当事者に関わる事項で誤っているのはどれか．

a 裁判所が鑑定人を選任した後は拒否できない．
b 代理人(弁護士)に処理を依頼することができる．
c 話し合いで解決するために裁判所に調停を申し立てることができる．
d 保険会社等の経費，賠償金の支払いは，保険会社等の規定に従って行われる．
e 民事裁判(損害賠償に関する紛争)で敗訴すると，刑法による業務上過失傷害に問われる．

問 8-12

医事調停について誤っているのはどれか．

a 調停調書には法的効力がある．
b 診療に関わる調停は公開の形式をとる．
c 医事調停委員は最高裁判所から職務委嘱が行われる．
d 医事調停の申請は地方裁判所内の調停委員会に申し込む．
e 調停委員会は医療機関に診療録の提出を命ずることができる．

問 8-13

医事訴訟について正しいのはどれか．2つ選べ．

a 証拠保全の決定は裁判所が行う．
b 医療機関への責任追及は不法行為に限られる．
c 診療に過誤があれば必ず刑事責任を問われる．
d 訴訟の手続きは原則として患者側が裁判所に訴状を提出することから始まる．
e 裁判において主張・立証責任は医療者側にある．

問 8-14

和解について正しいのはどれか．3つ選べ

a 示談は紛争を解決する契約であり，定まった書式がある．
b 裁判上の和解では，和解条項が記載された和解調書が作成される．
c 裁判所は，訴訟のどの段階でも裁判上の和解を試みることができる．
d 和解内容には，金銭支払い問題以外の要望などを盛り込むことはできない．
e 和解には裁判所が関与する裁判上の和解と，裁判外の和解(示談)の2種類がある．

問 8-15

保険診療として認められているのはどれか.

a 健康診断
b 治験に係る診療
c 疲労回復のための入院
d 特殊医療，研究目的の検査
e 専門外という理由での施術業者における施術への同意

問 8-16

老人介護について誤っているのはどれか.

a 介護保険が実施されている.
b 保健所は認知症性老人の訪問介護を行う.
c 老人介護支援センターは介護相談を行う.
d 介護が必要な老人に対して短期入所が実施される.
e 介護老人保健施設ではリハビリテーションや介護を行う.

問 8-17

身体障害者障害程度等級認定について誤っているのはどれか.

a 2つ以上の障害が重複する場合は，重複する障害の合計指数に応じて等級を決める.
b 四肢の障害は基本的には障害部位を個々に判定したうえ，総合的に障害程度を認定するものである.
c 脳性麻痺の場合でも，上肢不自由，下肢不自由，体幹不自由の一般的認定方法を用いるのが原則である.
d 肢体の疼痛または筋力低下などの障害も，客観的に証明でき，または妥当と思われるものは機能障害として扱う.
e 人工骨頭または人工関節については，人工骨頭または人工関節の置換術後の経過が安定した時点の機能障害の程度により判定する.

問 8-18

インフォームドコンセントのもっとも重要な目的について正しいのはどれか.

a 医事紛争の防止
b 患者を医療事故から守る.
c 医療側が訴訟に巻き込まれないようにする.
d 患者側に医療側の治療方針の正しいことを納得させる.
e 患者側に十分納得がいく説明を行い，理解を得て，治療方針につき自己決定権の行使を行わせる.

問 8-19

インフォームドコンセントについて正しいのはどれか．2つ選べ.

a 患者が治療の最終決定を行う主体である.
b 可能性が低い副作用は説明しなくてよい.
c 親が宗教上の理由で子どもの輸血を拒否した場合，親の意思に従う.
d 癌などの手術中に説明していない癌病巣が発見されれば摘出してもよい.
e 医師は医療を提供するにあたり，適切な説明を行い，医療を受ける者の理解を得るよう努めなければならない.

問 8-20

インフォームドコンセントについて誤っているのはどれか.

a 患者の「同意」に先行する医師の「適切な説明」が，より重要である.
b 医療法上にもインフォームドコンセントの法的根拠が規定されている.
c 侵襲性・危険性のある医療行為はインフォームドコンセントの対象になる.
d 「説明」と「同意」は文書で行うべきであり，患者がいったん同意書を出すと，撤回はできない.
e 救急救命現場等の緊急事態においてはインフォームドコンセントを得ることが省略されることがある.

問 8-21

業務上疾病（労働災害）について正しいのはどれか.

a 件数は増加し続けている.
b 癌は種類にかかわらず含まれない.
c 負傷に起因する疾病がもっとも多い.
d 通勤による労働者の障害は含まれない.
e 原疾病に続発した持続性疾病は含まれない.

問 8-22

日本の産業医および産業医制度について誤っているのはどれか.

a 専属産業医は嘱託産業医より多い.
b 職場巡視は産業医の大切な職務である.
c 日本医師会は認定産業医制度を発足した.
d 地域医師会が中核となって地域産業保健センターを設置した.
e 労働者が常時 50 人以上の事業所には産業医の選任の義務がある.

問 8-23

産業医について正しいのはどれか. 3つ選べ.

a 医師であれば産業医としての資格を有している.
b 必要な産業医の選任数は業種毎に決まっている.
c 事業者が労働安全衛生法に違反したときは罰則が適応される.
d 労働者数 50～3,000 人以下の事業場では産業医 1 人の選任でよい.
e 日本医師会の産業医学基礎研修は厚生労働省が認める産業医の研修である.

問 8-24

労働衛生について正しいのはどれか.

a 慢性疲労は高血圧・糖尿病の増悪の要因にならない.
b 休憩時間を除き，週40時間を超える労働をさせてはならない.
c 連続 3 日間の夜勤はヒトの生体リズムを完全に昼夜逆転させる.
d 男女間の体格・能力の差を理由に就業を制限することができる.
e 産後 1 年未満の女子でも，重量物取り扱い業務に就かせることができる.

問 8-25

労働衛生管理体制における産業医の職務に含まれないのはどれか.

a 健康管理
b 作業管理
c 作業環境管理
d 労働衛生教育
e 職業性疾患研究

問 8-26

労働者災害補償保険(労災保険)について正しいのはどれか. 2つ選べ.

a 後遺障害等級の最終決定は地域の労災病院の医師が行う.
b 療養給付, 傷病給付, 傷害給付は, 保険の給付に含まれる.
c 症状固定の場合は所定の様式で労働基準監督署に申請する.
d 後遺障害の程度にかかわらず, 一生涯, 年金が支給される.
e 労働者の生活を救済するために, なるべく長期間治療を行うよう努める.

問 8-27

労働者災害補償保険(労災保険)について正しいのはどれか.

a 保険料は, 事業主と労働者が2：1で負担する.
b 従業員数が20人以下の企業の労働者にも適用される.
c 療養した場合は100分の60に相当する額で療養費が給付される.
d 労災により労働することができない期間の給与は全額支給される.
e 業務上のみの労働者の負傷, 死亡等に対して必要な保険給付を行う.

問 8-28

振動障害とその健康管理について正しいのはどれか. 3つ選べ.

a 冷水負荷皮膚温テストを行う季節としては夏が適当である.
b 振動作業への配置時には手関節・肘関節のX線撮影の義務がある.
c 削岩機などの打撃工具使用者は年2回定期検診を受ける義務がある.
d 健康管理区分の管理Cは有害作業の影響が認められない状態である.
e 末梢循環障害, 末梢神経障害, 骨・関節系の運動器障害に大別される.

問 8-29

職場検診で血糖値を測定し, 境界域以上の人と正常範囲にある人の肥満者の割合を比べて, 血糖値が高い人は健常者より肥満が多いという結果を得た. この研究は次の疫学方法論のどれに相当するか.

a 記述疫学
b 横断研究
c 症例対照研究
d コホート研究
e 介入研究

問 8-30

スクリーニング検査について正しいのはどれか．3つ選べ．

a 真陽性が高く，真陰性が低い検査が好ましい．
b 検査の特異度が高い場合，偽陽性の結果を出す可能性は低くなる．
c 感度とは，疾患のある患者のうち検査結果が陽性と出た患者の割合をさす．
d 特異度とは，疾患のない患者のうち検査結果が陽性と出た患者の割合をさす．
e 偽陽性とは，ある検査において疾患が本当はないのに疾患があるという結果が出ることをさす．

問 8-31

治療法の有効性を解析するための理想的な研究デザインの条件はどれか．3つ選べ．

a 後ろ向き研究である．
b 試験参加者が盲検化されている．
c 患者の追跡率が50%以上である．
d 患者の割付がランダム化されている．
e 患者は介入以外には同等に治療されている．

問 8-32

医師法について正しいのはどれか．3つ選べ．

a 医師法には懲役刑がある．
b 保健指導を行う義務が記載されている．
c 応招義務違反した場合の罰則規定はない．
d 診療録は3年間保存しなければならない．
e 医師の守秘義務は，医師法に規定されている．

問 8-33

厚生労働省が定める指定難病の対象とならないのはどれか．

a 黄色靱帯骨化症
b 関節リウマチ
c 広範脊柱管狭窄症
d 特発性大腿骨頭壊死症
e Buerger 病（閉塞性血栓血管炎）

問 8-34

身体障害者手帳について誤っているのはどれか．2つ選べ．

a 都道府県知事が交付を行う．
b 20 歳以上の障害者に交付する．
c 障害等級 7 級では手帳が交付される．
d 一下肢を大腿の 2 分の 1 以上欠くものは 3 級である．
e 自立支援医療（更生医療）を受けるために手帳が必要である．

問 8-35

平成 27 年度に施行された医療事故調査制度について正しいのはどれか．

a 当事者の責任追及を目的とした制度である．
b 患者本人の意図による自殺も対象事案に含まれる．
c 第三者機関により立ち上げられた調査委員会が院内調査を実施する．

d 「医療事故」に該当するかどうかの判断は，医療機関の管理者が行う．

e 家族に「高齢なので何が起こるかわかりません」と説明していれば，対象事案にならない．

問 8-36

次のうち臨床研究のエビデンスレベルが低いのはどれか．2つ選べ．

a 症例報告

b 症例対照研究

c 専門家委員会報告

d 前向きコホート研究

e ランダム化比較試験のメタアナリシス

問 8-37

ヘルシンキ宣言に関して誤っているのはどれか．3つ選べ．

a 世界医師会で採択された医学研究の倫理規範である．

b 新しい知識を得ることは個々の被験者の権利よりも優先される．

c 被験者が同意を与えた場合は被験者自身が責任を負うことになる．

d 研究の内容を明示した計画書が研究倫理委員会で審査される必要がある．

e 未成年者を対象とする時は代理人からインフォームド・コンセントを取得すれば十分である．

問 8-38

身体障害者障害程度等級表(身体障害者福祉法施行規則別表第5号)で3級に相当するのはどれか．

a 一上肢の機能の著しい障害

b 両下肢の機能の著しい障害

c 一上肢の肩関節の機能を全廃したもの

d 一下肢を下腿の2分の1以上で欠くもの

e 体幹の機能障害により座っていることのできないもの

問 8-39

診療報酬での運動器リハビリテーション料の算定について正しいのはどれか．2つ選べ．

a 1単位は30分である．

b 作業療法士は算定できない．

c 算定日数の上限は150日である．

d 療法士1人あたりの上限は1日24単位である．

e 集団でリハビリテーションを行った場合でも算定可能である．

問 8-40

柔道整復師法で，柔道整復師の業務として認められているのはどれか．2つ選べ．

a 湿布処置

b X線撮影

c 診断書の発行

d 超音波検査での診断

e 応急処置としての脱臼または骨折の施術

問 8-41

「人を対象とする医学系研究に関する倫理指針」の「研究」に含まれるのはどれか.

a 自施設の症例を学会で報告すること
b 人体から分離した細菌を分析すること
c 自施設における医療評価のため，診療実績を集計すること
d 自施設の院内感染防止のため，施設内データを集積・検討すること
e 自施設の既存試料・情報を用いて，診断方法の有効性を検証すること

問 8-42

介護保険について正しいのはどれか．3つ選べ.

a 地方自治体単位で認定される.
b 第1号被保険者は70歳以上である.
c 第2号被保険者には関節リウマチが含まれる.
d 第2号被保険者には後縦靱帯骨化症が含まれる.
e 日常生活自立度Jは寝たきりの状態である.

問 8-43

法律に基づく公的資格でないのはどれか.

a 鍼(はり)師
b 灸(きゆう)師
c 柔道整復師
d カイロプラクター
e あん摩マッサージ指圧師

問 8-44

柔道整復師について正しいのはどれか．3つ選べ.

a 捻挫を施術できる.
b 慢性疾患を施術できる.
c 応急時の脱臼を施術できる.
d X線撮影を指示し，診断することができる.
e 継続的な骨折の施術には，医師の同意が必要である.

和文索引

あ

い

う

え

お

か

き

さ

し

す

せ

と

な

に

ね

の

は

ひ

ふ

へ

ほ

ま

み

む

め

も

や

ゆ

よ

り

る

れ

ろ

わ

欧文索引

整形外科卒後研修 Q&A（改訂第 8 版）—問題編　　2 分冊（分売不可）

1985年 4 月10日　第 1 版第 1 刷発行
2011年 9 月 1 日　第 6 版第 1 刷発行
2016年 5 月25日　第 7 版第 1 刷発行
2020年11月10日　第 7 版第 4 刷発行
2021年 6 月 5 日　第 8 版第 1 刷発行
2022年12月25日　第 8 版第 2 刷発行

編集者 日本整形外科学会 Q&A 委員会
発行者 小立健太
発行所 株式会社 南 江 堂
〒113-8410 東京都文京区本郷三丁目 42 番 6 号
☎（出版）03-3811-7236（営業）03-3811-7239
ホームページ https://www.nankodo.co.jp/
正誤表を作成した場合はホームページに掲載予定
印刷・製本 三報社印刷
装丁　渡邊真介

Q & A for the Postgraduates in Orthopaedic Surgery, 8th Edition

定価はケースに表示してあります.
落丁･乱丁の場合はお取り替えいたします.
ご意見･お問い合わせはホームページまでお寄せください.

Printed and Bound in Japan
ISBN978-4-524-22809-6